Bestsellers saggi

GIORGIO BOCCA

IL PROVINCIALE

Settant'anni di vita italiana

ARNOLDO MONDADORI EDITORE

© 1991 Arnoldo Mondadori Editore S.p.A., Milano

I edizione settembre 1991
I edizione Oscar Bestsellers saggi giugno 1993

ISBN 88-04-37419-5

Questo volume è stato stampato
presso Arnoldo Mondadori Editore S.p.A.
Stabilimento Nuova Stampa Mondadori - Cles (TN)
Stampato in Italia - Printed in Italy

SOMMARIO

IL PROVINCIALE

I
GLI ANNI DELLA NEVE E DEL FUOCO

Nella baita del sergente Durbano, a Frise di Valgrana, sotto le ardesie del tetto, c'erano i pani grandi che si cuociono due volte l'anno, ovali e chiari come semi di fecondazione; in basso il focolare, la madia, l'ascia, la vanga e il falcetto per seminare e raccogliere in terre povere. Alla fontana Nanette e Rosina le «francesi», tornate da Nizza al loro villaggio piemontese allo scoppio della guerra, con le mani dure di chi ha piantato e curato fiori nelle serre, i seni piatti sotto i maglioni, i capelli tinti, troppo neri, troppo rossi. Sulla porta della chiesa c'era don Graziano, il parroco giovane, figlio di contadini, furbo di sorriso, ma dei nostri. Davanti alla baita avevamo legato il mulo Garibaldi e tutto era fermo, sulla montagna povera della Valgrana. Il mulo Garibaldi era uscito con noi, poche ore prima, dalla bolgia del 10 settembre del 1943, dal caos della disfatta. Stava all'imbocco della valle, dove c'è una fornace di mattoni, negli urli, negli spari, nei pentoloni rovesciati, nel polverone rossastro di un accampamento dell'artiglieria alpina. Qualche soldato girava ancora per le tende; seduto su una pietra un capitano, il cappello alpino con la penna nera a terra, lo sguardo fisso nel vuoto di un futuro illeggibile in quel polverone. «Sale su con noi?» Non capiva. «Possiamo prendere quel mulo?» Non rispondeva, era una anima morta di un esercito morto. Il mulo Garibaldi si lasciava caricare dei nostri sacchi e saliva con noi sulla montagna povera, fuori dal caos, dalla pianura, dalle città che i tedeschi e gli ultimi fascisti stavano occupando.

Fu la sera del 12 settembre 1943 che il sergente Durbano, che da due giorni trafficava con una radio da campo, mi dis-

se: «Tenente, forse ci siamo». La cassetta di legno grigio si
era messa a soffriggere, a gracchiare, poi Durbano trovò la
sintonia, si sentì una voce dall'accento straniero che arrivava
come dall'aldilà, lontana e vicinissima: «Qualsiasi azione...
esercito tedesco... sabotaggio, morte». Quella voce ci avrebbe cercato tutte le sere nel buio della Valgrana, ci avrebbe
raggiunto nei boschi del Coumboscuro e nei valloni del
monte Bram. Voce di uno straniero che non ci conosceva ma
che sapeva del nostro cauto muoverci alla macchia, voce di
uno sconosciuto tedesco che leggeva dei comunicati ma che
parlava proprio a noi, al sergente Durbano, al parroco, a
Nanette e a Rosina, all'oste Viano del Saretto che andava e
veniva da Cuneo per darci notizie, a noi che non ci presentavamo, non consegnavamo le armi, scampati nella difesa antica della montagna madre, del bosco fitto dei faggi, del pane cotto due volte l'anno sotto le ardesie del tetto, della neve
che già imbiancava le creste e i valloni alti, del mulo Garibaldi che saliva davanti a noi come un'ombra nera e fedele.
Certo non sapeva dove eravamo, quanti eravamo ma parlava a noi, direttamente, come se gli altri, i milioni di italiani
qualsiasi non ci fossero più, come se alla resa dei conti fossimo rimasti solo noi e loro.

Mussolini parlò la sera del 18, da Monaco, appena liberato dalla prigione sul Gran Sasso. La voce era rauca, stanca,
ma era la sua, «sono sicuro che la riconoscete». Sì che la riconoscevamo, sì che ci ravanava dentro e muoveva le memorie, le domande, i ripensamenti. Nella notte fredda della
montagna povera si udivano solo latrati lontani di cani. Non
montavamo ancora di guardia, non capivamo che cosa fosse
quella nuova guerra. La sola cosa certa era quel noi e loro
che significava un taglio netto con il passato, con i mille nodi
del nostro esser stati fascisti in una provincia piemontese,
con i miei anni della neve e del fuoco.

La nostra era una famiglia unica anche se con due cogno-
mi, i Re e i Bocca. Il cognome Bocca era quello di mio padre,
un professore di matematica arrivato non si sa come a Cuneo da Biella, un aggregato alla vera famiglia cuneese dei
Re, parenti del canonico Re, del cordaio Pellegrino, e degli

orefici Cera. Un professore che scriveva a stampatello nei suoi quaderni ma mica di cose che si capissero, robe sue che ogni tanto lo facevano piangere e non capivamo perché, che gli davano quelle furie contenute nel silenzio e nel pallore che poi scappava in solaio a dipingere i suoi acquerelli e a suonare la sua chitarra. Il fatto è, e l'ho capito molto più tardi, quando era troppo tardi, che lui pensava a noi con la testa, con i sentimenti, con tutti i loro imbrogli e inganni e nodi, mentre noi pensavamo a noi come a un piccolo, ma forte bosco di piante simili che aveva le sue regole sicure e immutabili nel mettere e nel perdere le foglie, nel fare e nel donare frutti, nel lento procedere del giovane verso l'alto e del vecchio verso la morte, che nel bosco è una cosa naturale. Non era dei nostri quel mio insicuro, infelice padre; non gli piacevano, per dispetto credo, i tomini del Melle, orgoglio della provincia e una sera, sicuramente per dispetto, aveva lasciato nel piatto gli agnolotti della nonna e lo avrei strozzato. Non ci capiva, non capiva perché era finito in mezzo a noi, sentiva che lo consideravamo un intruso, impallidiva di rabbia se mio nonno ripeteva per la millesima volta: «Giorgino mangia il pane che ti fa crescere» e mia madre assentiva in silenzio.

Sì, il professore di matematica Enrico Bocca, i suoi sentimenti, le sue debolezze, le paure, le timidezze, l'orrore per la volgarità, le tensioni nevrotiche che poi, ma troppo tardi per lui, sarebbero state la vena pulsante del mio lavoro, della mia vita, allora stavano fuori dal bosco familiare. Lui amava l'ironia e il dubbio e non c'era posto per lui nelle nostre certezze. Noi andavamo secondo le lune e i proverbi, lui teneva il regolo nel taschino, un piccolo regolo bianco. Lui cercava consolazioni e indicazioni nei libri – quei cento libri che avevano messo assieme lui e mia madre – noi guidati dalla tradizione orale eravamo padroni delle stagioni e del tempo: «Santa Bibiana, quaranta dì e na smana», bello o brutto a Santa Bibiana così sarebbe stato per quaranta giorni e una settimana. E «la buna vista d'le cioche», lavati gli occhi quando suonano le campane per la resurrezione del Cristo la mattina della Pasqua. Eravamo sulle rive del Gesso: io tiravo

frecce di legno con un arco fatto con le stecche di un para-
pioggia sfondato, lui leggeva «La Stampa», si capisce, mentre noi, i Re, leggevamo «La Gazzetta del Popolo», e quando
dai campanili della città, alta sui baluardi come nei giorni
degli assedi, risuonarono nell'aria limpida i bronzi delle
campane io correvo come un pazzo, saltando di pietra in
pietra bianca del greto per arrivare all'acqua, per arrivarci
in tempo perché «la buna vista d'le cioche» vale solo se ti bagni gli occhi mentre suonano. Quando tornai alzò appena
gli occhi dal suo giornale, ironico, seccato, ma non disse nulla, aveva paura di me, della mia forte estraneità.

La sola volta che dovette dubitare del suo scientismo e riconoscere i poteri e i misteri della nostra religione magica fu
un pomeriggio di agosto del '32, sì del '32, quando avevo dodici anni. Eravamo rientrati a Valdieri da una camminata sul
monte Sabenk e lo vidi che si tastava affannosamente le tasche, andare in camera sua a frugare nei cassetti, tornare
pallido e dire a mia madre: «Ho perso il portafogli». «C'era
tanto?» «Tutto lo stipendio...» «Sei sicuro di averlo perso?»
«Sì, l'ho tirato fuori mentre mangiavamo sulla pietraia.»
Partimmo l'indomani all'alba alla ricerca, io con la certezza
religioso-magica trasmessami da mia nonna Maria il giorno
in cui cercava una sua collanina e continuava a ripetere:
«Sant'Antoni pien d'virtù, feme truvè l'on ca l'ei perdù».
Così andavo su per la pietraia come una capra affamata, ri-
petendo la giaculatoria, in un franar di ardesie, in un sibilar
di marmotte e distanziavo mia sorella e mio padre sicuro che
ci avrei dato dentro con la faccia, sicuro dell'urlo trionfale
che sarebbe uscito dal mio petto ansimante quando lo avrei
trovato, morbido cuoio scuro fra le pietre. E lo alzai come
un trofeo di vittoria. Non senza aver risolto con sguardo rapido un altro dei misteri infantili, i dieci biglietti da cento
del mai confessato stipendio da professore di mio padre.
Lui insegnava in una scuola professionale di Savigliano, partiva il lunedì mattina e rientrava il sabato pomeriggio, e forse lo odiavo perché il sabato sera dovevo sloggiare dalla
stanza che dividevo con mia madre e andare in quella di mia
sorella, o in sala da pranzo, o in salotto, a dormire sul sofà a

letto. Stavamo allo stretto in via XX Settembre numero undici, i Re più un Bocca in un alloggio di tre stanze più cucina. Nella stanza che dava sul cortile il nonno e la nonna, nelle altre due, noi quattro. Io, ma non solo io, tutti i Re, non eravamo neppure sfiorati dal pensiero di essere poveri, al contrario eravamo convinti di essere una famiglia se non ricca ben messa e rispettabile per sicuri stipendi statali e funzioni civiche.

Tutti gli averi di mio nonno quando andava per gli ottanta erano quelli che poteva avere un contadino del Passatore arruolato a diciotto anni in Marina, andato a Venezia per la visita, fatto passare sotto la chiglia di una nave legato come un salame, subito rispedito, per evidente orrore, alla fanteria con la quale era arrivato a Custoza, ventisei movimenti per caricare il fucile e quando ebbe terminato la guerra era già finita, già un suono di tromba aveva ordinato la mesta ritirata; poi spedito nel 1865 sul Vulture, terra da pipe, per la guerra contro i briganti, lui contadino del Passatore a sparare a contadini pugliesi o lucani; e poi ancora maresciallo d'alloggio itinerante per le fortezze del Quadrilatero, Peschiera, Mantova, Legnago, Verona con la nonna che metteva al mondo quattro figli, Carmelina e Ines, Umberto e Mario; e finalmente tornato alla madre Cuneo con un posto di scrivano al distretto, invecchiato ma in pace con se stesso e con il mondo, ogni giorno alla bocciofila di viale degli Angeli, sempre al mercato del martedì per comperare callifughi e cianfrusaglie, sempre a usare i ferri da calza di mia nonna per pulire la pipa, l'aceto di mia nonna per i gargarismi del mattino, con il suo forte corpo di solida pianta per l'ammirazione di quel nipote mezzo contadino mezzo cittadino, ma più contadino che cittadino, che appena lui usciva andava a contemplare, come il tesoro della Torre di Londra, le sue ricchezze: una medaglia al valor militare, di bronzo, con il nastro azzurro, un salvadanaio a forma di ferro da stiro, due pipe, una fotografia in divisa da maresciallo con il braccio destro appoggiato a una colonnina in legno con capitello corinzio, e le grandi chiavi della cantina ove ogni autunno — ecco perché l'odor della vendemmia lo sento anche adesso,

sulla montagna povera, nei boschi di faggio e di betulla –
scendevamo a pigiare le uve nel grande tino, a piedi nudi, e
dopo un po' l'odor del mosto mi faceva girare la testa, e vedevo ondeggiare la luce bianca della lampada ad acetilene,
lui mi sollevava di peso, mi toglieva dal tino, mi rimandava a
casa sonnolento, ma non volevo saperne. Facevamo un vino
acidulo, come tutti a Cuneo, còn le uve del dolcetto meno
care, quelle delle terre dure e povere della Langa che danno
sul Tanaro. I più poveri facevano anche la picchetta, il vino
di seconda spremitura, una gazosina color lampone.

E cosa possedeva mia nonna dopo settanta anni di vita e di
traslochi per le guarnigioni militari del Quadrilatero? Un
paio di orecchini, un anello di sua madre, grembiali da cucina, una fotografia di quando era ventenne e bellissima e la
grande gonna che metteva quando andavamo nei prati a
raccogliere il radicchio, i «sarsét», gli asparagi selvatici. E
quando sentivo come un fruscio di acque sotterranee mi vol-
tavo e la vedevo ferma, a gambe allargate, con la sua gonna
che scendeva fino all'erba del prato, che stava facendo la sua
pisciatina, e la amavo con una tenerezza che si irradiava nelle luci del tardo pomeriggio, sull'altipiano, nella gloria delle
nostre montagne dal Matto all'Argentera al Viso, sempre al
loro santo immancabile posto. I bambini che non hanno
nonni o non conoscono la fanciullezza con i nonni non sanno cosa è l'amore a cerchio di vita, dell'infanzia e della vec-
chiaia che si compenetrano nell'arco della vita; non l'amore
possessivo, nevrotico, ansioso dei genitori, sempre lì a pensare cosa farà da grande, sarà bravo da grande, ma l'amore
di chi pensa solo a chiudere il cerchio della vita, il freddo, la
noia, la debolezza dei vecchi per cui è un dono la curiosità, la
vitalità, l'ingenuità dei piccoli.

Nella mia vita girovaga e festaiola ho alzato il calice in
ogni parte del mondo. Feste a New York al trentesimo piano
di un grattacielo sul Central Park, con quelle americanine
allumeuses che ti ronzano attorno, fanno gli occhi da gattina
in calore, ti scavallano sotto gli occhi le loro gambe finché girano i drink e alle sette in punto staccano, passano efficienti
e motivate alle altre relazioni del pranzo e del dopo pranzo e

sei cancellato, non ci sei proprio. Sbronze nel gelo di Mosca e una notte con Alberto Ronchey, un collega, usciti dalla casa di un amico alle due dovemmo farci a piedi gli immensi interminabili viali staliniani, nella neve, fin che ci tirò su un camion della spazzatura. O i pranzi e le danze nella residenza estiva del nostro ambasciatore a Mogadiscio, vicino a un fiume pieno di ippopotami che ogni tanto emergevano dalla fanghiglia a pochi passi da noi come a carpire i nostri segreti; ma l'ambasciatore che era appena arrivato da Mosca parlava sempre del caviale grigio che si trova solo negli spacci del Cremlino. E la cena nella casa incredibile che un italiano rimasto in Etiopia si era fatto costruire sul cratere di un vulcano, proprio sull'orlo, con terrazza affacciata sul baratro. Ma la festa vera, stupenda, indimenticabile è quella con mia nonna, tornata per un giorno alla grande famiglia contadina del Passatore.

Si sposano due nipoti della nonna e ci invitano al pranzo. Mio padre nemmeno a parlarne, mia madre fa scuola, mia sorella Anna non è il tipo, io già pronto. Scendiamo alle basse di Stura, passiamo sulle pianche cigolanti, sull'acqua verde, risaliamo la ripa dove c'è il sanatorio che quando gli passo vicino trattengo il respiro per paura dei microbi – che terrore le malattie, salvo l'influenza quando sto coricato in cucina sul sofà di tela grigia, la nonna mi prepara i bocconcini di carne, la gatta Bolina si corica sulla mia pancia e fa le fusa – dunque risalita la ripa prendiamo per le terre battute di campagna, con l'erba che spunta fra le ruere dei carri, per i campi di granoturco e di trifoglio fino al Passatore che però in italiano non suona misterioso e arcaico come «el Pasùr». Il pranzo è fissato per l'una ma le bottiglie di dolcetto girano già alle dieci del mattino. La tavola, lunghissima, è apparecchiata sotto il portico del fienile, per cinquanta persone; le fette di salame sono già in tavola nei piatti degli antipasti, vicino alla carne cruda con gli spicchi d'aglio, ai peperoni in bagna cauda, al vitel tonné, ai nervetti. In campagna si mangia polenta tutto l'anno, tutta la vita, ma quando ci vuole il grande convivio grande sia, senza risparmio. Arrivano gli sposi, ma che me ne importa, ho già allungato la forchetta verso il vitel tonné, «piano Giorgio, piano» dice la nonna. Spazziamo gli antipasti freddi e arrivano i cotechini caldi delle Langhe, dolci e un po' drogati di noce moscata, e gli spinaci, e poi i ravioli in brodo e faccio anche io come gli altri, verso un po' di vino nel brodo, gusto il vigore di quei due sangui mescolati, sangue di bue e sangue d'uva. Ma il piatto forte deve ancora arrivare, fritto misto alla piemontese con i semolini dolci, le barchette di pasta con la marmellata, le frittelle di mela, gli amaretti, no le cervella no, mi fanno senso, «ma se è il più buono» dice la nonna. E poi il gorgonzola, la torta, gli sposi che partono per il loro viaggio di nozze a Venezia o a Pisa, sicuro che tornano con la gondoletta o con la torre pendente in alabastro rosa da tenere sul comò.

Il sole splende forte, gli anziani vanno a stendersi in un letto o nel fienile, i ragazzi come me corrono per i campi e lungo le bealere per lucertole e rane e quando il pomeriggio è avanzato, quando un presentimento della notte arriva dalle montagne con quella luce ardente del sole che di colpo cala e rosseggia oltre le vette dietro nuvole viola, senza un ordine preciso, senza cerimonie qualcuno rimette il bollito sul fuoco, gli anziani che si sono risvegliati arrivano, come se passassero da lì per caso, uno senza averne l'aria si siede a tavola, esce dalla cucina una donna con un pentolone di brodo caldo, si sturano delle bottiglie. «Magari ci fosse una tinca in carpione» dice Trumlin, quello che ha aperto un distributore di benzina a Madonna dell'Olmo; portano anche dei tomini elettrici con il peperoncino rosso e i salamini «d'la duja», tenuti sotto grasso in una botticella. Le luci si accendono, si alza un ronzio di zanzare, il vino riscalda e fa cantare e il bambino felice che ero si addormenta nel grembo di nonna Maria e dorme anche sul mototriciclo con cui Trumlin ci riporta a casa.

In quella provincia dell'infanzia passavano vaghi segni di un sottosuolo politico, antifascista, ma come relitti di un tempo passato. C'erano nel nostro cortile due pensionati, uno che aveva acceso per anni le lampade del gas e stava in fondo al cortile, dietro una trincea di scatole di conserva in cui faceva crescere rosmarino e basilico; l'altro, pensionato del comune, di nome Fassio, ricordo bene, sul nostro pianerottolo. Si rivelavano solo il primo maggio, li vedevo uno in cortile l'altro sul suo balcone con un garofano rosso all'occhiello. Si guardavano da lontano, come a dirsi, ci siamo ancora, ma senza un gesto di saluto. Il pomeriggio andavano a ubriacarsi ciascuno nella sua piola. Il pensionato del gas lo trovavano l'indomani addormentato in mezzo ai suoi vasi di rosmarino e di basilico, a mettere a letto l'altro ci pensava madama Fassio, un donnone che sapeva niente del socialismo e del fascio ma che il primo maggio comperava da mia nonna uno dei polli che allevava nella stia sul balcone. E forse, quell'anno che mi ricordo, suo marito non aveva fame e il pollo se lo mangiò tutto lei perché l'indomani la sentii che raccontava a mia nonna: «Mi veniva su, sai, mi veniva di gomitarlo, ma io no, lo rimandavo giù, con quel che ho speso non ti gomito». E mi sembrava una storia epica, stavo dalla parte della signora Fassio.

Ci stavo bene in quella Cuneo che ora mi sembra appartenere alla preistoria, a prima dell'età del ferro, a un tempo in cui il legno era onnipresente: erano di legno le tribune di piazza Regina Elena usata la domenica come campo di calcio, di legno i tavolati che la chiudevano al traffico, di legno le pianche, le passerelle sopra la Stura e il Gesso, di legno i banchi del mercato, i carretti, le carrozze, i palchi delle riviste militari, le impalcature dei muratori, i cessi di ringhiera, con il loro coperchio forato nel mezzo per cui la nostra analità pigra si collegava con gli inferi. Di legno erano le scale a muro, le pantalere per il gioco del pallone elastico da cui «balùn» impazziti schizzavano imprevedibilmente verso spigoli di casa, coppi, selci, pugni fasciati; di legno i banchi della scuola assieme a strofinacci, crocefissi, fotografie del Duce e del Re, lavagne, carte del regno con le regioni a colori diversi come a ricordo dei ducati e dei principati e odori secchi e aspri di gesso e di inchiostro, di minestre mal digerite, di scorregge fra risate incontenibili, tutti penetrati nel legno poroso di abete le cui venature eran già state scavate dagli alunni degli anni precedenti per farci meravigliosi canyon color cenere, percorsi da fiumi neri di inchiostro essiccato;

attorno ai calamai metallici si eran formate delle incrostazioni violacee e rugginose, da mar Morto fra Sodoma e Gomorra; ma noi spezzavamo i pennini e piantatili sul bordo dei canyon ne traevamo suoni celesti. Di legno erano le mazze e i giavellotti delle nostre bande giovanili che si davano battaglia sulle ripe dei due fiumi, dove intessevamo con le liane capanni per fumarci barbe di granoturco in pipe di castagna d'India. Mai però nelle ripe alla punta del cuneo che era il nostro tabù. Ci eravamo convinti o ci arrivava chi sa da quale memoria militare che quel luogo sotto la punta del cuneo – lì c'era stato un tempo il palazzo del governatore – fosse in qualche modo sacro e inviolabile. Luogo dove per noi si mescolavano le due anime della città, quella solare del Gesso e quella notturna della Stura. Ci passavamo davanti, ma solo in ferrovia e c'era una fila di pioppi a difendere quel mistero.

Dormivo nel letto accanto a quello di mia madre. Mettevo sotto il cuscino una galletta dolce e la succhiavo briciola a briciola, mentre lei mi ripeteva per la millesima volta le storie fondamentali del nostro fascismo provinciale.

La prima sulla gerarchia intoccabile della nostra ordinata società: in alto gli aristocratici che stanno nelle loro ville sul viale degli Angeli o al di là dei fiumi, in mezzo noi borghesia statale di servizio e di risparmio ammessi qualche volta alle loro tavole e ai loro amori, in basso, ma in basso sul serio, giù nelle basse dei due fiumi i manovali, gli operai. «Mamma quando è che andavi dai conti Pansa?» «Collino Pansa» rettificava lei. «Sì quando, mamma?» «Quando finivano le scuole. Bice Collino Pansa che oggi è sposata con l'ingegner Soldati era mia compagna di scuola e mi invitava. Venivano a prendermi a casa con il calesse, passavamo il ponte sul Gesso, prendevamo la strada di Mondovì, salivamo per la ripa fiorita fino alla villa dei leoni, li hai visti anche tu i due leoni dell'ingresso. C'era un cameriere che apriva il cancello, il viale era lungo, la villa bianca appariva in fondo e io vedevo che Bice era sullo scalone di ingresso. Mi correva incontro, mi accompagnava nella mia stanza. Sul tavolo c'erano fiori e un thermos con l'acqua fresca.» «Un thermos come quello che portiamo in montagna?» «Sì, ma d'argento.» «E di giorno cosa facevate?» «Passeggiavamo nel parco, poi loro giocavano a tennis.» «Come quello che c'è sul viale degli Angeli?» «Sì, ma fra due siepi di rose fiorite.» «E poi mamma?» «Poi si andava a pranzo con i camerieri in guanti bianchi. E il fratello della Bice che adesso fa lo scrittore mi corteggiava.» «Cosa vuol dire mamma?» «Su adesso dormi.» E io mi addormentavo sognando le ville bianche che noi della borghesia statale dei servizi e del risparmio guardiamo da lontano sulle rive fiorite del Gesso o della Stura, al fondo dei viali, dove, una volta all'anno, Bice ci aspetta per accompagnarci nella stanza in cui, sul tavolo, c'è il thermos d'argento con l'acqua fresca.

L'altra storia mi portava nella grande e sconosciuta Torino, negli anni del fascismo nascente. «Mamma come era quando andavi a Torino per gli esami?» «Ah, non farmi pensare, cose che solo a ricordarle... Tiravano pietre agli ufficiali, sputavano al passaggio della bandiera.» «Ma chi sputava mamma?» «Quella gente là, operai della Fiat, donne mal vestite, delle facce. Per fortuna che poi arrivò la brigata Sassari e quelli non scherzavano.» «Sputavano anche sugli ufficiali?» «Ne ho visto uno circondato da quella gentaglia che tirava fuori la pistola e sparava in aria per farsi largo.» Allora scioglievo in bocca l'ultima briciola del biscottino e mi si allargava il cuore al pensiero di essere nato nel posto giusto del migliore dei mondi possibili, il posto di quelli che non avranno i camerieri in guanti bianchi e neppure l'automobile come il mobiliere Paschiero, che la domenica va in auto al Colle della Maddalena ma quando passa mio zio Mario dice «quello fallisce sicuro». No, meglio la borghesia statale, stipendio basso ma sicuro, rispettata per cui se un «civic», una guardia civica ti afferra per la collottola mentre pesti le aiuole dei giardini pubblici, puoi dire «ma io sono il figlio della maestra Bocca», sicuro che nella famiglia della guardia o fra amici e conoscenti c'è qualcuno che è andato a scuola da lei. È per questo che noi abbiamo simpatia per il Duce, è uno dei nostri, figlio di una maestra.

La prima volta che venne a Cuneo per il decennale le fiaccole di gas sui tripodi di cartapesta mandavano bagliori e fumi nerastri anche di giorno e a qualcuno tornavano in mente le storielle sulle visite del re, le luci a gas accese anche di giorno per fargli vedere la nuova illuminazione. E il ricordo di quelle storielle, credetemi, mi tornò anche nel Vietnam, al confine con la Cambogia, quel giorno che ero sceso dal taxi per mettermi a pisciare in una risaia e in quella si sente un rombo sordo e poi arriva una colonna di camion americani tutti con i fari accesi, anche loro come noi di Cuneo con le luci accese di giorno e passando guardano stupiti questo tale in maniche di camicia che sembra allegro in questo schifo che è il Vietnam. Questo tale che adesso ride perché si è ricordato della storiella del re Vittorio, il padre della patria, che passa per via Roma e a un certo punto dai finestrini delle cantine sente gridare «Maestà, suma nùi cùi d'Cüni», Maestà siamo noi quelli di Cuneo, e sono i gozzuti, nascosti là sotto dal sindaco. Il balcone del Duce era quello dell'Automobile Club in piazza Vittorio e mai la grande piazza era stata così gremita e mai così commossa e felice di sentir dire da lui «la vostra è la provincia granda e resterà granda perché devo darvi questo pubblico riconoscimento: voi non mi avete mai chiesto nulla». Aveva dell'intuito quel romagnolo, aveva capito al volo che per secoli di guerre e di assedi la nostra era stata sempre una storia di sopportazioni senza compensi. «Fert», sopporta, come sta scritto nel nostro stemma. E pure orgogliosi di sopportare.

Ogni provincia in Italia ha avuto il suo fascismo anche se il Duce, le sahariane, il re e imperatore, gli stivali, le aquile, le greche erano eguali per tutti. Ma la ragione per cui il nostro fascismo basso piemontese è andato avanti fino al '39, fino all'asse con la Germania nazista, fino alle leggi razziali, cioè fino a quando è diventato qualcosa di estraneo e di incomprensibile, è che esso era qualcosa di casa nostra, che rientrava quasi sempre nelle cose di casa nostra. Da noi non era come a Torino, a Milano, a Roma, non c'erano fascisti venuti da fuori e quei pochi, come il federale Glarey, un valdostano, si integravano subito nella cuneesità, affittavano case di nostri amici o parenti, venivano a sciare con noi a Sant'Antonio di Aradolo.

Quanto ai fascisti cuneesi, dal federale Antonio Bonino che andò dietro al Duce fino a Salò all'avvocato «marcia su Roma» Michele Olivero che, opportunamente, lo piantò prima, eran tutti dentro la rete delle nostre parentele e amicizie, attraverso i loro figli sapevamo in che armadio tenevano le uniformi e in quale gli stivali di gomma per la pesca alla trota o gli scarponi da sci. Erano della nostra classe medio e piccolo borghese, in una città dove ognuno stava al suo posto, in una provincia alpina in cui anche i valligiani stavano al loro posto per i servizi militari, la vita agra della montagna e i brevi colloqui rituali: «Cuma la va, parin?». «Pas mal, pas mal.» «A l'eve d'butir?» «L'uma finilu, l'uma finilu.» «Bona, parin.» «Bona.» Li avremmo rivisti certamente in divisa da alpini in qualche guerra, buoni per guidare i muli e piantare tende, per le corvée e per crepare. Ma anche noi del resto, anche una buona metà di noi non ha fatto ritorno dalla Grecia e dalla Russia.

Al massimo i federali copiavano la firma di Mussolini, la M dalle possenti volute, al massimo alzavano il viso e protendevano la mascella quando parlavano in pubblico, ma qualcuno neppure questo, il valdostano Glarey non la protendeva e ci ripenso ogni volta che passo a Courmayeur davanti alla confetteria dei suoi parenti o omonimi, lui era più piemontese che fascista. Ci fu una volta che da Mondovì mi telefonarono per sapere se alla proiezione di un film del Cineguf si doveva andare in divisa e io dicevo che la divisa era una rottura di scatole, no niente divisa. Lui mi incontrava l'indomani per strada, mi parlava della neve appena scesa, dello sci e solo al momento di salutarmi diceva: «Stai un po' attento ai telefoni, giovanotto».

La neve e il fuoco venivano prima, contavano più di tutti i fascismi d'Italia. Nei miei sogni torna sempre la montagna che non c'è, né sulle carte né da svegli; fasciata di abetaie scure che si aprono verso una cima bianca di neve alta e farinosa. Sta, non so il punto preciso, ma sta dalle parti del colle di Tenda, dopo il colle di Tenda, verso il mare, e su di essa scio in neve fresca senza la minima fatica chiedendomi sempre, nel sogno, perché non scio sempre così. Qualche amico analista dice che è la madre, la tranquillità e la sicurezza del ventre materno, la sua nostalgia, ma per me la neve resta neve anche nel sogno, per me la neve e il fuoco sono il segno delle mie ore felici.

La vita vera, la felicità cominciavano quel mattino in cui un grido di mia madre mi tirava giù dal letto: «Giorgio, Giorgio, nevica». Correvo alla finestra, il naso schiacciato contro il vetro, a guardare in alto i fiocchi che venivano giù mulinando, a guardare i tetti delle case di fronte già bianchi, a sentire le urla del «cartunè», del guidatore di carri Cuniberti che legava i cavalli allo spartineve. Nevicò come un miracolo anche il giorno della Cresima al collegio San Tommaso. Fino alle undici del mattino, fino alla messa, cielo grigio ma niente neve. Ci portano dopo la messa in una sala del collegio dove i padri gesuiti offrono la cioccolata con panna, tangibile grazia del sacramento. E all'uscita il cortile è tutto bianco, noi che corriamo pazzi di gioia.

Per noi la neve voleva dire sentirsi parte di una comunità che per memorie antiche sapeva come partecipare: Cuniberti legava i suoi cavalli, gli spalatori si presentavano in municipio per ritirare le pale, qualcuno apriva la grande bealera di via Roma, l'acqua scura dell'inverno correva in mezzo alla strada, giù fino alla punta del cuneo e portava via la neve che arrivava sui carri o che gettavano dai tetti; in tutte le case si tiravano fuori il grasso per gli scarponi, i guanti di lana, le sciarpe, si tiravano giù gli sci dal solaio e anche le campane erano da neve, i loro rintocchi arrivavano come ovattati. Era da neve anche il lattaio che arrivava la sera dal Passatore con il recipiente di alluminio in spalla. Suonava alla porta ed era lì in un fiato di gelo con la mantella nera imbiancata di neve, il cappello di lana che fumava di neve. «Quanta ce n'è al Passatore?» chiedevo. «Il doppio di qui» diceva lui e mi faceva felice. Allora pensavo che nevicava in tutte le valli, su tutte le chiese, sui campanili di pietra grigia, sui villaggi e mi pareva che la neve rinforzasse le mie sicurezze cuneesi, che rendesse intoccabile, sicuro il golfo di terra chiuso fra le montagne.

Ho sciato dall'età di cinque anni, da quando sono andato alle elementari, un anno prima degli altri. I primi sci arrivarono un Natale, sotto l'albero, ma sapevo che mia madre li aveva comperati dal rigattiere Mocellini. Gli attacchi erano fatti con liste di cuoio, i bastoncini erano di nocciolo. Li portavo a scuola e alle tre del pomeriggio, appena uscito, li mettevo per andare al Campidoglio, come chiamavano i prati sotto i baluardi della Stura, piste precipiti, con passaggi strettissimi fra pali della luce e siepi, un muro di sassi lungo il sentiero ghiacciato, i piccoli sci che facevano ta-tan ta-tan sulle onde ghiacciate, e pensavo che a casa mi aspettava il fuoco sotto la pentola dell'acqua bollente per lavarmi nella tinozza.

I primi sci da fondo, da corsa, li vidi nascere nel fuoco. Sapevamo dove era il falegname che faceva sci, alle basse della Stura, vicino alla stazione del tram. Ci faceva scegliere le assicelle di faggio o di hickory, legno di Finlandia, con venature punteggiate, fitte. Contavamo i soldi. Sì, ce la facevamo, allora il grande fuoco saliva sotto la caldaia, i fumi del vapore uscivano dall'officina e salivano verso il cielo stellato, verso le montagne bianche e gelide. Juan, il falegname, aspettava che l'acqua bollisse e poi immergeva la punta dell'assicella tagliata a sesto acuto. Noi a guardare trepidanti come un padre che aspetta di veder nascere il figlio. Poi li toglieva per piegarli nella morsa ricurva. Tornavamo l'indomani per la verniciatura e non era ancora finita, si andava in casa dell'uno o dell'altro per mettere sulle punte le stelline d'argento.

C'erano degli alpigiani nel nostro olimpo sciistico, di nomi belli e forestieri, un Ramella Paja Delfo di Oropa, un Cristiano Rodighiero di Asiago, un Italo Soldà della val di Genova, un Andrea Vuerich di Dobbiaco, ma il nostro vero dio moro era Achille Compagnoni. Avevo dieci anni quando il liceo ginnasio Silvio Pellico organizzò la prima gara di fondo al colle della Maddalena. Arrivammo sopra Bersezio a due chilometri dal colle, ma lì la tormenta aveva riempito la stra-

da. Proseguimmo con gli sci e Achille ci apparve su una gob-
ba bianca. Vestiva l'uniforme del milite confinario, ma non
portava il cappello alpino, aveva una rete bianca di lana che
stringeva un viso nero, ma dolce, da moro nostrano. Ci
guardava come si guardano dei cuccioli, «dietro a me ragazzi». E vidi allora per la prima volta quelle caviglie sottili, quei
polpacci che avrei rivisto in non so quante gare, tutte le volte
che mi passava senza chiedere pista perché era forte e gentile e diceva sempre qualcosa di incoraggiante, «dai che vai
bene», «dai che è quasi finita».

Ci sono sempre neve e fuoco nelle emozioni grandi della
mia fanciullezza. Nevicava la mattina che «Porchettino» suonò alla porta di casa e sentii con terrore la sua voce stridula
quando mia madre aprì. Porchettino era un ambulante alto
un soldo di cacio, con una pancetta rotonda sotto il gilet color canarino e una faccina da maialotto, da cui il nomignolo.
Vendeva strani aggeggi per tagliare le carote a spirale, sci-
roppi portentosi contro la tosse, pomate per far crescere i
capelli, orologi vecchi. Per richiamare la gente tirava fuori
da una tasca del panciotto una trombettina piccola come lui,
poco più lunga della sua mano, e ne traeva, gonfiando le gote, dei perepeppeppè laceranti. Allora noi nascosti dietro un
banco del mercato ci mettevamo a gridare «Porchettino,
Porchettino», a tirargli palle di neve e tutti in fuga, come
passeri spaventati, appena accennava a rincorrerci. Pensai
che Porchettino possedesse un sesto senso, un fiuto animale,
qualcosa di magico per essere arrivato fino al secondo piano
di via XX Settembre numero undici. Ascoltavo terrorizzato
la sua vocetta stridula ogni tanto coperta da quella di mia
madre e aspettavo che lei tornasse con il cuore in gola. Tornò ma rideva, mi abbracciò di spalle e mi baciava. E lì realiz-
zai che dovevo ancora capire molto di cosa è l'amore di una
madre.

Poco dopo mi convinsi che nella nostra città dovevano esserci abili seguitori di orme, infallibili lettori di orme lasciate
sulla neve. Uscii da scuola con un quattro meno su un compito di matematica e decisi di raccontare a casa che avevo
perso il quaderno; così arrivato allo steccato della falegna-

meria Baudino cercai una fessura e ci spinsi dentro il quaderno sotto le assi. Ero a casa in cucina con le mani che «bollivano» per aver tirato palle di neve, suonò il campanello e questa volta andò ad aprire la nonna. Tornò, aveva in mano il quaderno e disse: «Guarda cosa hai perso Giorgio, lo ha trovato la Celeste». Mai capito come la Celeste, la tabaccaia, avesse visto il quaderno, nella fessura, sotto le assi.

Le montagne di casa, le prealpi dei faggi e dei castagni. Saltavamo sulla tramvia per Borgo San Dalmazzo quando rallentava alla curva di piazza Vittorio e il controllore faceva finta di non vederci. Sci in spalla fino a Sant'Antonio di Aradolo e poi a mezza costa per monte Croce. Lì ci affacciavamo sul vuoto della valle Stura, sul dorso bianco, sempre ghiacciato della montagna, duro e deserto fino alla linea scura dei castagni, là in fondo. Scendevamo su quei pendii sempre duri, derapando con quegli sci senza lamine, bestemmiando, mani e piedi dolenti. Ma giù c'era l'osteria di Piano Quinto, un antro affumicato dove ci davano il vino caldo accanto al camino aspettando la tramvia della sera. Nel buio il mostro d'acciaio con la sua faccia quadrata come una cassaforte veniva giù da Moiola sferragliando e mandava fiamme e scintille. Oppure uscivamo con gli sci da fondo sull'altipiano, sulla neve sempre un po' ghiacciata dell'altipiano che segue le curve dell'aratura, i solchi e copre i fossi, inseguiti dall'abbaiare dei cani, da cascina in cascina, cascine chiuse, misteriose. Solo la domenica salivamo in treno a Limone per vedere i Giordano e i Marro che si allenavano il mattino, su fino ai duemila del forte di Tenda, per arrivare in tempo a mezzogiorno a fare i camerieri nei loro alberghi.

Al centro del grande arco alpino attorno alla mia città sta, come un totem dominante, il Monviso, simile al Cervino, meno feroce. La montagna a cui generazioni di piemontesi si sono rivolti nelle albe e nei tramonti andando e tornando dal lavoro, come a un protettore. Perché il Monviso non si confonde, è solo, avanzato verso la piana, visibile da tutto il Piemonte e montagna buona. E capivamo guardando il semicerchio delle alte, ma non terrificanti montagne, bianche di neve ma non terre di lupi, il segno fraterno che hanno impresso in noi cresciuti sotto la loro protezione, in quel loro freddo di neve buono per far crescere il grano, sulle nostre terre mai battute dal vento, mai coperte dalle nebbie.

Noi non siamo gente di vento e di nebbia. Nascono anche da noi, a volte, uomini di vento e di nebbia, senza paura, un po' matti, ma pochi: uno ne ricordo che scomparve traversando l'Atlantico su un aeroplanino, un altro che faceva l'attore a Cinecittà, gente strana. Quando si tornava in treno da Torino, alla cieca, nella nebbia, e si notava che la bruma cominciava a diradarsi, che incominciavano ad apparire alberi, case e lumi tremolanti era segno che ormai si era sull'altipiano, dove la neve del buon Dio e i fuochi degli uomini splendono sotto il cielo stellato. Sì, la neve e il fuoco venivano prima e sarebbero rimasti dopo quel nostro fascismo.

Nel fascismo statuale, fatto di prefetti, questori, presidi, generali avevamo ritrovato il nostro stato d'ordine piemontese e anche il vecchio colonialismo, il generale Arimondi e il maggiore Toselli, cuneesi, il primo morto ad Adua nella «infausta battaglia» contro re Menelik, da cui i nomi delle nostre osterie e alberghi Adua, Tripoli, Asmara e le esposizioni con le «faccette nere», quella di Torino del '31 con il villaggio dei Galla Sidamo, e la voglia di oltremare che mettevamo nella raccolta dei francobolli di terre assai lontane, Oubangui Chari, Camerun, Mauritius, che poi non erano solo fantasie perché se uno di noi voleva togliersi dalla fedele povertà di Cuneo, se voleva trovare il modo di uscire dal suo modesto posto, qualche occasione nel nostro oltremare la trovava: il figlio del fabbro Massa, Riccardo, detto Cado, arrivava a Pasqua o a Natale in divisa da tenente degli spahis, degli ascari, bruno e tenebroso come Rodolfo Valentino con un mantello nero foderato di rosso che gli scendeva fino ai piedi; e il Lovera figlio della mia balia, che era andato a Rodi come geometra del governatorato, tornava in vacanza, si sedeva a un tavolino del bar Prato in corso Nizza e tirava fuori, come niente, i pacchetti rettangolari delle Muratti, sigarette da ricchi, o quelli con i minareti delle Camel. E il Piero Paracone, tenente di vascello, su e giù per piazza Vittorio in giacca bianca e àncora d'oro sul cappello.

Poi c'era il fascismo delle «disposizioni d'ordine» di un partito privato di ogni potere dal suo stesso fondatore e capo Benito Mussolini, che tirava avanti con le divise, le scartoffie, le idee bislacche o ridicole che noi conoscevamo in anteprima perché un segretario del federale, il dottor Tonin, affittava due stanze in casa nostra e ci avvertiva se arrivava una nuova disposizione d'ordine di Achille Starace. «Tutte le organizzazioni giovanili devono partecipare alla raccolta del grano.» E allora un sabato, in divisa da giovani fascisti andiamo alla colonia agricola di San Rocco Castagnaretta, fucile in spalla, giberne con dentro i panini e le sigarette e con la baionetta – come prescrive simbolicamente la disposizione d'ordine – fingiamo di tagliare le spighe che con una baionetta non le tagli neppure a piangere. Intanto il fotografo Scoffone fa le foto da spedire a Roma.

Un'altra volta la disposizione d'ordine arrivò alla contessina dalla Chiesa, segretaria del fascio femminile, doveva organizzare una mostra dell'artigianato autarchico. La contessina dalla Chiesa era proprio una contessina, un passerotto in sahariana nera sempre presente sul palco delle autorità a tutte le inaugurazioni, benedizioni, celebrazioni, consegna di gagliardetti alle truppe in partenza per l'Africa, la Spagna, l'Albania, lei non faceva differenze, sempre nel primo banco per le messe dei caduti e i Te Deum. Di artigianato autarchico comunque sapeva niente, così va dal federale che la manda da noi del Guf, Gruppo universitari fascisti, e noi le scriviamo la lettera da spedire a tutti i Fasci della provincia e siccome in tutti i Fasci c'è qualcuno il quale sa che alle disposizioni d'ordine non si dice mai di no, anche se poi uno le rigira come vuole, arriva nel giro di poche settimane un campionario irridente, impudente, magliaro di rum fatto con le bacche rosse che noi chiamiamo i grattaculi, di tessuti fatti con la ginestra che devi maneggiarli con cura se no te ne resta un pezzo sfilacciato in mano, scarpe di cartone pressato, caffè di orzo, di segala, di grano, di tutti i cereali, gin fatto con i rododendri, e noi a sghignazzare, attaccando i cartellini.

Una volta la disposizione d'ordine fu che tutte le federazioni, anche quelle alpine di Cuneo, Sondrio e Aosta dovevano partecipare alla traversata del mar Piccolo a Taranto, gara di fondo di nuoto. Partono come me il giovane Olivero figlio dell'avvocato «marcia su Roma» e un certo Moretti esile, pallido e taciturno. Mandano noi tre a traversare il mar Piccolo perché facciamo le gare sui cinquanta metri nella piscina appena inaugurata, alle basse di Gesso. Ci caricano sul Torino-Napoli e a Battipaglia si cambia, saliamo su un trenino con i sedili di legno neppure verniciati, su vagoni di un colore di muffa verdastra, il numero della classe invisibile e del resto inutile perché sono tutte vetture di terza.

Il treno dell'Italia non littoria, del Cristo fermo ad Eboli, si lasciò alle spalle il mare azzurro, i capostazione con i berretti rossi gallonati, l'Italia piccolo borghese del «se potessi avere mille lire al mese», dei telefoni bianchi di De Sica e di Assia Noris e incominciò a salire per le terre dei cafoni, le terre «da pipe» di cui mi aveva raccontato Giovanni Re, mio nonno materno, contadino del Passatore mandato qui a far la guerra ai briganti. Erano terre gialle di spighe già tagliate o rosse di aratura fresca o incolte, latifondo pelato, tondeggianti e deserte nel crepuscolo. Non si vedevano luci, non si udivano rumori di abitati, il treno fermava come in aperta campagna, si udiva per un po' il tintinnio del campanello elettrico, poi si aprivano le due maniglie della porta, come si muovessero da sole, e silenziosi si issavano dei fantasmi scuri, con grossi fagotti neri, con profumo aspro dolce di salumi, ortaggi, vino. A ogni fermata qualcuno dei fantasmi scendeva e qualche altro saliva, ma era impossibile vederli in volto, la luce nello scompartimento e nel corridoio si era ridotta a un bagliore rossastro, intermittente. E ogni volta che ripartiva il treno dei cafoni ansimava, penava prima di riprendere nella notte il suo tu-tun tu-tun che poco alla volta ci addormentava.

Ci risvegliammo alle porte di Taranto due ore prima della partenza della gara. A Taranto avevano fatto di una sala d'aspetto uno spogliatoio. «Spogliatevi e appuntate il vostro numero sulla calotta di tela.» Poi tutti sui motoscafi della Marina fino alla nave alla fonda nel mar Piccolo, dove c'era la partenza. Salimmo per scalette metalliche tra fumi e suoni di sirena. «Svelti, svelti» gridava un ufficiale, «scendete in acqua, mancano cinque minuti alla partenza.» Scendere come? Il ponte era alto un dieci metri sul mare. «Avanti ragazzi, tuffatevi.» Andai giù di piedi. Quando emersi in un mare oleoso vidi attorno a me meduse bianche, ondeggianti. Si udì uno sparo. Luxardo, quello di Zara alto uno e novanta con gli occhi azzurri, mulinava già braccia e gambe nel suo furioso testa a testa con il napoletano Spangaro, che noi dovevamo ancora capire che la gara era già in corso.

Li vidi subito i barchini di salvataggio, ma non li chiamai subito; un cento o duecento metri dovevo farli, per salvare la faccia. Poi alzai un braccio e mi tirarono su con il giovane Olivero. Moretti chi sa, capace di farsi davvero la traversata del mar Piccolo. Era un mattino tiepido e sereno ed era un bel vedere laggiù Luxardo nel suo testa a testa con Spangaro e dietro gli altri a centinaia che zampettavano con il loro *crawl* nel mare delle meduse. Quando fummo a cinquecento metri dal traguardo sotto il ponte girevole, il marinaio del barchino di soccorso fece un gesto con la mano verso il mare e lo capimmo anche noi di Cuneo. Scivolammo in acqua e arrivammo Olivero novantaseiesimo e io novantasettesimo. Il federale Glarey, valdostano, dopo mi guardava non sai se ammirato o incredulo: gente di Cuneo che si era fatta a nuoto il mar Piccolo.

L'unica disposizione d'ordine che sentimmo come nostra, anche se un po' cialtrona, fu quella del Rostro d'oro «che il Duce consegnerà al Guf che avrà fatto la maggiore attività alpinistica». E allora, di sera, tutti nell'ufficio dell'Automobile Club dove era impiegato Detto Dalmastro che era anche il segretario del Guf, a incollare su cartoncino grigio fornito dall'Automobile Club le fotografie di tutte le escursioni fatte da amici e parenti – che non si vedano bambini, mi raccomando – con didascalie inventate ridendo, mentre sui fornelletti incominciava a fare le bolle la bagna cauda e Dado Soria, un amico di Detto – mai stato fascista, ma a noi cosa importava? uno che scalava con Gianni Ellena – spellava i peperoni e tagliava il cardo.

L'unica cosa seria del Rostro d'oro che poi non era neanche d'oro, ma una statuetta di vermeil, di quelle che anneriscono in dieci giorni, era la corsa del Pasubio, millecento metri di dislivello, su per le cinquantasei gallerie per cui si arriva sul monte «sacro alla Patria». Per allenarci ci avevano mandato alle Terme di Valdieri che per un cuneese della mia generazione volevano dire la regalità. Ci manca l'architettura regale a noi di Cuneo. Nelle nostre valli dove l'aristocrazia povera si è fermata con i suoi palazzotti agli imbocchi, a Dronero, Caraglio, Verzuolo, di costruito e di ammirevole ci sono solo le chiese romaniche e i loro campanili di pietra grigia alti sui villaggi-fortezza dietro le antiche fortificazioni degli architetti militari di Sua Maestà sabauda. Villaggi con i portici bassi, le strade acciottolate e a curve, a riparo dalla tormenta, le case strette l'una all'altra, povere, con cortili in ombra e scalette scure; con i loro poveri municipi che non si distinguevano dalle altre case, spesso con ingresso con scala all'aperto e balcone a ringhiera. Da Vinadio a Demonte a Casteldelfino vecchi fossati, baluardi, casematte e case povere. E allora trovare in questa provincia dura e disadorna, nel punto più alto della valle Gesso, un palazzone come in piazza Castello a Torino, la reggia alpina del re Vittorio poi diventata albergo termale, era come un miraggio. E veder l'acqua che fumava, calda, annusare con piacere grandissimo quel suo odore di uova marce, osservare le muffe giallastre delle sorgenti, scoprire il fluire arcano delle acque minerali nei circuiti ipogei e poi camminare per i portici luminosi del palazzo ci faceva finalmente entrare in una regalità sempre ammirata da lontano, con reverenza e timori di sudditi.

Nel Grand Hotel erano ospiti i ricchi che passavano le acque; i poveri, quelli della mutua, erano relegati in una dépendance. Noi ci avevano sistemato in uno stanzone della servitù con i letti a castello, ma pranzavamo al Grand Hotel ed eravamo coccolati dalla buona società. Di giorno correvamo come giovani camosci su per il sentiero che sale al rifugio Morelli, poi sulle pietraie dell'Argentera e giù a precipizio dopo il col di Nasta con piedi e garretti di ferro che trovavano da soli il varco fra le rocce, irrompevano come zoccoli di cavallo al galoppo per i gias fangosi, terra nera e merda secca di vacche, di corsa, in tre ore un giro che gli altri facevano in due giorni. Ma la sera mettevamo la camicia pulita e andavamo a sentire il profumo buono delle donne ricche, dei buoni sigari, dei buoni cibi, il profumo di chi sta bene. Dopo la cena andavamo in sala da ballo dove ci lanciava saluti forti il Cavallo della Bombonina, detto Broc, figlio di mezzadro, ma travolto dalla passione per il Duce e per l'impero. Era in cura per i postumi di una ferita a una gamba, presa in Spagna, ma per comunicarci il suo ottimismo patriottico ballava anche lui su una gamba sola.

Il proprietario del Grand Hotel aveva un'amica bionda e morbida, una di quelle di Vercelli o di Novara di pelle bianca allevate a riso. Lei lasciava che ci mettessimo a letto nel nostro camerone e poi veniva a salutarci, vestita di azzurro, la nostra fata turcona, morbida e matronale. Una notte, dopo che ci ebbe dato la buonanotte, sentii un fruscio. Mi sollevai su un gomito. Era Nando il prescelto dalla dea matronale, lui il fortunato che si infilava i pantaloni e scivolava via verso il grande letto, i lini, le tette della signora bianca, allevata a riso. Ballavo spesso con la signora Bausonio, alessandrina, moglie del figlio del padrone, minuta ma di seno forte con intrigante accento «mandrogno», un po' sul genovese. Una sera mentre ballavamo si spensero le luci. Stringerla di più? Baciarla? La luce ritornò e vedevo nei suoi occhi un'espressione che non ho ancora capito, forse di ironia, forse di disappunto. Ma era molto bella e a me le donne belle mi hanno sempre intimidito.

Una che era qualcosa di più, qualcosa di diverso da una solo bella arrivò nella mia vita quando avevo quindici anni. La chiamavamo «la tripolina» perché arrivava da Tripoli al seguito di un padre colonnello di artiglieria, militare errante, e forse perché, come ho detto, sentivamo il fascino dell'oltremare. Era una sarda di Tempio Pausania bella e fiera come una cavallina berbera, passava fra le nostre fanciulle cuneesi, malvestite, goffe, bruttine come una principessa guerriera, ci guardava negli occhi senza furberia, allusioni e seduzioni, camminava sempre un passo davanti alle sue compagne che le facevano da ancelle. Sapevo, salendo la scaletta del liceo ginnasio Silvio Pellico, che l'avrei vista, al centro della porta a vetri dello spogliatoio femminile, circondata dalle compagne, strette attorno a lei come una corona di ranocchie.

Per tutto il tempo che rimase a Cuneo la mia vita fu cercarla e incontrarla fuggevolmente, inceppato dalla timidezza, a scuola, in piazza, davanti a casa sua in corso Dante, compagno di gioco dei suoi due fratelli per poterla vedere. Noi giocavamo a calcio nel prato e lei si metteva seduta alla finestra. Aveva un maglione giallo e sorrideva come a dire: lo so che sei qui per me.

Il liceo ginnasio Silvio Pellico stava nella piazzetta dei Cacciatori delle Alpi, vicino alla chiesa e al collegio dei salesiani. E ogni mattino don Saverio, che ormai era vicino ai novanta ed era tornato dalle missioni nel Mato Grosso, piccolo, rugoso, quasi cieco, con una mantella di flanella nera sulle spalle anche in primavera, con il suo bastone dal pomo d'argento girava fra di noi sorridente e felice, come si trovasse già fra gli angeli. E anche don Saverio faceva parte dello stato di grazia di quel primo amore.

Lalla l'ho ritrovata per telefono, l'anno scorso, ho risentito la sua voce con lieve accento sardo, identica a quella di cinquanta e più anni fa. Non l'ho mai baciata, non ho mai avuto il coraggio di chiederle un bacio. L'ultimo giorno, sulla porta di casa sua mi si avvicinò con il suo viso bello e fiero, ma scappò via. Andai in bicicletta sulla riva della Stura dove il treno per Torino rallentava sulla salita. Erano ai finestrini. Cuneo stava davanti a me sull'altipiano con i suoi baluardi, i suoi campanili, le sue case. E lì capii che non era tutto il mondo, che me ne sarei andato, un giorno.

Con le belle non ho mai avuto fortuna, neanche in quella vigilia di Natale del '37 o forse del '38 che sembrava la volta buona. Tornavo in treno da Torino e a Fossano si apre la porta con i vetri appannati e salgono due ragazze sui venti, di quelle molto belle che mi tolgono ogni coraggio. Ma dopo pochi minuti che viaggiavamo assieme scoprivo in loro una specie femminile sconosciuta a Cuneo, delle cortigiane o geishe o madonne d'amore che fanno del corteggiamento, dell'amicizia erotica, dell'offerta gioiosa di sé anima e corpo come un radioso vapore che pian piano riempie il luogo in cui stanno, ufficio, stanza, scompartimento di treno. Scoprivo in loro l'arte, sconosciuta nella mia città rude e marziale, di piacere disinteressatamente, diversa da quella del sedurre, del vendersi o dell'amministrarsi. Una di esse, Paola, si toglieva il soprabito, restava in piedi con quel seno palpitante sotto la camicetta di seta rosa e lo faceva in un modo sconosciuto alla mia città bigotta e avara, non c'era proprio in lei idea di peccato, voleva semplicemente dire: sono giovane, sono bella, sono in vacanza, voglio bene al mondo intero, farei l'amore con il mondo intero, non ho freddo anche se i vetri sono appannati dal gelo, anche se fuori c'è un metro di neve, non sono annoiata anche se passo la vita in un ufficio dell'Unione industriali di Casale, anche se mio fratello è sotto le armi, anche se mia madre ha avuto un colpo, anche se Casale d'inverno è più triste di un pisciatoio triste. Non mi importa se non ho neanche i soldi per il ritorno e dovrò chiederli al vecchio Mario che ci ha invitati a Cuneo per il Natale, perché ho voglia di vivere e anche il Natale a Cuneo sarà stupendo.

La tecnica del ginocchio a quei tempi, sui treni, era fondamentale: si aspettava una sbandata del treno e si avanzava il ginocchio di uno o due centimetri. Di strada da fare ce n'era poca, le carrozze erano strette, un'altra sbandata e il primo rapido contatto – starà ferma con il suo ginocchio o lo tirerà indietro? – ma lei sta ferma, ora avanzo anche l'altro ginocchio, pelle e ossa che si toccano e per esse passa una corrente di tepori carnali, flussi magnetici, flussi vitali, comunicazioni, ormoni, geni. E per la prima volta non ho paura con una bella perché con questa madonna d'amore tutto diventa facile, spontaneo, si ride senza pausa anche se lei ride di te, no non te la prendi, lo fa con simpatia, si canta, ci si stringe anche le mani come se infanzia e amore pieno si mescolassero. A Cuneo, nel corridoio riuscii a mormorarle: «Ci vediamo stasera?». Era davvero triste, davvero dispiaciuta quando disse che c'era un vecchio amico che le aspettava: «Andate alla messa di mezzanotte? Io andrò in duomo».

Nel duomo ero stato due sole volte, per vedere dove sedeva nel coro il canonico Re e per i funerali di mio nonno. Il duomo di Cuneo è unico in Italia, incastrato nelle case, un duomo catafratto di cui si vede solo la facciata in via Roma, duomo da città assediata per cantarci il Te Deum dopo una vittoria sui gallo-ispani al pilone della Battaglia. Paola, la sua amica e l'odiato amico erano in uno dei primi banchi. Lui aveva l'aria di quei poveretti che a Cuneo non riescono a fare amicizie, un impiegato al Genio civile arrivato da Casale, forse, ma a me sembrava il ricco corruttore. Paola mi vide e sorrise. Non le toglievo gli occhi da dosso e lui dovette accorgersene perché si voltò a guardarmi due o tre volte, ma senza ira, bonario, come a dire: senti giovanotto finita la messa tu te ne torni a casa dove tua madre non si addormenta se non ti sente rientrare e io queste due me le porto al veglione del Cambio, antipasti assortiti, agnolotti, brasato al Barolo, Asti spumante e poi danze perché ho risparmiato un mese per godermela questa sera. E allora fai il bravo ragazzo che ormai siamo all'Ite missa est.

Prima che la messa finisse uscii da una porticina che dava su una viuzza laterale. C'era lì davanti una osteria e degli ubriachi cantavano, urlavano, rotolavano nella neve. Era la prima volta che non andavo alla messa di Natale nella chiesa dei gesuiti, la chiesa della Cuneo per bene, e mi trovavo in mezzo all'intreccio dolce e blasfemo, candido e violento del mondo, Gesù bambino e Paola, le voci bianche del coro e i rutti, gli urli degli ubriachi. Poi mi misi a correre per piazza Vittorio, la neve scricchiolava sotto le mie scarpe. «Farinosa,» mi dicevo «stasera tiro un fondo di sciolina e domattina alle nove mi faccio un giro sull'altipiano. Poi a pranzo da zio Valentino, presente anche zio Mimmino, venuto dall'Aquila con il torrone di cioccolato. Di cioccolato? Gente strana in bassa Italia.»

Le belle mi spaventavano, con le brutte non ci stavo a farmi vedere in piazza o sui viali, ma solo per le brutte ferine, che sembravano fatte di solo sesso ferino, provavo trasporti divoranti. Ce n'era una che abitava nella casa di fronte, usciva sul balcone, mi vedeva appoggiato alla ringhiera che la guardavo e si appoggiava anche lei e mi guardava. Era di faccia lunga, di occhi lunghi, di seni lunghi che le arrivavano fin quasi in vita, di gambe dure e lunghe. Scavata in viso e pallida, proprio «faccia smorta fica forta». E siccome dietro casa sua si vedevano le montagne e riconoscevo il tracciato delle piste del colle del Van, quel suo sesso lungo e rovente entrava nel gelo limpido e mi piaceva come il gelato caldo, che non volevo crederci, mangiato alla Corona grossa di Savigliano, la volta che mi accorsi che mio padre corteggiava la padrona.

Ma quella che mi lasciò svuotato dal desiderio con le gambe tremanti fu una dei Bagni di Vinadio, sorella di guardie forestali e padrona di osteria: era bassa e tozza, con forza di orsa e becco da rapace. Sì, il naso piccolo e adunco sulla bocca sottile sembrava proprio il becco di un falco o, meglio, di una piovra che attende come in letargo la sua preda e d'improvviso la trafigge e l'avvolge. Aveva dei grandi seni che sotto il maglione nero sembravano dilatarsi sino a riempire tutta la stanza e l'idea di portarla in una stanza fredda, di tirarle giù le calze di lana ruvida, di mettere le mani nelle sue cosce calde mi faceva impazzire. Quando si avvicinò per servirmi il vino vidi che aveva una peluria nera sul labbro e non riuscivo più a muovermi, non riuscivo a parlare. Lei, dietro il banco, sembrava aspettare una mia mossa incauta, come una piovra, e io mi sentivo come il dottor Faust quando cerca di difendere l'anima: mi aspettavano su al rifugio Migliorero, per la gara a staffetta, dovevo salire lassù e dormire nel gelo del rifugio per la seconda frazione, quando dal basso avremmo visto salire i nostri dei dello sci Ramella Paja Delfo di Oropa, Cristiano Rodighiero di Asiago, Achille Compagnoni della Valfurva, Andrea Vuerich da Dobbiaco. Uscii come barcollando. Quando misi gli sci salivo quasi solo di braccia, le gambe erano molli, non riuscivo a dimenticare la donna orsa, la donna piovra, pensavo di tornar giù da lei. Mi mise in pace solo il pensiero dei fratelli, guardie forestali, che spaccavano le nocciole fra due dita.

Ma torniamo a quel nostro fascismo. C'erano, anche in esso, le contraddizioni del mussolinismo di cui arrivavano nella provincia le ultime onde, così deboli da risultare incomprensibili. Ogni tanto al Duce tornavano i furori anticattolici o antiborghesi del socialista massimalista che era stato e allora le disposizioni d'ordine obbligavano i federali sposati alla cugina di nostra zia, o padri del nostro compagno di scuola, a fare delle cose strambe, assurde. Per esempio la volta che presero una cinquantina degli sfaccendati che campavano nella Milizia, li misero in borghese e li fecero sfilare lungo la cinta del nostro campo sportivo alla associazione cattolica, nota come Suce, urlando e gesticolando come se ce l'avessero con noi, come se non sapessero che eravamo i figli o i nipoti o gli amici dei buoni fascisti borghesi e cuneesi che stavano nel palazzo Littorio, in via XX Settembre, proprio davanti a casa mia. Gli stessi che ci avevano comperato la divisa da crociatino per partecipare alla grande indimenticabile processione dei dodici vescovi, dal duomo fino al santuario della Madonna della Riva.

E il Duce tornò a Cuneo nel '38, mi pare. C'erano state le grandi manovre nel Monferrato, bianchi e azzurri si erano inseguiti sulle colline fingendo di spararsi, c'era stata la solita baraonda di un esercito scalcagnato, ma al termine un Mussolini abbronzato, soddisfatto di sé, era arrivato a Cuneo, aveva percorso in auto scoperta i viali della città ed era piaciuto anche a mio zio Mario afascista ma mussoliniano che per giorni mi avrebbe ripetuto: «Per lo meno è bello, mica come quel Ciano che ha i piedi piatti e una faccia di merda». E chi sa che i piedi piatti e la faccia di merda non abbiano avuto la loro parte nella voglia dei fascisti di Salò di vederlo morto il Ciano, marito di Edda, figlio di papà.

Questa volta il Duce non parlò dal balcone dell'Automobile Club, gli avevano preparato un podio a forma di prora che aveva coperto la statua del povero Barbaroux guardasigilli di re Carlo Alberto. Noi del Guf eravamo proprio sotto il podio e nell'attesa lanciavamo i nostri cappelli goliardici ad Achille Starace, segretario del partito, che ce li rilanciava ridendo aspettando il momento fatale in cui avrebbe lancia-

to il suo fatidico e un po' petroliniano «Camicie nere, saluta-
te nel Duce il fondatore dell'impero». Quella volta il Duce
aveva poco da dire a Cuneo che ne aveva fatta una delle sue
perché lui stando sul podio, al centro della piazza, voltava le
spalle ad almeno ventimila persone che lo osannavano
egualmente, standogli alle natiche. Poi andò a dormire nella
bianca villa Parea dopo il santuario degli Angeli, dove sta
nella teca di cristallo il Beato Angelico, incartapecorito, e
quella sera, come poi in altre sere, nelle fantasticherie del
dormiveglia io stavo ad aspettarlo in un corridoio, nelle vesti
del contino Parea per sussurrargli: «Duce, stia attento ai tedeschi, la guerra non la faccia», perché il mussolinismo era
forte in quella Italia e quasi tutti speravano che il fascismo
finisse o cambiasse, ma che lui si salvasse.

Ma lui la guerra volle farla e io lo vidi tre giorni prima della dichiarazione. Avevamo vinto la staffetta con il Guf Torino ai littoriali di sci di Madonna di Campiglio e lui doveva
consegnarci a Roma le M d'oro. Si era nel giugno del '40 ma
a Roma faceva un caldo africano, o almeno così sembrava a
noi costretti a girare per la città in divisa. Ci avevano sistemati in una pensione che dava sulle Terme romane vicino
all'Esedra, in un palazzo color del mattone antico della Roma antica, e sembravano uscite dalla Suburra la padrona, in
sottoveste nera, lercia, sciabattante, con capelli tinti e il car-
minio sulle labbra vizze e la cameriera del nostro piano, una
ciociara quarantenne con un viso contadino duro, rugoso,
tre denti di piombo sul davanti, ma un seno giovane, potente e un bel culo. Glielo sfiorai con una mano e lei si girò e domandò secca: «Embè?».

Prima di andare dal Duce pranzammo in una pizzeria e ci
facemmo qualche litro di Frascati, così cantavamo e fischiet-
tavamo passando per la piazza del Quirinale quando una signora in abito nero, una camicia di seta nera chiusa sul collo,
un cappellino nero, un bastoncino nero, lo alzò severa verso
di noi e disse: «Giovanotti, un po' di rispetto, siete nella capitale d'Italia». La capitale? Sì, lo avevo letto sui libri ma ora
capivo di non averci mai veramente creduto, perché per noi
di Cuneo la capitale era sempre Torino, la Torino di piazza

Castello, della Sacra Sindone, della Milly amante del principe Umberto, della confetteria Baratti e Milano, di Superga e della Gran Madre.

Il Duce quel pomeriggio aveva altro da fare, da pensare che appuntarci le sue M d'oro, aveva appena ricevuto la redazione del «Lambello», il giornaletto del Guf Torino, e alla sua maniera di autodidatta romagnolo, cercatore di parole strane sul vocabolario, gli aveva detto che «era finito il tempo di cirioleggiare» che ancora adesso non so cosa voglia esattamente dire. Arrivò nel salone di palazzo Venezia con un'ora di ritardo, passò rapido fra noi inneggianti, guardandoci a muso duro e un po' sdegnoso, e lasciò ad altri il compito di distribuire i distintivi.

Tornammo alla pensione che mancava un quarto d'ora alla partenza del treno. Rimasi per ultimo nel nostro stanzone, la cameriera ciociara stava sulla porta e mi guardava fiera. «Ciao,» le dissi «hai delle belle tette.» I suoi occhi fiammeggiarono, aprì a due mani la camicia, saltarono fuori due seni tondi e forti. Ma di sotto la megera urlava: «C'è ancora qualcuno lassù?». Lei mi spinse via aprendo al sorriso i suoi denti di piombo.

Quando cominciò il nostro antifascismo? Difficile dirlo, c'era dentro il fascismo, c'era mentre ancora speravamo in conquiste oltremare, non era fuori del fascismo, ma un lento cammino dentro il fascismo. Era soprattutto la guerra che confermava i dubbi e le ripulse della pace, quei sabati fascisti su e giù per i viali a provare il passo di parata a gamba tesa come i tedeschi, i moschetti senza munizioni, l'arresto di uno dei Perelli, nostri compagni di scuola, quei segni di falce e martello apparsi una notte in corso Dante. Non era un antifascismo ideologico per la democrazia, per i partiti, per le elezioni, ma una crescente fatica e sofferenza per le menzogne, per la presa in giro di quel militarismo che aveva minacciato il mondo intero e ora mandava i nostri soldati in guerra, sulle Alpi, letteralmente in brache di tela. E allora ti veniva una vergogna retrospettiva per tutti i riti e i miti di quel militarismo straccione: le riviste in piazza Vittorio, i generali con la greca e i colonnelli degli alpini penna bianca, anche il colonnello Carasso, padre di una compagna di scuola, visto in casa sua, in pantofole, su una poltrona per la pennichella, anche lui a caracollare su cavalloni che mollavano cascate di buse nere e lucide; poi i bersaglieri di corsa, gli alpini sciatori con i calzettoni bianchi, mormorii e risate quando passavano quelli della fanteria, piccoletti e scuri, «terre da pipe», fino al gran finale dei due cannoni da 420 preda austriaca e al lancio dei colombi viaggiatori.

Insomma eravamo ancora fermi sulle Alpi quando si seppe che i tedeschi erano già arrivati a Lione e lì si erano fermati solo per darci il tempo di fare l'armistizio e di arrivare nel Delfinato. Non ero un antifascista di idee neppure dopo la batosta in Albania. Solo che avrei voluto alzarmi in piedi la volta che il federale Glarey ci spiegava, mica tanto convinto, che tutto andava per il meglio, alzarmi e gridare: «Non è vero, Glarey, non è vero»; ma non ne avevo il coraggio e poi un gesto così, una protesta così senza passare per la gerarchia non era prevista dalla disciplina cuneese, mia madre per prima non l'avrebbe capita.

Fu al corso allievi ufficiali di Bassano che il rifiuto della menzogna, la stanchezza per la menzogna diventarono qualcosa di più. C'erano fra noi degli antifascisti, di famiglia antifascista. Uno mi passò un libro di Croce, un elogio della libertà. Capivo e non capivo. Diceva che le dittature non esistono perché sono la negazione della libertà e solo la libertà esiste, vive. Nessuno di noi pensava allora a una resistenza armata, ma in qualche modo sentivamo che senza resistenza armata quella nostra uscita dal fascismo sarebbe stata mediocre, avvilente. La notizia che Mussolini era stato fatto prigioniero dal re ci colse ad Asiago, al campo estivo. Tornammo a Bassano e il capitano Porazzi, della nostra compagnia, vide fra la gente che applaudiva in noi la sopravvivenza dello Stato, di uno Stato buono, uno che salutava a pugno chiuso e corse a schiaffeggiarlo. Il poveretto, stupito, non ebbe reazioni, si lasciò colpire e rimase fermo, sbalordito come se la fine del fascismo fosse stata un sogno passeggero.

Nei quarantacinque giorni di Badoglio ci mandarono a Venezia in servizio d'ordine pubblico e ci voleva poco a capire che i tedeschi stavano preparando qualcosa, gli occupanti delle gondole che fermavamo per i controlli erano tutti tedeschi giovani, strani turisti, con strane finte mogli o fidanzate. Andavamo di ronda nelle notti caldissime, passavamo sempre nei casini più cari dove donne bellissime, seminude si muovevano fra mobili e quadri antichi, ma potevamo soltanto guardare e andare. Il capitano Porazzi ci faceva fare ordine chiuso in piazza San Marco, dietrofront, conversione a destra, presentat'arm sotto il solleone.

Poi l'armistizio, due giorni dopo che a Cuneo avevamo giurato al 2º alpini. Così vedemmo la rotta di una armata, come si vede una valanga che cade sulla montagna opposta, paura e fascino del caos. I reparti della IV armata, che occupavano la Francia del sud, arrivavano compatti, ordinati fino ai valichi di Tenda o della Maddalena, poi rotolavano giù, abbandonavano armi e automezzi, si ingorgavano e sfociati nella pianura si scioglievano a ondate successive, in poche ore la grande onda di una divisione si frantumava, si disperdeva, spariva lasciando dietro sé autocarri, radio, teli tenda, gomme, cibi, sigarette, i generali primi nella fuga sulle loro auto con le tendine abbassate e sul parafango le bandierine con le tre stellette. Dietro l'armata in fuga venivano migliaia di ebrei che i nostri soldati avevano protetto e che ora abbandonavano nelle caserme di Borgo San Dalmazzo dove sarebbero arrivate fra poco le SS del maggiore Peiper per spedirli alle camere a gas. Salvo quelli della sopravvivenza indomita come Mira, la jugoslava incinta dagli occhi azzurri che arrivò sulla nostra montagna povera e rimase con noi per tutti i venti mesi e fece il suo figlio, parlando a monosillabi, mai abbandonata dal terrore di essere tradita, venduta.

E in quel Cafarnao la buona gente di Cuneo si gettava alla preda o faceva le cose di sempre, come se niente fosse, le «madamin» con il cappello a pentolino fatto dalla modista, la pelliccetta di volpe al collo, che mi incontravano e dicevano: «Giorgino, ma come stai bene in divisa! Salutami la mamma, neh?». Anche mia madre faceva le cose di sempre e non voleva capire che il suo mondo stava crollando. Quando passai a casa per prendere il binocolo e i vestiti e le dissi che salivamo in montagna con Duccio Galimberti e Detto Dalmastro non capiva, proprio come il capitano dell'accampamento, mi correva dietro sulle scale con una maglia di lana e ripeteva: «Mi raccomando, non far tardi stasera». Mi avrebbe rivisto dopo venti mesi.

Sì, in quel settembre del '43 i miei concittadini sembravano come fuori del mondo o come sicuri che il mondo, comunque, non cambia mai. Mia nonna, a mia madre che si preoccupava per la nostra salita in montagna, diceva, preparando la cena: «E bin, la su ai saran i so cumandant», quando mai nella nostra storia non ci sono stati comandanti e ordini e gerarchia? L'armata si scioglieva, l'Italia era sconfitta e sulle panchine dei viali c'erano come sempre le coppiette, i «cubiot», e alla bocciofila mio zio Mario si giocava con il cavalier Canè, alle bocce, la mezza di dolcetto.

Il mulo Garibaldi stava all'imbocco della Valgrana, vicino alla fornace, negli urli, negli spari, nei pentoloni rovesciati, nel polverone rossastro di un accampamento dell'artiglieria alpina. Salivamo alla grangia del sergente Durbano, sulla montagna povera.

II
LA GUERRA DI CASA

Alcuni di noi c'erano a Boves, il 15 settembre del '43, altri no, ma per tutti è a Boves, quel giorno, che siamo entrati nella guerra di casa, la guerra partigiana. Il maggiore delle SS Joachim Peiper è arrivato a Cuneo l'11 settembre con cinquecento uomini, tre carri armati e due autoblindo. Sa che alcuni sbandati della IV armata si sono arenati sulla montagna di Boves e sono ancora armati. Non sa che fra gli sbandati ci sono i primi partigiani ma invia una avanguardia. Cinquanta SS con due cannoni da 88 arrivano sul piazzale della borgata Regia e tirano su Roccasetto, Moretto, Sant'Antonio, Castellar. Poi se ne vanno e scende il silenzio che precede le stragi e gli incendi. Tornano l'indomani a mezzogiorno per stanare gli sbandati e dare a noi la lezione del terrore. «Erano vestiti di telo giallo e marrone, come i teli tenda, gridarono qualcosa che non capimmo, poi si misero a sparare». «Lì per lì si decise di tornare a casa, ma entrò Beppe con la camicia insanguinata. Sparano su tutti.» «Vedemmo le prime volute di fumo. Passò una donna gridando: hanno ucciso Meo, hanno ucciso Meo. Ma io rimasi alla fontana per finire di lavare.» «Di sera la cittadina sembrava morta. Non vidi che cinque o sei persone. Ogni tanto qualche figura umana passava fra i bagliori. Quasi ovunque si sarebbe potuto leggere il giornale benché fossero ormai le dieci.» «Davanti la calzoleria Borello trovai un tale. Mah, diceva, casa mia brucia e io sono qui. Mah, beviamo ancora una volta.» «Era un settembre buono per i funghi, dovevo imbottigliare il dolcetto che mi era arrivato dalle Langhe.»

Nella guerra di casa c'è la neve e c'è il fuoco, ma è il fuoco che scioglie la neve, divora i fienili, brucia e annerisce le travi e punisce, ferisce i valligiani come il sergente Durbano, o il taglialegna Marella o l'oste Viano, o Rosina e Nanette e il loro padre che è malato di cuore ed è salito sulla montagna povera per fuggire dalla guerra.

E quando tocca a noi della Valgrana e bruciano Frise e la frazione Damiani andiamo di casa in casa sulla montagna povera preparati a pianti e maledizioni, ma loro non parlano, rovistano fra le rovine e il taglialegna Marella ci fa segno di entrare nella cucina dove è rimasto un tavolo, tira fuori una bottiglia, fa correre i bicchieri di vetro spesso, versa e mormora «cùi bastard». Nella guerra di casa si entra fra ardore di fuoco e brividi di paura e a volte ci si guarda come sconosciuti, troppo diversi da come eravamo in città. Stasera Duccio Galimberti, l'avvocato, ci aspetta a Valgrana: dobbiamo andare a Boves di nuovo attaccata, in soccorso di Dunchi e di Vian.

Per noi a Cuneo lui era un «pistin», un primo della classe, un piedi piatti, uno che aveva in casa più libri di tutti noi della classe 1920 messi assieme. L'avvocato, uno dei quattro o cinque antifascisti di Cuneo. Ogni tanto lo vedevamo che passeggiava con i nostri amici anziani, Dado Soria e Detto Dalmastro, ma ci restava indigesto, forse lo sentivamo un po' fuorilegge e pieno di zuppa. Aveva una morosa bella, ma zoppa che non sposava perché non era all'altezza del padre defunto, ministro delle poste con Giolitti, né della madre, nobildonna e poetessa raffinata. Duccio aveva l'erre moscia, lo sapevo perché passavo delle ore aggrappato alla rete del tennis sul viale degli Angeli, *enclave* dei pochi e felici concittadini che sapevano dire «play» e «ready». E lui si mangiava la erre. Correva goffamente come un bambinone e si vestiva tutto di bianco, ma solo per il tennis perché poi usciva rivestito in nero, camicia bianca e cravatta nera, per quel suo interminabile lutto del padre che stava anche per lutto della democrazia.

E stasera a Valgrana me lo trovo davanti quando scendo dal camion, non più vestito di nero ma ancora da «pistin» quando i «pistin» vanno in montagna e si mettono i bei calzettoni bianchi, i bei pantaloni grigi alla zuava e un bel maglione norvegese con cervi blu ricamati sulla lana bianca. È alto, grande come una montagna, nel crepuscolo, ma porta già un cappellaccio da bandito e mi saluta per nome. Si corre nel buio, aggrappati al cassone, non sapendo bene come tenere il fucile, se a spalla o impugnato, ma se lo impugni il freddo ti morde le mani. Riconosco nella notte il campanile di Vignolo, il paese da evitare perché i «vignulin» sono carogne e hanno il coltello veloce, vedo il panettone di monte Croce, c'è già neve in cima, entriamo in Borgo San Dalmazzo e arriva in senso opposto un altro camion, sono tedeschi, imbacuccati, seduti su dei sacchi, ma loro non riconoscono noi e noi loro solo quando son passati. Mi rimbomba nell'orecchio un colpo di fucile, il camion riparte di scatto, la battaglia è già finita, loro verso la Vermenagna, noi verso Boves, nel fuoco del fucile, nel brivido orrendo della paura.

Ci fermiamo sul piazzale del santuario di Fontanelle: verso Boves il cielo ha un alone rossastro. Meglio proseguire a piedi, per i campi. Le suore del santuario escono con una pentola di caffè caldo, «Volete favorire?» Il figlio del ministro e della nobildonna sembra rivestirsi in abito nero: «Non dovevate disturbarvi, sorelle, vi siamo davvero grati sorelle». Ma mi prende per un braccio e dice: «Giorgio, vieni con me, andiamo avanti noi».

Nella notte seguo fucile in pugno l'omone che a Cuneo non avevo mai capito, mai sospettato. O il Cec Rosa, che in città è ragioniere ma non fa niente, fa il giocatore di poker e di ramino, passa pomeriggio e sera al caffè Nigra a giocare e a bere barolini chinati caldi. È grasso il Cec di Cuneo, rotondo, timido. Ma qui si è messo una benda rossa sulla fronte, ha un nastro di cartucce per cintura e tira fuori un coraggio boia, è il primo a entrare a Vinadio. E il Ciuiu, quello alto e biondo dell'Azione cattolica che doveva diventare prete, e guidava la recita del rosario. Qui gli è presa la passione del tritolo, svita le bombe di mortaio e con un suo trapano fa dei trucioli di esplosivo. La guerra di casa più di ogni altra guerra ci rivela ogni giorno che la selezione qui è un'altra, che le virtù cittadine qui possono essere difetti. Tutto da rivedere, da verificare.

In città e anche sotto le armi noi giovani tiravamo a campare, eravamo possibilisti, non più fascisti, cauti antifascisti, ma ora sulla montagna povera, ora che gli altri sono come scomparsi e che restiamo noi e loro, noi bande partigiane come piccole stelle, piccoli fuochi sulla montagna e loro, i tedeschi che bruciano i nostri villaggi in una guerra che sembra identica a quelle del passato con i mori, i gallo-ispani, le soldataglie del Delfino, stesse valli, stessi incendi e impiccagioni e torture, adesso noi, raro e sparso seme partigiano, ci fortifichiamo in un estremismo radicale, per continuare a vivere e a combattere ognuno di noi nega le ombre, le scorie, le paure, i dubbi che si porta dentro e si indurisce, nega e odia ogni mezza misura, o con noi o contro di noi, tutto spigoli taglienti, fratelli, madri, amici non fa differenza, anche con loro vale la regola o con noi o contro di noi. Pietà l'è morta, come dice la canzone di guerra. Ma ci sono anche gli anziani, i vecchi che hanno più di trent'anni. Come Duccio Galimberti o Detto Dalmastro che frenano, ragionano.

Una sera d'ottobre arriviamo nelle nostre scorrerie a Madonna dell'Olmo, riva sinistra della Stura in vista di Cuneo e incontriamo una colonna di quelli della Todt, l'organizzazione tedesca delle fortificazioni in cui si arruolano tutti i giovani che non se la sentono di salire in montagna e che non vogliono andare con i fascisti. Ma noi, cuore indurito come il diamante, ai loro comodi non ci commoviamo, fermiamo la colonna ad armi puntate, uno di noi grida: «Se vi incontriamo ancora che lavorate per i tedeschi vi facciamo fuori tutti» e in quella ti vedo l'Olivero, il figlio dell'onorevole «marcia su Roma», quello che è stato con me alla traversata del mar Piccolo a Taranto e mi guarda con i suoi occhi azzurri e buoni da cagnone. E allora, per non perdere la faccia, come i cavalieri antichi che giravoltano il cavallo e se ne vanno caracollando salto sul camion con i miei e dico all'autista Tonon di ripartire verso la purezza senza ombre delle montagne.

O la volta che la squadra volante ci porta su uno che ha una gamba di legno come il marinaio de *L'isola del tesoro*, quelli che li senti arrivare, toc toc, nella notte. È un maresciallo degli alpini, mutilato di guerra, rimasto insabbiato dopo l'armistizio in Valgrana. Lo hanno sorpreso mentre vendeva coperte rubate nel nostro deposito. Lo chiudiamo in una cantina, incatenato alla gamba sana. «Ora lo interroghiamo e poi vediamo» dice Detto. «Ma che interrogarlo,» diciamo noi «ha rubato e va fucilato.» «Sì, sì, domani mattina» dice Detto. Ma l'indomani Detto non c'è, è partito all'alba per incontrare a Cartignano gli Acchiardo, famiglia tranquillamente partigiana, i due figli, la figlia nel negozio di alimentari e lei, la madre. Gente che parla della guerra che bisogna fare senza agitarsi, bisogna farla e basta. E mi ricordano quel colonnello del reggimento savoiardo sciolto da Napoleone che dà appuntamento ai suoi soldati a Susa per la ricostituzione e nel giorno fissato, giorno di neve, arriva per primo, all'alba, e traccia con il suo bastone, nella neve, il luogo dell'accampamento, certo che uno dopo l'altro i suoi soldati arriveranno.

Fucilare Giovanni Ghibaudo, maresciallo degli alpini e ladro, in assenza di Detto non ce la sentivamo. Lui tornò verso sera e noi, i duri, gli chiedevamo: «Il Ghibaudo quando lo fuciliamo?». «Domani,» diceva lui «domani.» Dopo cena passando vicino alla cantina sentii delle voci, quella di Ghibaudo con le vocali larghe del dialetto albese, quella di Detto. Ghibaudo parlava del Tomori dove aveva perso la gamba con il 2° alpini. L'indomani Ghibaudo non c'era più. Prendo da parte Detto: «Lo hai lasciato andare?». «Diciamo che è scappato» diceva lui con quel tono definitivo che hanno i mansueti quando decidono che va bene così. Un giorno della primavera del '45 ero a Moncalvo nel Monferrato dal maggiore Jordan, il capo della missione inglese, e dal corridoio si sente arrivare un toc toc, come quello del marinaio ne *L'isola del tesoro*. «Tu conosci il comandante Tabor?» chiedeva Jordan. «Sì,» dicevo «ci siamo conosciuti.» Giovanni Ghibaudo, nome di battaglia Tabor, portava il fazzoletto azzurro degli autonomi. Quindici mesi prima lo avrei ammazzato.

Niente fa andare via la voglia di ammazzare come la guerra con il suo dovere di uccidere, soprattutto di uccidere da vicino sapendo che uccidi. In combattimento non uccidi, fai

partire pallottole che vanno per l'aria ronzando come cala-
broni e in gran parte si perdono nell'aria, solo quando tutto
è finito vedi che qualcuno è rimasto steso, ma chi lo abbia
colpito non si sa. Uccidere da vicino è diverso, ma chi comanda può convincersi che ha il dovere di uccidere. Eravamo in Varaita a Sampeyre e la volante – maledetti sti mattoi-
di della volante, che ogni giorno te ne combinano una – mi
porta su un maresciallo delle SS in divisa con cinturone e
fibbia con su scritto «Gott mit uns», Dio è con noi, chissà che
Dio che gli piacciono le camere a gas, forse Odino. È alto un
metro e novanta e sul petto porta la decorazione con le fronde di quercia. Ma non potevano farlo fuori sulla tramvia per
Saluzzo dove lo hanno sorpreso, proprio su al comando dovevano portarlo? Sono cose che o le sistemi subito o ti invi-
schiano maledettamente. Incominci a trovargli nel portafogli la fotografia della moglie e dei due bambini, poi ti racconta che era sulla tramvia perché stava andando in licenza
– ma proprio su quella tramvia dovevano salire Ciuiu e i
matti della volante? – e poi visto che non hai più voglia di uccidere perché la guerra te l'ha fatta perdere lo metti ai lavori
di cucina, a spaccar legna e lui senza volerlo ti distrugge il
morale dei nostri partigiani, magrolini e scalcagnati, appena
saliti in banda che lo vedono a torso nudo il mattino quando
si lava alla fontana ghiacciata e poi solleva con una mano il
pentolone che peserà un cinquanta chili, e a ogni ordine
scatta sull'attenti.

Sta mettendo nei guai anche me Hans Dieter, maresciallo
delle SS, perché non riesco a capire se c'è da fidarsene o se
alla prima occasione mi spacca la testa con l'ascia. Della
guerra non parla, di sé non parla come se Hans Dieter fosse
morto e al suo posto ci fosse uno senza nome, senza storia
che vive nell'attesa di qualcosa, ma cosa? un balzo per affer-
rare un fucile oppure la fine della guerra, ancora vivo, lavorando in cucina per i partigiani?

Ma arriva improvviso un rastrellamento, arriva a Sampeyre il rombo delle cannonate, Ciuiu ha fatto saltare il ponte di
Frassino – chi sa come ci avrà goduto – ma sono passati lo
stesso, saranno qui fra un'ora. Hans Dieter, addetto ai lavori

di cucina, mi porta una tazza di latte caldo e mi guarda. «Sono i tuoi» gli dico. Gli passa qualcosa negli occhi, non sai se di paura o di speranza. È da tempo che il mio diamante duro e feroce si è smussato alla prova della guerra, ma so che questa volta bisogna farlo: conosce tutti i nostri depositi, conosce noi del comando, se ce lo portiamo dietro l'occasione di scappare la trova, no, è un rischio troppo forte e poi c'è la regola feroce e forse sbagliata ma che nessuno si sente di violare: se arriva un rastrellamento i prigionieri vanno fucilati, forse che i nostri non li fucilano o impiccano appena li prendono? Sì, ma mettere Hans davanti a un plotone di esecuzione non me la sento. Ci deve pensare uno di noi, uno dei comandanti. Li chiamo e dico: «Tiriamo la paglietta, tocca alla più corta». La più corta rimane nella mano del Megu, il medico, un Dogliotti di Canelli, primario di fama, dopo. Poi in ordine di lunghezza toccherebbe a uno dei gemelli Silvestri o a Mario il novarese.

Ci incamminiamo verso il col Birone e il Megu che si è messo fra i primi subito dietro Hans comincia ad arretrare, ha gli occhi della paura dietro gli occhiali, mi viene al fianco e mormora: «Non me la sento, Giorgio, non me la sento». Non se la sente neanche Silvestri e neanche Mario il novarese e i partigiani seguono i nostri gesti, i nostri mormorii e io capisco che potrebbe essere la fine, chi verrà all'appuntamento a Susa se si dubita del comandante? E allora tocca a me. Vado dietro a Hans e alla prima curva del sentiero quando non copre i partigiani sparo. Si sente il clic del Thompson che fa cilecca. Lui si volta sbiancato. Ha sentito, ha capito. Fa ancora due passi e questa volta la raffica parte. Si arruota con il suo urlo, come se volesse sfuggire alla morte avvitandosi nell'aria. Ho i visceri attorcigliati ma un comandante è quello che si aspettano i suoi uomini. «Seppellitelo» dico con voce fredda.

Si è chiusa lì la mia vicenda di comandante duro e magari ho sbagliato, magari ho fatto uccidere dai fascisti e dai tedeschi dei partigiani, ma non ho avuto più l'animo di far fucilare qualcuno, neppure quel tale fermato sulla strada di Monforte che aveva un accento meridionale, non sapeva dirci cosa faceva lì, sulla strada di Monforte e poi inventava d'essere un commesso viaggiatore. «In che cosa?» gli chiedevamo. «In lucido da scarpe» diceva lui. «Ma dai, chi viene in Langa adesso a vendere lucido da scarpe?» «Son venuto a cercare un amico» diceva lui e faceva un nome a caso, ma non sapeva darne l'indirizzo. E sbagliavo a dire: «Lasciatelo andare», era certamente un informatore, preparava il rastrellamento di due giorni dopo. O come il frate che bussò al nostro comando a Villa Daffara di Costigliole d'Asti e non sapeva dire che ci facesse un frate in un luogo senza conventi e lo lasciammo andare per ritrovarcelo alla testa dei marò della X Mas del comandante Borghese. Ma forse ho fatto bene, forse non potevo fare che così, questo almeno è ciò che pensava Felicin Rocca l'oste di Monforte. Quando, finita la guerra, andai a mangiare da lui con la mia seconda moglie e lei gli chiedeva: «Felicin, ma come era Giorgio da partigiano?», lui sorrideva da furbo, alla albese, e le diceva: «Era uno che non gli piaceva ammazzare».

Neanche torturare ci piaceva, non ci piaceva proprio a Pradleves sentire che Spada, il comandante della polizia partigiana, metteva su un disco al massimo volume perché non si sentissero le urla dei torturati. Spada aveva gli occhi di un pazzo. Entrava in una casa per una perquisizione e diceva alla padrona, con una vocetta stridula: «Se non tiri fuori la roba ti lascio solo più gli occhi per piangere». Lo cacciammo, ma lui continuava a girare da una formazione all'altra offrendo i suoi feroci servizi. Era stato in seminario, aveva conservato qualcosa di pretesco, aveva il tono suadente e minaccioso di un confessore sadico.

Nei mesi della guerra per bande, dal settembre del '43 alla primavera del '44, il nostro fu un firmamento partigiano di poche stelle fisse: il monarchico Mauri nell'alta Langa, il cattolico Cosa nel monregalese, le bande azioniste di Italia Libera nelle valli Stura e Grana, i garibaldini comunisti in valle Po. Ci scambiavamo solo le *chansons de geste*, i racconti un po' mitizzati dei nostri capitani coraggiosi e delle nostre imprese. Nella convinzione comune che la guerra stava per finire e che il nostro unico compito era di testimoniare combattendo. Con la primavera si capì che ci stava davanti una guerra ancora lunga e che nei tempi lunghi si sarebbe deciso il ruolo e il potere delle formazioni, qualcosa che sarebbe comunque rimasto nell'Italia del dopo fascismo. E allora il pensiero della guerra di corsa, dello scontro quasi giornaliero, delle scorrerie nella pianura occupata venne sopraffatto da un'altra corsa, la corsa alle colonizzazioni, alle occupazioni di tutte le zone non ancora raggiunte dalla guerriglia. E mi trovavo sempre fra i padri pellegrini che andavano alla scoperta di nuovi mondi, forse per sfuggire le fatiche e le trame del potere dentro le bande per cui mi sentivo poco tagliato; il bastone del comando preferivo portarlo nel mio zaino di combattente pioniere ed esploratore.

Dalla Valgrana partimmo per la val Maira a fine febbraio: dovevamo incontrare alla Margherita i fratelli Acchiardo e il maestro Ghio, quelli che dicevano «bo» per «sì» e nessuno di noi allora sapeva che parlavano occitano. Alla Margherita si era appena sciolto un gruppetto senza colore politico, il tenente degli alpini che lo comandava se ne era andato a casa, avevano lasciato le armi bene oliate in una cantina dell'osteria. Dovevano certamente saperlo anche i garibaldini, bisognava arrivare prima di loro. Arriviamo prima noi ma io ho visto che la morte può avere un colore e quel primo colore era giallo, un lampo giallo in un mantello nero.

Siamo partiti in tre come avanguardia leggera e dopo il colle del Cauri, fra la Grana e la Maira incontriamo la neve, ma è ghiacciata, tiene bene. Andiamo di costa per una mezz'ora alternandoci a battere la pista fino a un prato pelato da una slavina. Potremmo risalire nella neve i cento metri fino al punto in cui la slavina si è staccata, ma il rischio e l'impazienza mi hanno sempre tentato, provo un passo con gli scarponi chiodati, mi pare che tengano, vado avanti di due passi e so di aver passato il punto di non ritorno, non ci si gira su un'erba vetrata. Avanti ancora, ma arriva il momento in cui ti senti come inchiodato perché sai che al prossimo passo voli giù, ma non puoi restare lì, non puoi tornare indietro, e lo fai il passo e le gambe incominciano a tremare, senti che non tieni, ti lasci prendere come da una voglia di resa, di lasciarti andare e sei già partito. Riesco remando con le braccia a stare sulla schiena, piedi in avanti nella caduta precipite, nel sibilo dell'aria che si fa più acuto, nei pensieri fulminei e già dentro al momento vicinissimo dell'urto nei massi ghiacciati della slavina, dei salti e rimbalzi e urti e tonfi senza altra coscienza che quel lampo giallo in un mantello nero, il colore della morte, prima di perdere ogni senso.

Quando rinvengo la prima cosa che faccio è di portare le mani alla testa, per capire se è spaccata. Sento un caldo di sangue, ma non il palpitare molle di cervello. Tocco meglio, il cranio è intatto. Adesso vedo che la canna di acciaio del Thompson si è stortata. Mi tocco il viso e ne ritraggo le mani piene di sangue. Tocco meglio, anche lì nulla di rotto e mi viene improvvisa la memoria di quella volta che in val Gesso, ragazzo, scendevo in bicicletta dalle Terme di Valdieri, toglievo le mani dal manubrio per accendermi una sigaretta e una ghiaietta traditrice mi stampava con la gamba destra sul muretto laterale. Tutta la coscia sanguinante e un contadino che accorreva a mettermi sulla ferita ragnateli e foglie di campo. Ma qui non ci sono contadini. Provo a fare qualche passo, le gambe funzionano. Dall'alto arriva il grido di gioia dei compagni. Poi li vedo risalire per trovare la neve. Arrivammo alla Margherita due ore prima dei garibaldini, l'oste ci diede le chiavi della cantina con le armi e a me il suo letto. Venne a trovarmi il comandante garibaldino Nanni Latilla, guardò la mia faccia che era una macchia di sangue e non parlò di armi e di politica. Mi posò una mano sulla spalla, prima di andarsene.

Il colore della morte può essere bianco, era di color bianco la morte di Roberto Blanchi di Roascio. Una morte scespiriana, colpito a morte mentre passavamo per Villafalletto dalle guardie nere del conte Falletti, suo zio, della grande famiglia che introdusse nella Langa la vinificazione borgognona. Lo portammo a Rua del Pra nella casa degli Acchiardo, in una stanza bianca, se qualcuno apriva la porta la fiammella della lampada a petrolio tremava, si piegava. Roberto era sempre più bianco. Ogni tanto apriva gli occhi ma sembrava non vederci, poi nella nebbia di quello sguardo ci fu come un trasalimento e lo udimmo mormorare: «Per me è finita». «Lasciamolo riposare» diceva qualcuno «adesso arriva il medico.» Ma tutti lo vedevamo, la morte bianca era già su quel volto bianco come la neve.

La morte ha sempre un colore, quella di Tonio, nelle Langhe, era del colore del cielo, di un azzurro spazzato dal vento che travalicava le colline e sollevava come un anelito di vita, come un moto dell'anima, il lenzuolo bianco che copriva il suo corpo, di lui contadino arrivato in banda nel mattino, ucciso dai tedeschi nel pomeriggio, riportato a sera da sua madre su un carro tirato da due buoi, in quel cielo azzurro, sotto quel lenzuolo che vedemmo palpitare fin dove arrivava il taglio della vigna.

In quella primavera occupare una valle, consolidare l'occupazione, creare le basi per la prossima espansione partigiana aveva come annullato il pensiero della pianura occupata. Si pensava solo al grande paziente lavoro logistico, cercare armi nei fortini abbandonati sulle Alpi, nei depositi militari, trovare munizioni, esplosivi, sotterrare munizioni, esplosivi in baite sperse, percorrere le valli, stabilire rapporti. Quella sera indossavo un giubbotto di pelle di capra, bianco sporco, irsuto e avevo quella faccia piagata; avevo anche un mitra corto nascosto sotto il giubbotto, ma chi non se ne sarebbe accorto? Eppure ero convinto di passare inosservato, di passare per uno che saliva sulla corriera diretta all'alta valle per gli affari suoi, per comperare qualche quintale di faggio o far visita al prevosto di Prazzo e non per caricare la dinamite custodita dai carabinieri. Tonon sarebbe arrivato di notte, con il camion, io prima in avanscoperta sulla corriera che andava a carbonella, la caldaia sul retro, il fumo nero, il motore ansimante.

Seduti nelle prime file c'erano un maresciallo dei carabinieri e due militi della Dicat, la contraerea, rimasta al servizio dei tedeschi pro forma, visto che non avevano cannoni o mitragliere. Mi videro, ma non si mossero, non voltarono più la testa. Non volevano vedermi, facevano finta di non vedermi. C'era un posto libero vicino a una ragazza coi capelli crespi, il volto quadrato, labbra spesse, violacee, infagottata, sola. La corriera risaliva la valle e apparivano nei prati le prime lingue di neve, e le ombre, il freddo facevano di noi sul trabiccolo come naviganti nel vuoto. Cercai la sua mano e non la tolse. «È di Prazzo?» «No» disse «sono la maestra.» Una maestra come mia madre ragazza quando andava a far scuola nelle campagne dei Trucchi o della Bombonina. A Prazzo scese per prima e camminava rapida verso la chiesa, poi vidi che saliva la scala esterna di una casa, percorreva il balcone. Poi ci fu una lama di luce alla finestra e poco dopo il buio.

Mancavano due ore al colpo: andai alla caserma dei carabinieri. Tutto buio anche lì con le persiane chiuse; il deposito della dinamite era nella casa accanto, il portone di legno fradicio non preoccupava. C'era ancora luce nell'osteria, mandai giù due grappini e poi uscii, deciso, arrivai alla casa e senza far rumore appoggiai l'orecchio alla porta: da dentro arrivava il tic tic di un orologio a sveglia e come un respiro lento, da addormentata. Battei leggermente sui vetri una, due volte, si sentì uno stropiccio, tornò la lama di luce. «Chi è?» disse lei. «Sono io» dissi e mi sentivo goffo, ma che altro potevo dire. Mi fece entrare, la stufa era spenta, la stanza gelida. Era in vestaglia, calze di lana e zoccoli. «Che maestra sei che non hai neanche un libro?» «Parla piano, c'è gente nella stanza sopra.» Ritraendosi chiedeva: «Vuoi un caffè?» e accendeva un fornelletto. Di culo era bassa, di gambe robusta, il resto non si vedeva. Mi misi a bere il caffè e mi venne il pensiero: e se i carabinieri sparano? Ma no non sparano, sono morti di paura. La cercai ed era già a letto, vidi la sua mano che cercava l'interruttore, nel buio vedevo come macchie rosse in una nebbia luminosa mentre mi spogliavo nel gelo, trovai il letto a tastoni, le lenzuola erano diacce, lei aveva addosso un maglione come quelli militari. «Ma perché non te lo togli?» «No, no, fa troppo freddo.» Cercai i suoi seni, aveva la pelle d'oca, quel nostro povero furtivo amore non era desiderio, ma paura di essere soli. Lei dopo si alzò per farmi il caffè. Forse fu il freddo ma mi venne da vomitare. Lei prendeva uno straccio e puliva senza dir niente. Scesi dal letto e cominciai a vestirmi. «Ma adesso cosa fai,» diceva «te ne vai?» Faceva tenerezza, la accarezzai con gentilezza. «Devo andare. Ci sentiamo presto.»

Pochi minuti dopo ero nel cono di luce del camion guidato da Tonon, ma le finestre dei carabinieri restavano buie, con le persiane chiuse. Tonon fece retromarcia e con il retro del cassone spinse la porta di legno fradicio che andò in pezzi. Gli uomini cominciarono a passarsi le cassette di dinamite, a gettarle alla rinfusa sul camion come se fossero sacchi di patate o di riso. «Attenti che possono saltare!» Ma chi sta attento se la notte è gelida, i carabinieri possono aprire le finestre e sparare e se si sa poco o niente di esplosivi? Il camion partiva sobbalzando e Tonon urlava: «Via che saltemo tuti, porca Madonna». Arrivammo alla Rua del Pra a mezzanotte e mezzo. Al posto di blocco gridarono: «Chi va là?». «Sono io» dissi. E che altro avrei potuto dire?

Non c'era molto tempo per gli amori in quella guerra di corsa, si passava tutti per le stesse donne, si coglieva a volo in un discorso il nome della Maria o della Adele e tutti, chi prima, chi poi, andavano dalla Maria o dalla Adele a chiederle se aveva del filo per attaccare un bottone o per farle lavare una camicia. A Cartignano c'era la pettinatrice, moglie di una guardia forestale. Una volta che suonai alla porta lui era in casa, si era buttato vestito sul letto a dormire, stanco morto, ma lei volle lo stesso, in piedi accanto allo stipite dell'ingresso, un orecchio al respiro dell'addormentato. A Roddino, quando andammo nelle Langhe, c'era quella della scabbia, una bella ragazza, dolce che poneva una sola condizione, farlo ma stando seduta su un tavolo vicino alla finestra per tener d'occhio suo padre che lavorava nella vigna. Ci riconoscemmo in quell'amore perché diede la scabbia a mezzo comando.

Dalla Maira alla Varaita passammo a maggio e la nostra gara con i garibaldini era un po' da «secchia rapita». Ci eravamo piazzati con una banda vicino al col Birone, al displuvio con la Varaita, e Renzo il filosofo, un professore di Carmagnola che passava le giornate a sbinoccolare e a girare per i boschi viene da me e dice: «Ho visto gli uomini di Steve che nascondevano una forma intera di grana e casse di formaggini». «Ma come hai visto?» «Ho aspettato che se ne andassero e poi sono entrato nella grotta, proprio sotto il col della Ciabra» e tirava fuori di tasca un triangolino argentato di emmenthal. All'alba siamo sul posto e c'è proprio tutto ciò che ha detto Renzo il filosofo. Carichiamo il mulo Garibaldi che ci segue di valle in valle e portiamo la refurtiva in Varaita, in una grangia sotto il Birone.

Steve, il garibaldino, arriva a sera con il fazzoletto rosso, il cappello alpino e la barba nera. Parla di tutto un po' ma continua a guardarsi attorno, si fa dare una tazza e senza averne l'aria cerca odor di latte in polvere, fruga nelle braci per accendersi una sigaretta ma per vedere se ci sono stagnole. Intanto i suoi uomini setacciano le baite attorno alla nostra, ma ce lo aspettavamo, non abbiamo toccato nulla prevedendo la visita. Nei giorni seguenti arrivano all'improvviso, ma le vedette ci avvisano «arrivano quelli di Steve», facciamo sparire stagnole e briciole, mettiamo sul fuoco la polenta o il riso bollito. Alla fine Steve il garibaldino rischia di uscir di testa per la rabbia, un mattino che passo con il mio fido Ercole per il col Birone ci troviamo circondati dagli uomini con i fazzoletti rossi e le armi spianate. «Cosa volete?» Non rispondono. Ci portano in una baita dove ci tengono per un'ora. Poi arriva Steve ma non riesce a parlare, non è facile dire: restituitemi il grana e i formaggini. Mi guarda sperando che parli io, ma neppure per me è facile dire, sì ti ho preso il grana e i formaggini e il latte condensato e ieri li abbiamo portati giù alla Nunsiera in val Varaita. Steve se ne va senza salutare. Si fa silenzio. Ercole va a dare un'occhiata. «Se ne sono andati» dice.

In Varaita i garibaldini erano arrivati prima di noi, occupavano già il versante sinistro della valle, noi ci sistemammo sul destro e Sampeyre fu la capitale di entrambi. Noi dei comandi ci trovavamo a cena al Leon d'Oro, il ristorante sulla piazza, a tavola assieme ad Ezio il commissario politico, emiliano, comunista, gran brav'uomo, e a Medici il comandante militare: risotto ai funghi e le risate di Ezio, da Rigoletto che arrivassero anche nel loggione, quando io attaccavo con la libertà e lui tirava fuori dal suo povero ma convinto armamentario ideologico «ma sì e tu dagli da mangiare la libertà alla gente e vedrai, noi gli daremo la libertà dal bisogno, mio bel Giorgino». Ma il discorso prima o poi arrivava al leggendario Barbato, nome di battaglia preso dai Fasci siciliani, nella vita civile Pompeo Colaianni di famiglia antifascista palermitana, salito in val Po da Pinerolo con altri ufficiali del Nizza Cavalleria, quelli che portavano grandi mantelli azzurri e parlavano un po' con la erre moscia.

Medici ascoltava le mie discussioni con Ezio e sorrideva. Era un bel ragazzo quieto di Macerata, piccolo di statura, con baffetti biondi, vero cognome Morbiducci, garibaldino perché l'8 settembre si era trovato ufficiale in Varaita, lì era rimasto e lì c'erano solo garibaldini. Suo padre aveva un panificio a Macerata, era un signore per bene, molto compito, con l'aria di antica civiltà che hanno i marchigiani. Quando venne a trovare suo figlio mangiammo assieme; prima di andarsene mi prese in disparte e mi disse: «Sono contento che lei sia suo amico». Due cose lo avevano tranquillizzato: l'inglese John, fuggito da un campo di prigionia, alto, elegante, che faceva da autista a Ezio e a Medici e cambiava senza mai grattare sulla millecento Fiat come guidasse una Rolls-Royce, e la mia faccia da figlio di una maestra di Cuneo. Tutto si era subito chiarito fra il signor Morbiducci e me: suo figlio era garibaldino, io di Giustizia e Libertà, la nostra buona media borghesia andava in giro per le montagne con il mitra in spalla e fazzoletti rossi o verdi o azzurri, ma era sempre lei a mettere i suoi uomini nei posti di comando, la storia di una resistenza rivoluzionaria guidata dalla classe operaia andava bene per i fogli del partito comunista, ma era una favola, a comandare erano il figlio della maestra e del piccolo industriale.

Si parlava di Barbato, sempre, tutte le sere, come di personaggio leggendario. Su al Pian del Re in val Po era rimasto circondato dai tedeschi in un rifugio con una ventina di partigiani, giovanissimi, tremanti e piangenti. Ma lui si era messo a parlargli, come solo Barbato sa parlare, e alla fine eran tutti cuor di leone. Pensavo a Barbato come a un Orlando paladino, alto e possente. Finalmente arrivò. Era un bell'ometto con un po' di pelata e dei baffetti ben tagliati. Come mi vide mi abbracciò e mi stampò due bacioni sulle guance. Notai che era ben rasato, con la camicia e i pantaloni stirati di fresco. Entrammo al Leon d'Oro dove erano arrivati tutti i comandanti di banda, i nostri e i loro, per metterci d'accordo sulle zone di influenza. Era la prima volta che vedevo i comandanti garibaldini della bassa valle, tutti un po' «Viva Mexico», specie Santabarbara, uno di Verzuolo dalla forza mostruosa che, dicevano, aveva strozzato un tedesco tenendolo per il collo sollevato da terra. Aveva una barba incolta e si sarebbe detto che non si lavava da un mese. Ma Barbato che si era messo a spiegarmi le richieste dei comandanti garibaldini a un certo punto, come in uno slancio lirico, fece: «Perché, caro Giorgio, quel gentiluomo che risponde al nome di Santabarbara...». Un bicchiere cadde sul pavimento e andò in frantumi; Santabarbara, per lo stupore, lo aveva lasciato cadere, guardava Barbato per capire se diceva sul serio.

Barbato stava nella Resistenza come nel Risorgimento dei martiri di Belfiore, della rosa di Maroncelli, del quadrato di Villafranca. Il suo partito comunista mandava rose alle signore, faceva il baciamano, passava disinvolto dalle solfare ai saloni dell'Hotel Palme di Palermo, dai comizi a Portella della Ginestra ai ricevimenti delle ambasciate. Nemmeno Barbato ebbe grande fortuna in un partito a cui somigliava pochissimo, lo fecero per qualche mese sottosegretario alla Difesa e poi tornò a Palermo dove lo trovavo ogni volta che scendevo per un servizio. Mi guardava con i suoi occhi di fuoco, mi abbracciava e mi stampava due bacioni sulle guance.

Nei garibaldini c'erano anche i comunisti veri, i credenti, come Pietro Comollo, operaio torinese dell'Ordine Nuovo, guardia del corpo di Gramsci. Un uomo bellissimo, con un viso affilato, pallido, con una angelica anzi evangelica melanconia, la melanconia di chi ti offre le chiavi del paradiso e se le vede rifiutare. Una sera che arrivammo in una baita in cui c'era un solo letto e gli dissi di dormirci non ci fu verso, «non me la sento,» diceva «non voglio privilegi, con tutta la gente che soffre». E diceva sul serio, era come un frate penitente, come un asceta. Se gli parlavo male del comunismo, di Stalin, dell'Urss faceva proprio come quei preti che stanno fra i bestemmiatori e più quelli le tirano giù più fanno gli occhi di divino amore accesi, il sorriso sempre più fraterno. Non rispondeva con parole o argomenti ma con sospiri, con sguardi come pensasse: «Ah buon dio del comunismo cosa mi tocca sentire, ma credimi buon dio del comunismo, anche Giorgio ha dentro qualcosa di buono, ne sono certo, diventerà un compagno, andrà anche lui a Mosca e si chinerà a baciare il suolo della Piazza Rossa e piangerà guardando le stelle rosse del Cremlino come feci io, nel '28, fuggendo dal fascismo». Perché c'erano i comunisti come Togliatti che sapevano, vedevano ma tacevano per sopravvivere e comandare, i comunisti come Pajetta che sapevano, vedevano ma lo negavano per non ammettere di aver sbagliato e i comunisti come Pietro che non sapevano, non vedevano e quando proprio erano costretti a sapere e a vedere si inebriavano di masochismo, si dicevano che soffrire per il comunismo, subire ferocie e ingiustizie dal comunismo era la massima delle gioie e la più alta delle arcane prove della sua verità. Il cognato di Togliatti Paolo Robotti, incarcerato e torturato dalla Ghepeu, la polizia segreta, su false accuse, dimenticato prudentemente nei giorni della prigionia dal Togliatti che pure era vicesegretario del Comintern, appena tornato libero scriveva alla moglie: «Abbiamo letto la nuova Costituzione approvata dal compagno Stalin. È il più alto dei monumenti ai diritti e alle libertà umane».

Il meccanismo dello stalinismo era tutto basato sulla voglia sado-masochista di credere nella propria incolumità di onesto compagno e nella colpevolezza dei perseguitati. I compagni capivano cosa era lo stalinismo solo quando il poliziotto bussava all'alba alla porta della loro stanza, ed erano pronti a dimenticare se il capriccio del tiranno li restituiva alla libertà. Forse è per questo che non ho mai avuto la tentazione del comunismo, forse è per questo che ne ho sempre provato un vago orrore: non mi riusciva di credere. Ci ho provato da bambino quando con mio cugino a Pasqua facevamo il giro di tutte le chiese di Cuneo per inginocchiarci davanti ai santi sepolcri fatti dalle suore, con l'erba bianca, l'erba cresciuta nel buio. Mi raccoglievo in fortemente voluti atti di fede, ma poi guardavo quell'erba bianca e sapevo che era lei a commuovermi, il ramo d'oro della mitologia pagana, la resurrezione della terra a primavera. Volevo credere ma non mi riusciva. Un giorno padre Rovella, un gesuita di Genova, di famiglia nobile e ricca, uno di quei preti che non capisci se lo sono perché ci credono o per togliersi dalla micragnosità e noia del parentado, mi chiese: «Tu quando fai la Comunione cosa chiedi al Signore?». «Di darmi la fede.» Rimase in silenzio, mi parve che pensasse a se stesso poi mormorò: «Fai bene». Da allora fummo uniti dalla reciproca confessione di miscredènza.

Dimenticavo di Pietro: quando finì la guerra il partito gli diede un posticino nella federazione di Torino, ma come ex partigiano un po' necrofilo partecipava a tutte le commemorazioni, riesumazioni di salme, anniversari, raduni e si ripagava della fame patita durante il fascismo nei pranzi fra reduci. Lo avevano soprannominato «sbalafra», quello che ripulisce anche gli avanzi.

Che cosa era la politica in quei venti mesi di guerra partigiana? Era alcune cose concrete, pratiche, come la lotta fra di noi per il comando, la rivalità delle formazioni, l'occupazione del territorio, il rapporto con la gente, la finanza, la propaganda, ma il tutto come in un sogno in cui democrazia liberale e dittatura del proletariato, economia di mercato e socializzazioni, governo di maggioranza e solidarietà combattentistica convivevano anche perché ognuno poteva parlare, promettere, sostenere, tanto non c'erano verifiche possibili. «Evviva il comunismo, viva la libertà» si cantava fra i garibaldini dando per certo che fossero la stessa cosa. «Pensiamo a combattere» ci si ripeteva e i dissensi venivano rinviati a un dopo che doveva essere comunque radioso anche perché peggio di come andava nell'Italia occupata dai nazisti non sarebbe potuto andare. Noi giovani non sapevamo esattamente né cosa era stata la democrazia prefascista né cosa era il socialismo reale. Ne avevamo un'idea vaga, derivante da una scelta di formazione, di fazzoletto, spesso casuale, nomi, simboli, miti che si mescolavano come in un ballo campestre, *Bandiera rossa* e *Fratelli d'Italia*, Gramsci e Rosselli, Mazzini e Togliatti, il vessillo sabaudo e l'Internazionale. Ognuno attaccava la sua canzone e lasciava che gli altri cantassero la loro. E gli anziani che sapevano cosa era stata la democrazia prefascista, cosa era il socialismo reale, non ne parlavano, seguivano le nostre fantasie, le nostre ingenuità, presi anche loro dalla speranza che questa volta il destino del paese fosse davvero nelle nostre mani.

Non ho conosciuto un solo comunista, di quelli che erano stati in Spagna o in Russia, che dicesse cosa erano state quelle esperienze, che ci mettesse in guardia dai loro tragici errori. E neppure uno dei democratici che avevano conosciuto i metodi di Giolitti, «ministro della malavita», o gli scandali della Banca Romana, o il mercato delle vacche elettorale che ci avvisasse, che ci ricordasse che l'Italia era disunita che la questione meridionale era aperta. E non perché volessero ingannarci ma perché si erano convinti anche loro che dalla guerra partigiana sarebbe nata una nuova storia, perché anche loro stavano nella realtà irreale di una vita avventurosa ed effimera, come in una sospensione delle delusioni e delle fatiche della vita reale, abituale, in cui la presenza della morte dava nobiltà, spessore anche alle cose più modeste, in cui si era perso ogni rapporto vero con il denaro perché tutto ciò che ci occorreva, armi, farina, vino, lardo, o era una preda bellica o veniva acquistato con buoni garantiti dal Comitato di liberazione o con il denaro trovato nella cassa della IV armata o proveniente dagli industriali, insomma senza pagare o pagando con soldi non nostri. Per mesi andai in giro senza una lira in tasca come i grandi miliardari, lasciando a un amministratore, un genovese piccolo e taciturno, ogni affare di soldi.

Alla gente tutto sommato andava bene così: perché eravamo in pochi e con la nostra presenza li aiutavamo a non consegnare i raccolti agli ammassi e perché comunque stavano dalla nostra parte. Quando arrivavano i tedeschi e i fascisti le case bruciavano, i giovani venivano deportati in Germania, e siccome noi né bruciavamo le loro case, né li mettevamo al muro, né li deportavamo, né parlavamo una lingua incomprensibile, lo stare con noi era automatico, naturale. E poi era una scelta antica, nel basso Piemonte la gente era sempre stata dalla parte di chi fuggiva gli invasori stranieri, da quando l'imperatore Ottone era passato con i suoi lanzichenecchi *per deserta landarum* tutti alla macchia, anche allora nei boschi dell'alta Langa e così ai tempi dei mori arrivati fino a Barbaresco, a due passi da Alba e nelle valli contro spagnoli, francesi, ugonotti.

La nostra politica era tollerante e ottimista, metteva assieme i diversi anche perché facevamo i partigiani in una regione ricca e solida anche durante la guerra: c'erano le fabbriche nelle città, ma anche agli imbocchi delle valli, c'erano le centrali elettriche e nella pianura centinaia di migliaia di buoi, di vacche, di pecore, c'era il grano che continuava a crescere mentre noi camminavamo e combattevamo, e c'erano nel grande golfo materno delle Alpi le terre ricche del latte e del burro, del frumento e degli ortaggi e sulle colline c'erano a perdita d'occhio mari di vigneti sicché nessuno di noi, giellista, garibaldino, monarchico che fosse aveva il minimo dubbio sul benessere futuro, ci sarebbe stato da mangiare da bere e da vestire per tutti. La democrazia liberale e il comunismo non erano in quella nostra attesa ottimista due diversi inconciliabili modi di produzione e di distribuzione, ma come due anime, due sentimenti che avrebbero convissuto in quella immutabile abbondanza piemontese. E non c'era tempo di avere un dubbio, di fermarsi di fronte a un dilemma che arrivavano a risolverlo tedeschi e fascisti.

In questa situazione psicologica anomala, di sogno e di solidarietà combattentistica, i quadri del partito comunista avevano con la loro base partigiana e con le altre formazioni un rapporto possibilista, flessibile. Si provavano a introdurre nella inafferrabile realtà partigiana alcune decisioni classiche del leninismo, ma si fermavano se capivano che erano controproducenti o divergenti. Furono i primi, per dire, a usare in modo spregiudicato l'arma della propaganda, della menzogna propagandistica, a chiamare brigate, divisioni, gruppi male armati di pochi uomini; e dovemmo seguirli perché è difficile resistere alle seduzioni della propaganda, fui proprio io nell'estate nel '44 a proporre la costituzione delle divisioni alpine Giustizia e Libertà, con il fazzoletto verde come le mostrine degli alpini, con il cappello alpino per contrapporre al mito di Garibaldi quello, radicatissimo da noi, della penna nera. Dovemmo seguirli anche nel reclutamento di massa dell'ultima ora, a puri fini politici. Ma forse nella moderazione rivoluzionaria dei quadri comunisti c'era altro che noi non sapevamo, c'era la cautela di chi avendo fatto il volontario, il partigiano nella guerra di Spagna, era stato poi perseguitato dai sospetti dello stalinismo.

La nostra politica era uno strano miscuglio di tradizione e di novità, di recupero del passato e di Stato nascente. Ci presentavamo alla gente come i difensori dell'ordine costituito mentre i nostri ideologi parlavano di riforme di struttura che nessuno di noi capiva; stampavamo giornali in cui si parlava di liberal-socialismo o di comunismo ma con un linguaggio e una retorica fascisti, e non avendo canzoni nostre riciclavamo quelle degli alpini, del movimento contadino, dell'ottobre rosso. E ora dobbiamo prendere atto che l'unica canzone vera della guerra civile fu quella delle brigate nere *Le donne non ci vogliono più bene perché portiamo la camicia nera*. Stavamo anche dalla parte dei vincitori e ciò aiutava a pensare che tutto si sarebbe risolto da sé nel modo migliore sotto la nostra guida. Quando nelle zone liberate facemmo le prime elezioni nessuno di noi dubitava della loro regolarità e avremmo respinto con indignazione l'accusa di elezioni guidate, con i candidati scelti da noi, che la gente sapeva graditi a noi, sinceramente convinti che la nostra guida, la nostra scelta erano le migliori possibili. Pensavamo a noi come al bene e al giusto, e l'operazione storica che oggi si tenta di un riesame critico della Resistenza, di una ricerca della Resistenza cattiva, feroce, faziosa, può essere una correzione utile alla storia, ma non può ignorare che noi veramente ci sentivamo in stato di grazia.

Nella bella estate del '44 non solo ci sentivamo in stato di grazia ma in stato di vittoria. La sensazione di quei giorni era quella di volare, non di camminare, volavamo verso i paesi della bassa valle, verso la pianura. All'annuncio che gli alleati sono sbarcati in Normandia le bande lasciano gli accampamenti di alta montagna e scendono. Siamo in marcia sulla strada militare che dalla Varaita porta sino alla pianura di Caraglio e Verzuolo e arriva di lontano un rombo possente che riempie il cielo. Guardiamo le montagne, la valle per capire da dove arrivi quel rombo di alluvione, di valanga, ma arriva dal cielo in cui già guizzano come saette d'argento i caccia americani, avanguardia e protezione della grande armata dei Liberator, i bombardieri che vanno in pieno giorno a bombardare le città della Ruhr, uno spettacolo che toglie il fiato, un fiume di aerei, forse seicento bombardieri a onde senza fine, per noi, «i nostri», come quando arriva nei film del West la cavalleria dell'Unione.

Si scende a occupare i paesi della bassa valle e in ognuno si cerca subito la costellazione del potere locale, il parroco, il farmacista, il colonnello in pensione, i notabili. E il parroco ascolta le buone intenzioni d'ordine dei partigiani, anche dei comunisti e sorride come a dire vedremo, vedremo, e il colonnello in pensione a cui affidiamo il comando della polizia civica ci sta, dà disposizioni ai vigili, e il medico condotto gira tranquillo per le frazioni, il postino distribuisce le lettere, sui ponti che abbiamo fatto saltare gettiamo tronchi di pini e terra finché ci passa un carro tirato dai buoi e poi i camion. Ogni giorno arrivano nuove reclute dalla pianura, le bande si gonfiano, si moltiplicano, tutti vengono colti da una furia, da una gioia fortificativa, si costruiscono fortini in cemento armato, si stendono reticolati, come se fosse possibile difendere una zona partigiana aggirabile da ogni parte. E Barbato ha già ribattezzato un mio ufficiale che fortifica un colle sotto Sampeyre «Miguel el fortificador».

Nasce una rete di trasporti e di comunicazioni: dalle centrali elettriche che hanno una loro rete telefonica privata si può telefonare di valle in valle anche alle direzioni di Torino e di Genova, chieder notizia di come vanno le cose nelle

grandi città. A volte risponde un tedesco, levati da lì crucco
maledetto, torna a casa tua. Le strade militari ci sono, basta
sgomberare una frana, spostare un macigno e si può percorrere la repubblica partigiana alpina, si va in motocicletta dalla Varaita alla Maira, in auto dalla Maira alla Stura, per il
colle del Mulo, fino a Demonte dove c'è il gran comando
unificato delle divisioni alpine Giustizia e Libertà, un viaggio nell'euforia e nel gioco, nelle fazioni e negli amori del
mondo partigiano. Il rombo della mia Guzzi percorre le pinete, ferma nel loro lavoro i contadini che falciano i prati alti, entra in un banco di nebbia che sarebbe più giusto chia-
marlo «niula bassa», nuvola bassa come dicono i valdostani,
spande nell'aria pura l'odore acre del petrolio agricolo che
abbiamo passato per giorni nei filtri di carbone e di stracci,
si mescola alle resine delle pinete, ai prati fioriti.

A Stroppo, primo paese della Maira, ci sono i guastatori di
Rino che giocano con la dinamite e il tritolo. I contadini non
ci fanno più caso, non si girano neppure agli scoppi. A Mar-
mora c'è l'ospedale da campo e negli alberghi ci sono per
una irripetibile, indimenticabile vacanza di guerra le nobil-
donne giovani di Dronero, si sente parlare di cocktail e di
passeggiata *en charrette*, si annusano profumi, si scoprono legami sentimentali, erotici. Ora salgo in auto al colle del Mulo quota duemilatrecento, passo fra le file dei partigiani che
lavorano al riassetto della strada e nel pomeriggio sono a
Demonte. Nella stazione è in partenza per la bassa valle il
tram, sul tender della locomotiva hanno piazzato un canno-
ne anticarro, mitragliatrici sui tetti delle carrozze, che bello
giocare alla guerra, a me sembra di esser tornato nei giorni
della fanciullezza quando coprivamo con le assi una bealera
e ci facevamo passare sopra una cassetta della pasta con sotto dei pattini a rotelle. Una giornata d'oro. Quanti giorni ci
volevano per fare a piedi tutta quella strada per le montagne? Che sensazione di forza, di libertà, di potere! Davvero
in quei giorni ci sentivamo i padroni del mondo. Attorno al
comando c'era come un porto di mare, si rivedevano amici,
dopo mesi, si scoprivano partigiani che mai si sarebbe creduto, anche dei piedi piatti, anche dei fifoni, come rigenera-
ti dalla grande avventura.

Al ritorno in Varaita mi compaiono davanti in carne ed ossa, come usciti da un sogno, gli americani. La Francia è già stata liberata nella Provenza e nel Delfinato, un'avanguardia americana è arrivata a Guillestre e ora manda da noi un reparto di guastatori con armi ed esplosivi a dorso di mulo. Lo comanda il tenente Taylor, uno del Texas alto e rubicondo che non sa una parola di italiano, ma c'è il tenente Veneziani, un italo-americano di New York che fa da interprete. Ci rendiamo subito conto che sarà difficile capirci. Loro son qui per fare la guerra ai tedeschi e farla quando capita, come capita; dovremmo spiegargli che a noi interessa durare, tenere buoni rapporti con la gente, tenere in piedi le formazioni. Noi non potremo svalicare a Guillestre, dovremo stare qui quando arriverà la risposta tedesca alla penetrazione alleata. E la risposta non si fa attendere, un grande rastrellamento ci fa risalire nei distaccamenti d'alta montagna, il tenente Veneziani che mi raggiunge per telefono alla stazione alta della centrale di Sampeyre mi chiede se difenderemo Sampeyre e gli dico di no, gli spiego perché no, noi non possiamo resistere in fondovalle ai carri armati. «Tornate a Guillestre prima che sia troppo tardi.» «Buona fortuna» dice lui. «Spero di rivederla, Veneziani» dico io.

Il rastrellamento viene e va come un'onda di risacca, la valle è di nuovo libera ma per pochi giorni, arrivano, per i presidi fissi del confine, fascisti della Monterosa e tedeschi, la bella estate è come scomparsa da una sera a un mattino, incomincia la lunga agonia autunnale della pioggia e dei pidocchi, proprio sotto il col Birone. Eppure sembra ieri che al col Birone ho visto uno degli spettacoli unici della vita partigiana, la fioritura improvvisa contemporanea di milioni di ranuncoli. Ti fermi in una baita per mangiare qualcosa e riposare qualche ora. I prati hanno pochi fiori, qualche margherita, qualche genzianella. Ti svegli che sta spuntando il sole, fai scaldare il caffè d'orzo, prepari il sacco e le armi, pensi alle ore di cammino che devi fare per arrivare ai distaccamenti, ti avvii e nel crepuscolo subito non te ne accorgi perché sei preso dai tuoi pensieri e guardi solo dove metti i piedi salendo per il sentiero, ma poi alzi lo sguardo e non ci credi, tutti i prati sono una distesa d'oro, milioni di corolle d'oro sono sbocciate nello stesso mattino, alla stessa ora, sei il testimone di un miracolo della natura nell'aria fresco-tiepida, senti il conforto della vita che continua, che vince, che risorge.

E proprio qui vicino ai prati dei ranuncoli passano i mesi di pioggia continua, di rastrellamenti continui in quel terribile autunno. La notte nelle baite di Nunsiera sentiamo il ticchettio della pioggia sulle ardesie perché i pidocchi non ci fanno chiudere occhio. Ci corichiamo stretti l'uno all'altro per il freddo e l'umido ma appena sentiamo un po' di tepore si muovono, come goccioline d'acqua che ti rigano la pelle. Dargli la caccia il mattino non serve, si prende solo freddo alla pancia e dissenteria. Ogni mattino all'alba, regolare come una sveglia in caserma arriva l'allarme, i tedeschi salgono dai due versanti della Varaita e della Maira. Vestiti siamo già vestiti, basta mettere gli scarponi, il sacco è già pronto, basta legarci sopra la coperta, non c'è bisogno di ordini, tutti sanno già cosa devono fare, la squadra cucina ha già nascosto pentole e piatti, le bande sfilano già sul sentiero che sale alla foresta, è una interminabile partita di resistenza e di pazienza ed è anche un errore, dodici mesi di guerra partigiana sono pochi per capire che la resistenza simbolica, l'occupazione simbolica di un territorio ad ogni costo, il non mollare la valle sono un peccato di orgoglio e di infantilismo partigiano, potremmo scendere verso la pianura, passare nel Monferrato o nelle Langhe, ma niente, non sia mai detto che la Brigata GL valle Varaita ha abbandonato il campo.

Un mattino che finalmente si apre uno squarcio nelle nubi e appare un pallido sole vediamo un uomo che va alla morte. È Renzo che sta alla postazione del grande binocolo a chiamarmi. «Guarda» mi dice. Vedo le postazioni tedesche sul colle, le piazzole delle mitragliatrici sotto il colle verso di noi, poi spostandomi verso la val Maira vedo l'uomo che sta salendo. Lo riconosco da come cammina, è una staffetta di Cartignano. Il grande binocolo è uno schermo chiaro e muto su cui un piccolo uomo cammina verso la morte, un piccolo uomo di cui conosci i gesti, i sorrisi, i denti cariati, la cantilena dialettale, il neo sotto l'occhio destro, la puzza di sudore, il rumore che fa masticando e come si arrabbia Maria la sua morosa quando le batte le pacche sul sedere. Non ha ancora visto i tedeschi, viene su tranquillo, ogni tanto si ferma come per raccogliere qualcosa. «Si è fermato» dico a Renzo che mi sta addosso per sapere. Si è fermato in mezzo al sentiero, non si capisce perché, ah, si sta accendendo una sigaretta, riprende a salire, è ormai sul ciglio, fermo per un attimo, li ha visti, si gira di scatto, fugge a balzi come un camoscio braccato mentre gli sparano addosso. Non lo prendono.

Si fanno scoperte miracolose sulla montagna partigiana, la fioritura dei ranuncoli, le pietre roventi. Ci siamo spostati da Nunsiera alle grange più alte della val Maira sotto il Rastciass. Il maresciallo inglese Alexander ci ha fatto sapere per radio che per lui possiamo tornare a casa, che ci rivediamo la prossima primavera. A casa dove, maresciallo? Noi stiamo alle grange del Rastciass e appena arrivati facciamo i letti a castello nella baita più grande e un camino, con le pietre tonde e bianche del torrente. Gli uomini andati per legna tornano con tronchi grandi e secchi, alberi schiantati da un fulmine da mesi, con l'ascia tagliano blocchi cilindrici, enormi che il fuoco duri tutta la notte. Dopo qualche ora di sonno mi risveglia una luce rosata e vedo che le pietre bianche del camino si sono arroventate, sono color rosso e a quella luce vedo le facce dei miei partigiani, facce da adolescenti.

Era nevicato molto nei giorni precedenti, più di un metro di neve e noi per mandare le staffette al comando della val Maira battiamo una pista verso il basso, diritta come un filo a piombo, stretta e ripida, in cui nemmeno le SS dovrebbero avventurarsi, ma lei sì e quando le sentinelle danno l'allarme so che è lei, la signora Emma Sacerdote, prendo il binocolo, guardo quel punto nero che è appena uscito dal bosco ma so già che è lei, piccola e indomita, la rompiballe. Mica che sia una donna stupida o noiosa, è una buona madre partigiana, non di quelle che arrivano su, prendono i figli in disparte, se li lavorano e quelli il giorno dopo spariscono, tornano a casa. No, madama Sacerdote è un'ebrea da combattimento, alta un metro e cinquanta con un cappello piatto che ricorda quello di Garibaldi, solo che è nero e non portato storto, ma ben piantato in testa, nero come la giubba e la gonna che scende fino alle caviglie e sembra la corazza di un semovente. Lei viene da Torino a vedere il figlio ogni quindici giorni e dovunque siamo ci trova. Arriva in tramvia fino a Verzuolo o a Caraglio poi affitta una bicicletta e risale la valle e poi a piedi per le pietraie o nella neve, dovunque siamo. Ci trova al confine con la Francia, appena finito un rastrellamento, arriva a Pontechianale mentre stiamo rifocillando e curando ciò che resta della brigata val Chisone riparata da noi in due giorni di marcia dal Sestriere, arriva sempre la rompicogliona.

Ma perché rompicogliona? Ma perché a noi della montagna piace fare i duri e i puri, quelli che non mollano, e lei ci ridimensiona, lei questa signora di buona famiglia ebraica parente dei Lombroso e dei Carrara, questa donna di città vicina ai sessanta, che se la prendono con quel nome la mettono subito al muro, lei arriva da noi dovunque siamo come se fosse uscita in via Roma a Torino a fare un po' di spesa. Di sorriso bellissimo e dolce ma con una attitudine al comando naturale, precisa. Mi dà ordini cortesi ma perentori: gli uomini non sono abbastanza coperti, i posti di guardia non sono ben disposti, quella ragazza che è uscita da una baita, quella staffetta ci sarà da fidarsene? La signora Emma Sacerdote ispeziona, controlla, osserva. È il nostro generale comandante in ispezione al fronte. Quando si fa scuro mi dà la mano con una sua severa benevolenza e se ne va giù per la trincea di neve, un punto nero sempre più piccolo. Come farà poi ad arrivare fino a Torino nella notte, su quale autobus o tramvia o treno non sappiamo, ma non c'è da preoccuparsi per lei, semmai per quelli a cui con la buona coscienza dell'ebrea intrepida ordinerà di accompagnarla, di trasportarla. Comunque fu una vera liberazione quando arrivò l'ordine di prepararsi a partire con due bande verso le Langhe, il mio compito di padre pellegrino, di esploratore continuava.

Una scarpinata come quella del 1° gennaio '45 non la si dimentica, dalla Valgrana alle Langhe, la nostra anabasi, dalla montagna povera alle ricche colline del vino. Avanti in formazione di marcia, in testa una squadra di quindici uomini senza carico con le armi leggere; duecento metri dietro le bande su due file indiane ai lati della strada. Di neve ce n'è poca, una ventina di centimetri e ghiacciata. Giriamo attorno a Caraglio e dietro il cimitero ci aspettano le guide della XX Brigata GL di pianura. Si taglia per i campi seguendo i filari dei pioppi e le bealere. Le guide sembrano sicure: «Fuori dalle strade asfaltate non vanno mai. Qui i tedeschi non passano, qualche fascista, ma di giorno». A mezzanotte ci fermiamo in due cascine di San Benigno. «Buon anno» dico al padrone di casa. «Che sia l'ultimo» dice lui. «Sì. L'ultima naia» dico. «Bona, bona» dice il «parotu».

Mi rimetto il sacco in spalla, gli uomini spengono le sigarette, siamo di nuovo nel gelo. Ogni tanto mi volto a guardare le montagne ma sono sempre lì incombenti, sempre lì sotto la luna e so che dovranno diventare piccole e lontane, alle nostre spalle, dovranno smetterla di tenerci per la giacca. Adesso saranno almeno dieci sotto zero e si alza anche il vento, non forte ma ti entra nei pantaloni, ti morde i muscoli. Le armi dolgono sulla spalla, bisogna cambiare spalla di continuo. «Quanto ci vuole ancora?» «Ci siamo quasi» dicono le guide, ma lo dicono da ore. «Riposiamoci cinque minuti.» «No,» dicono «dobbiamo essere ai Murazzi prima dell'alba.» Il mio fido Ercole – insieme ogni giorno per tutti i venti mesi della guerra di casa – minatore del cemento a Casale, mi racconta ancora la storia di quel caposquadra che voleva farlo lavorare in galleria senza l'impalcatura, e lo racconta in un suo incomprensibile dialetto. Ma so a memoria la storia della sua passata miseria e la gioia che gli canta dentro, l'allegria che sorride dietro i suoi baffetti neri ora che si sente uomo libero, capo della squadra comando della costituenda X Divisione Giustizia e Libertà. Per noi borghesi la guerra di casa è un'avventura rischiosa, ma per questi come Ercole è la gran festa della vita.

«Ci siamo» dicono le guide indicando una grande cascina. «Ma siamo a cento metri dalla provinciale!» «Tranquillo, il posto è sicuro.» Gli uomini scivolano nel cortile, entrano nel fienile e si gettano vestiti a dormire. «Chi sta di guardia?» «Pensiamo noi» dicono quelli della XX. Passa rombando sulla provinciale un camion, forse tedesco. «Non si fermano mai?» «Non si sono mai fermati.» «No,» dico «non mi fido, andiamo al guado della Stura.» I partigiani risvegliati sono in bambola, non hanno neppure la forza di protestare. Il guado sulla Stura sono due corde d'acciaio tese fra due gabbioni sopra il fiume, ci si aggrappa con le mani a quella superiore, si fanno scivolare di lato gli scarponi sulla inferiore. Gli uomini che portano le mitraglie le assicurano con un moschettone alla corda superiore. Di notte il guado non fa paura, l'acqua quasi non la vedi, è la cosa scura che ti passa sotto, acqua di casa, acqua di un fiume di cui conosci tutto, i cassoni di rete metallica pieni di pietre bianche, le lame di acqua ferma, le secche dove si va con le mani e la forchetta alla pesca delle bote sotto le pietre, la forte gagliarda corrente che se la conosci e non hai paura ti solleva sui pietroni, non adesso però con questo freddo. E nella luna calante, nel cielo che si sbianca vedi che le montagne si sono allontanate, che non ti tirano più per la giacca e che laggiù dove c'è un primo color di rosa ci sono le Langhe, le terre del vino e del pane bianco.

A Castelletto sull'altra riva le guide della XX ci passano a quelle della XXI ed è subito un'altra musica, una musica da Langa: sono arrivati con quattro carri con le ruote di gomma e al tiro cavalloni robusti. Sollevati dai carichi gli uomini si rianimano, si lasciano alla loro sinistra Benevagienna, quei lumi, arrivano al Tanaro che fa mattino, ma qui il guado è facile, c'è uno zatterone che va avanti e indietro, e il campanile alto di Monchiero batte le sette quando prendiamo la strada di Monforte e ci fermiamo in due cascine, questa volta per dormire, sul serio.

Ci svegliano a mezzogiorno, chiedono cosa vogliamo da mangiare, hanno preparato i «tajarin» e salsicce fritte e bottiglie di Nebbiolo. È la terra promessa. Ma cosa è questa tristezza, questa ansia che mi par di vedere sul volto di Ercole e degli altri. Forse è il mal di montagna, quel sentirsi fuori dalla montagna come pesci fuor d'acqua, quel non capire che guerra si farà in mezzo a queste vigne con i loro casotti rosa e azzurri, in mezzo alle cisterne e alle canne. Che guerra in questo reticolo di stradine e di strade per cui ti possono arrivare addosso da ogni parte? Dove faremo *maquis* se non si vedono boschi, dove piazzeremo le armi per le imboscate se non si vedono rocce? In qualche modo faremo, impareremo, conosceremo.

Nella grande Langa da Mondovì fin quasi ad Asti ci sono molte cose da conoscere, uomini leggenda, angelici e diabolici, solari e misteriosi. Comincio dal maggiore Mauri, comandante delle tre divisioni autonome, con il fazzoletto azzurro, savoiardo. È una specie di Re Sole del partigianato, regna su una provincia che va dal Tanaro al colle di Cadibona, profonda sessanta chilometri larga trenta, con centinaia di comuni, fabbriche, persino un campo di aviazione a Cortemilia. «Deve arrivare il principe Umberto» si dice fra i partigiani. «Aspettano un battaglione di paracadutisti inglesi.» Prendo Ercole e vado a far visita al Re Sole che ha il comando in una villa di Clavesana sulla parete precipite di tufo a picco sul Tanaro.

Non è un comando partigiano, è la scenografia di un comando partigiano. Si attraversa il Tanaro su un pontone tirato da una fune metallica nel mirino delle mitragliatrici piazzate in un fortino, sull'altra riva. Scendi e gli uomini di Mauri con il fazzoletto azzurro nemmeno ti salutano, loro non salutano i sudditi. Sbucano fuori da cavernotti situati vicino al sentiero a scala scavato nel tufo. Vorresti chiedergli perché mai i tedeschi e i fascisti dovrebbero passare per quel camminamento da monte Athos quando possono arrivare in camion per la provinciale da Mondovì, ma alla corte del Re Sole non si fanno domande, qui la restaurazione del vecchio Stato impone gerarchie, discipline e messinscena che noi di Giustizia e Libertà abbiamo cancellato con accanimento giacobino, niente alzabandiera, niente gradi sulle giacche, niente saluti militari, niente signorsì, niente stati maggiori. E invece il comandante Mauri va in giro per la Langa accompagnato da un ammiraglio in divisa, da colonnelli e maggiori non in divisa ma vestiti come i *gentlemen farmers* che accompagnavano a caccia il re nella tenuta di Pollenzo. Una compagnia di signori, come si dice fra aristocratici piemontesi, «ben per ben», coraggiosa ma un po' cogliona in mezzo alla quale passa rapido il sorriso da faina, ironico, dell'avvocato Verzone, il liberale che è diventato la mente politica del Re Sole, non per carità il commissario politico, nome che fa inorridire gli autonomi, ma comunque uno che riesce a far entrare nel cranio di Mauri che questa è una guerra diversa dalle altre, che è come un laboratorio della politica che si farà a guerra finita, che bisogna conoscere anche gli altri, anche i repubblicani di Giustizia e Libertà, anche i garibaldini. Deve essere stato certamente Verzone a convincerlo a riceverci.

Gli uomini con il fazzoletto azzurro ci guidano alla villa e ci fanno salire in un salone del primo piano con il soffitto affrescato con putti e fanciulle dalle chiome d'oro che ci buttano fiori dall'alto ed Ercole Cantamessa, minatore nelle cave di cemento di Casale, si fa dei suoi risolini ironici che io capisco: «Guardali come si trattano questi signori». Facciamo anticamera, dieci, venti, trenta minuti poi una porta si spalanca e il Re Sole appare seguito da due levrieri. È alto, biondo e bellastro, di un bello molle; ha una fascia azzurra sulla fronte, una grande giacca di pelle bianca, pantaloni di velluto marrone, stivaloni marrone. Ci guarda e parla come faceva il re quando passava in rivista i reparti: «Di dove è lei? Di che classe? Alpino? Del 2°? Ha conosciuto il colonnello Balocco?».

Il Re Sole non ebbe fortuna a fine guerra. I generali di Badoglio diffidavano dei partigiani, non lo fecero capo di stato maggiore come sperava, lo sistemarono alla Sipra pubblicità della Rai ed ebbe una disavventura: lo fermarono alla frontiera svizzera mentre portava oltre confine delle tele nascoste in un sedile dell'auto.·

Il diabolico era Primo Rocca, diabolico per noi GL, si intende. Era un operaio della ditta vinicola Gancia e recitava il *grand guignol* rivoluzionario comunista. Piccolo, tozzo, forte come un torello, girava sempre accompagnato da Spartaco, il commissario politico, un comunista genovese che lo aveva redento da una fiammata trotskista e che gli faceva da calmante e da pedagogo, con la sua voce fonda da camallo genovese in cui sentivi il sottinteso «vai, vai bullo, che prima o poi il partito ti sistema».

Un giorno andavamo in macchina da Costigliole a Neive dove avevamo i magazzini. Gli avevo promesso delle armi per tenermelo buono e il comandante della banda aveva già scelto una decina di Sten di quelli che avevano il percussore difettoso o la molla allentata. Corriamo su un auto che sembra una carrozza di Pancho Villa a «Viva Mexico» perché sui due parafanghi anteriori stanno seduti dei partigiani con il fazzoletto rosso e il mitra impugnato che se frenassimo di colpo volerebbero giù come due salami; e non si sa bene a chi vogliano fare effetto dato che da Costigliole a Neive la gente si è abituata a noi e sta seduta al caffè o al peso pubblico a discutere dei suoi affari. E in vista di Neive Primo Rocca si volta di scatto, mi punta il mitra addosso e con quei suoi occhi neri un po' da matto grida: «Giorgio la commedia è finita». Spartaco, il camallo genovese che se potesse lo prenderebbe a calci nel culo, sorride: «Sai, Primo ha sempre voglia di scherzare». Sarà, ma c'è un prato vicino al guado del Tanaro, a Costigliole, dove si vedono tumuli freschi e la gente dice che sono quelli che Primo ha fatto fuori. Magari non è vero ma Primo lo lascia credere. Gli piacciono gli scherzi a Primo.

Un giorno arrivo al guado diretto a Moncalvo a una riunione con il maggiore inglese Jordan, salgo sul traghetto e siamo a metà fiume quando vedo arrivare Primo con la sua auto «Viva Mexico» e i due partigiani con il fazzoletto rosso seduti sui parafanghi, e si mette a gridare: «Torna indietro cornuto, vieni a prendermi». Io me la rido, dico all'uomo del traghetto di andare avanti ma in quella ci passa sulla testa come un frullar di allodole, è Primo che sventaglia sopra di noi con il suo mitra, mica addosso perché a Primo piace scherzare, ma chi sa, poi.

Nelle Langhe c'è anche il misterioso Lulù. Inafferrabile, invisibile, noi GL lo vediamo solo da morto quando l'abbia-

mo ammazzato, per sbaglio. Da dove era arrivato il francese
Lulù? Nelle Langhe nessuno lo sapeva di preciso, forse da
un campo di prigionieri, forse al seguito della IV Armata.
Chi diceva fosse di Marsiglia, chi di Nizza. Lulù non era né
autonomo, né garibaldino, né giellista, stava per conto suo
con una quindicina di uomini e sembrava in cerca della morte o della vendetta. I tedeschi gli hanno ucciso tutta la famiglia, si diceva. Lui non parlava mai di sé e del suo passato,
anzi non parlava quasi, era sempre indaffarato a preparare
congegni esplosivi. L'ultimo lo aveva messo a Bra sull'auto di
un comando tedesco, avevano messo in moto ed erano saltati in quattro. Ma a Bra o a Fossano? Lulù era lo spirito follet-
to della guerra partigiana, inafferrabile.

Si diceva che si travestisse ora da vecchio, ora da prete ora
da donna. Era come un trovatello, nelle Langhe tutti lo amavano ma lui restava straniero con le sue memorie. Dicevano
che aveva un'officina per preparare le sue auto-bomba ma
dove fosse di preciso non si sapeva, forse a Bossolasco, forse
a Diano. Faceva colpi incredibili Lulù, e comunque venivano
raccontati di banda in banda, arrivavano anche nella montagna povera. Qualcuno, staffetta, commissario del Comitato
di Liberazione in visita, parente di un partigiano, diceva:
«L'avete saputa l'ultima di Lulù? È entrato vestito da prete
nel comando della X Mas a Canelli, ha piazzato una bomba
nella sala mensa e se ne è andato. Sono morti in venti».

Era la nostra primula rossa, Lulù, il nostro Zorro, il Robin
Hood delle Langhe, l'imprendibile, l'ubiquo, il multiforme.
E non parlava mai. Lo uccise un nostro reparto a Carrù ve-
dendoselo apparire di fronte vestito da ufficiale tedesco. Ve-
dendolo morto capimmo che era esistito per davvero e ci
prese una gran pena per quel piccolo uomo dai capelli neri
lisci e la pelle olivastra venuto a morire chi sa perché dalle
nostre parti come quei cavalieri antichi che facevano la
guerra per conto loro, per la loro giustizia o la loro vendetta,
senza mai parlare.

Dopo due o tre mesi nella Langa avevamo capito e imparato che la guerra partigiana sulle colline era una gran festa
colorata, con doni che piovevano dal cielo e frutti abbon-

danti sulla terra. I lanci alleati erano la nostra festa notturna, una festa vecchissima, semplicissima, fatta con i buoi, le fascine, il fuoco, le candele. Da Radio Londra arriva l'avviso «Il melo è fiorito» e noi sappiamo che è per stasera, sappiamo che la Franchi di Eddy Sogno ha fatto arrivare le nostre coordinate ad Allen Dulles, il capo del servizio segreto americano che sta a Lugano, gli ha fatto arrivare il nostro riconoscimento, una croce di falò, sei in lunghezza, tre in larghezza, e un segnale luminoso con la pila, tre lunghe e una breve. La conca invisibile dal resto della Langa e dal Monferrato è vicina a Monforte, ma serve a poco nasconderla, quando arriva il rombo degli aerei tutta la Langa, tutto il Monferrato si accendono di falò.

Arrivano le undici, sentiamo il rombo che si avvicina, di corsa, come matti ad accendere i falò, sono quadrimotori, volano bassissimo, il primo ha già sganciato, nella luna piena si vedono i paracadute e i bidoni che planano e già i contadini di Roddino e di Monforte stanno correndo nel buio per i filari e i sentieri che conoscono a cercare il bidone azzurro con il cerchio rosso, il bidone dei soldi e delle sigarette, incuranti delle raffiche di mitra dei nostri posti di guardia. Li si vede chiaramente nel chiaro di luna i grandi uccelli che arrivano dall'Africa del Nord per portarci armi, uniformi, esplosivi, persino un pezzo anticarro, persino, meraviglia!, benzina rosa dentro un sacco trasparente di una cosa che si chiama plastica, mai vista prima.

Due aerei, tre, quattro, ma sono impazziti, continuano ad arrivare, ma cosa credono, che siamo un'armata? Un pilota che forse ha bevuto troppo whisky si abbassa fino a strappare con il carrello la croce del campanile di Monchiero e sganciano, sganciano, ritornano in grandi ruote sempre più basse, abbiamo dei santi in paradiso, ma la pila non funziona più, allora accendiamo le candele e con la mano continuiamo a fare le tre lunghe e la breve, i buoi vanno e vengono nella conca trascinando i bidoni, le carrette dei distaccamenti arrivano dalla Pedaggera e da Dogliani, gli «ometti» come li chiama Dante Livio Bianco trasportano, scavano e nascondono, fra cinque o sei giorni a tutti i balconi della Langa saranno stesi i reggiseni e le mutandine fatte con il nylon a colori vivaci dei paracadute, cento in questo solo lancio, li vendano pure o li regalino i nostri ragazzi, reggiseni, mutandine verde smeraldo, oro, azzurro. Trasparenti.

Dicevo di Dante Livio Bianco, personaggio decisivo di quei venti mesi. Me lo sono riservato sin qui perché è un osso duro anche se è morto parecchi anni fa, cadendo sulla montagna di Valdieri. Eravamo in montagna da due o tre mesi ed eravamo già duramente faziosi: noi di Frise passati ai Damiani con Detto Dalmastro eravamo «quelli di Galimberti». Gli altri saliti a Madonna del Colletto e poi passati a San Matteo erano, a maggioranza, «quelli di Livio». Duccio Galimberti, vi ho detto, era figlio del ministro, Livio il figlio di un sarto che aveva fatto un po' di soldi a Nizza, era tornato a Valdieri dove si era fatto una villetta e aveva fatto studiare i figli. E Livio era andato a Torino ed era diventato un grande avvocato nello studio di Manlio Brosio. La faziosità che c'era in quei due e che ci coinvolgeva poteva essere letta, da chi di noi sapeva di storia, come una lezione sul campo, una spiegazione dal vivo delle feroci gelosie e inimicizie e convulsioni delle grandi rivoluzioni.

I due erano molto intelligenti, e se Duccio aveva tradizioni e ambizioni politiche, Livio no, non aveva alcuna voglia di fare il deputato o il ministro, era un intellettuale e amava la vita, i suoi piaceri, la compagnia dei pochi ma buoni, la piccola cerchia degli antifascisti *racés*, avvocati, giudici, professori universitari. Amava andare in montagna, Livio, ritrovare le radici valligiane, ma essendo uomo dell'alta cultura borghese. Era anche lucido e pessimista il dovuto: un giorno sul monte Tamone, il più avanzato verso la pianura della Valgrana, guardavo la lontana Cuneo, la mia città, pensavo a ciò che vi avrei fatto a fine guerra e Livio come leggendomi nel pensiero diceva: «Andrà già bene se non ci mettono dentro».

Quanti eravamo dopo tre mesi di guerra partigiana? Una cinquantina, male armati, e la notte nazista era ancora fonda, ma la fazione, la lotta per il potere non badano ai numeri e non disarmano. Livio sa che l'avventura partigiana può anche finir male e che comunque non sarà decisiva per la sua vita, per la sua professione, ma non può dire di no al suo orgoglio. È nato piccolo borghese ma ha superbia e ambizioni aristocratiche, come segnate nel suo bellissimo viso affilato, nei suoi occhi, nei suoi gesti. Non sopporta semplicemente che possa esserci in banda qualcuno che gli contende o nega il primato. Duccio è più politico, guarda più lontano e diverso, ha di sé una grande stima ma non è morso dall'invidia, evita lo scontro diretto, preferisce quello indiretto dell'azione, cammina sempre, organizza sempre, scrive e combatte, tira fuori riserve incredibili di energia fisica. E Livio più si sente debordare, sorpassare da quella vitalità, più si chiude nei silenzi e nelle trame della fazione, anche nelle cose minime, guadagna a sé gli uomini che gli somigliano, coltiva i rapporti con Giorgio Agosti, il commissario politico delle GL piemontesi, e gli altri amici della élite antifascista che stanno a Torino. Lo scontro di fazione non è scoperto perché gli «ometti» pensano ad altro, a salvare la pelle, a trasportare pesi, a trovare armi, a scendere in pianura per le scorrerie.

Nel gennaio del '44 lo scontro sembra risolto: Duccio, ferito a una gamba, scende in pianura e poi va a Torino e diventa il comandante militare delle GL piemontesi mentre Livio resta in montagna e mal sopporta le nostre colonizzazioni, il nostro voler essere un'altra cosa dalle sue formazioni. Ma la fazione continua. Giorgio Agosti, legatissimo a Livio, lo tiene informato, i due si scrivono spesso coltivando uno spirito di fazione che forse è fine a se stesso, una specie di partita politica e intellettuale che senza violare la solidarietà partigiana la percorre come un filo nascosto. La fazione come un figlio illegittimo, come una passione inconfessabile che più sa di essere sproporzionata e più cresce. Giorgio scrive a Livio quel che vuol sentirsi dire: Duccio è coraggioso, bravo, attivo ma diverso, un po' monumento di se stesso, non cooptabile dalla élite antifascista torinese, uno che corre per conto suo. E basta un suo successo per rinfocolare le gelosie e i rancori, come la volta che Detto prepara per la glo-

ria di Duccio l'incontro con i *maquisards* francesi a Barcelon-
nette.

Ero anch'io della partita. Saliamo la prima notte al col
Sautron dove ci aspetta Costanzo Picco, quello che metteva
le stellette d'argento sugli sci quando eravamo ragazzi, è stato lui a stabilire i contatti. Un'ora di riposo nel bivacco distrutto dalla guerra, fuoco con le sue assi, poi giù a Larche e
di nuovo su per evitare il fondovalle pattugliato dai tedeschi, su e giù per ventiquattro ore e quando arriviamo nella
villetta dove ci aspettano i francesi io cado fulminato dal
sonno, mi risvegliano che è già l'ora di ripartire e guardo
Duccio fresco e ilare per aver messo un'altra pietra alla scala
della sua ambizione. Ma era una scala che stava per finire.
Catturato e ucciso in primavera Duccio ci lasciava per sempre, ma neppure di fronte alla sua tomba la fazione si acque-
tava, anzi cresceva e veniva allo scoperto.

Livio cercava di far piazza pulita attorno a Detto, prendeva di mira me e Aurelio Verra «che sono bravi, capaci, coraggiosi, ma con tanti difetti che li rendono odiosi ai dipendenti». E cosa mai ne sapesse lui che stava in valle Stura lontano dalle nostre bande, poteva saperlo solo da chi anche in
una guerra partigiana cerca scorciatoie per far carriera, per
ingraziarsi i potenti. Mi accorgevo, certo, che c'era questa faziosità, questa conflittualità, ma la vivevo in modi sportivi,
non immaginavo che andasse più in là di una rivalità militare, di bande. Noi giocavamo e Livio l'avvocato ci preparava
le sue vendette fredde. Noi ridevamo se capitava in visita e il
cuoco aveva fatto degli gnocchi duri come la pietra, ma lui
metteva tutto sul conto. Io partivo per le Langhe nella sera
gelata del 1° gennaio '44 e salutavo anche lui venuto a vederci partire e lui scriveva a Giorgio Agosti: «Lo abbiamo visto
alla partenza delle due bande per le Langhe con molta sorpresa e da lui abbiamo saputo che veniva giù come comandante della spedizione. Scelta, a nostro modesto parere, in-
felicissima. Ma tutto questo per favore che non sia detto, se
no siamo i soliti maligni e piantagrane».

Poi si arrivava allo scontro diretto nel municipio di Monforte. A Monforte c'era un segretario comunale giellista,

certo Sacco, un intellettuale completamente sedotto da Livio, il cui piano era di creare una divisione per metterci al comando suo fratello Alberto. Il punto di appoggio nelle Langhe doveva essere una banda giellista che esisteva in loco comandata da un certo Libero. Ma io arrivo con le mie bande prima di Alberto, cerco subito Libero, lo rifornisco di armi, lo incorporo nelle mie formazioni. Livio piomba a Monforte, ci incontriamo nell'aula consiliare in municipio, con i banchi a semicerchio, lui sembra Robespierre in un processo rivoluzionario, si alza a parlare, pallido, teso, e forse io mi diverto a farlo impazzire di rabbia perché resisto alla sua arroganza, sono più calmo di lui, sorrido quando grida prima di andarsene: «Chi ha più filo farà più tela».

Di filo ne aveva più lui, solo ora alla tenera età di settant'anni sono venuto a sapere dal carteggio fra Livio e Giorgio pubblicato a Torino, le sue insistenze rabbiose, diffamatrici, calunniose per ottenere il nostro trasferimento, fino alla lettera di Agosti del 17 febbraio '45 a Livio: «Avrai già letto le lettere ufficiali e immagino che come al solito tutti saranno scontenti. Ma come tu sai bisognava risolvere la questione in un modo o nell'altro. Abbiamo sacrificato in pieno Giorgio e Aurelio». E adesso ne rido, ma allora quando mi arrivò l'ordine di lasciare la X e di tornare in montagna lo avrei strozzato, il nostro Robespierre.

Comunque partiamo, io e il fido Ercole Cantamessa, ce ne andiamo in bicicletta verso le nostre vecchie montagne. Vicino a Benevagienna incontriamo un signore in calessino e a Ercole gli vien voglia di far schioccare la frusta. Requisiamo il calessino con regolare ricevuta, venga a riprenderselo fra due giorni alla Rua del Pra. Ercole prende la frusta, la fa fischiare e lancia un «hia hia». Mi sono portato nel sacco una bottiglia di Barolo e a ventiquattro anni i dolori durano poco, almeno in superficie, si scavano le loro nicchie dentro. Alla tenera età di settant'anni il carteggio Bianco-Agosti ha scoperto una di quelle nicchie, ne ha tirato fuori quel vecchio dolore, quel vecchio sentimento di ingiustizia, di fazione inutile. Ma ai primi di aprile del '45 tutto corre e precipita, appena tornato in montagna ti dicono che Amilcare dalla val Bronda sta preparando un attacco alla compagnia controcarro della Littorio. Sai che se ci vai puoi lasciarci la pelle, ma non sai tenertene fuori, sei convinto che se stai al comando in valle arrivi alla fine intero – manca così poco alla fine di tutto – ma sei o non sei un capitano coraggioso?

Così alle due di notte del 12 aprile ti trovi a Busca nella caserma della Littorio compagnia controcarro, insieme ad Amilcare, madonna quanti capelli grigi ha fatto. Alle due monta di guardia il tenente Leoni che è passato dalla nostra, ci fa entrare, li sorprendiamo nel sonno, nella confusione una lampada a petrolio cade e dà fuoco a un pagliericcio e mentre le fiamme divampano ecco correre come topi i bravi cittadini delle case vicine che vengono a far preda.

Amilcare e i suoi tornano in val Bronda, restiamo dieci partigiani in mezzo a quattrocento non più fascisti e a quindici tenacemente fascisti, quelli indicatici dal tenente Leoni. Li faccio salire su un camion, li faccio sdraiare pancia a terra, agli angoli del cassone stanno quattro partigiani, gli altri sul primo camion con Leoni. Si arriva a Caraglio ancora occupata dai tedeschi e dai fascisti. Sento la mia voce che dice ai prigionieri: «Il primo che si muove è morto». C'è luna piena, vedo la testa della colonna che è già sulla piazza e poi infila la strada per la Valgrana dove c'è il posto di blocco. Ci fermiamo, Leoni è andato al blocco per dire che la compagnia sale in rastrellamento. Gli crederanno? Una compagnia con pezzi anticarro sale in rastrellamento senza che le altre ne siano informate?

Il mio camion si è fermato rasente il muretto di un orto, alla luce della luna vedo i riquadri dell'insalata, la terra preparata, un rastrello, una carriola. Appoggio un piede al muretto, potrei saltar nell'orto, mancano pochi giorni alla fine della guerra, gli alleati hanno sfondato sull'Appennino emiliano, stanno scendendo verso Bologna e Modena e la colonna è ferma da troppo tempo, forse non hanno creduto al tenente Leoni, se intervengono i tedeschi siamo imbottigliati. Sento la mia voce che dice: «Il primo che fiata lo stendo». Il piede appoggiato sul muretto si ritrae, chi comanda nella guerra partigiana non può aver paura anche se ce l'ha, la colonna si rimette in moto, passando per i reticolati del blocco vedo due soldatini della Littorio intabarrati con il fucilone in spalla. «Venite su con noi?» gli dico. Non capiscono, la colonna ora corre.

Dopo Valgrana dico all'autista di fermare, salto giù seguito da Ercole: «Noi veniamo su a piedi». Ci vuole una camminata sulla terra battuta della strada che sale a Pradleves, nella valle amica, guardando le montagne che verso il colle del Mulo si illuminano di sole. A Pradleves anche quelli della prima divisione, quelli di Dante Livio Bianco vedranno arrivare dieci camion e quattro cannoni. Noi dopo, senza applausi. E anche questo fa parte della fazione.

C'è anche l'epilogo di quei venti mesi, la fine, la bella primavera del '45, la gran gioia del 25 aprile. Diciamo per cominciare che quel 25 aprile era una splendida giornata e che la montagna di Dronero era fiorita. La radio trasmette l'ordine di insurrezione generale, scendiamo di corsa dalla Margherita e alle case del Vallone crepita una sparatoria, vediamo il vecchio Demaria, quello che è tornato dal Canada allo scoppio della guerra, che stringe alla gola uno dei briganti neri che stavano nella prigione della borgata. Sono fuggiti e si è aperta la caccia: uno è già steso sulla ripa in mezzo ai fiori, un altro corre come un leprotto, le pallottole gli zampillano ora a destra ora a sinistra, le donne del Vallone urlano quando va giù. Noi continuiamo a correre verso Dronero. Alla Rua del Pra c'è la prima banda in marcia verso la centrale elettrica di San Damiano, a noi basta la squadra comando per andare a vedere cosa accade a Dronero. Alberto ci aspetta prima del paese. «Andiamo a casa dei Lombardi,» dice «vengono anche Steve e i garibaldini.»

I Lombardi, la grande famiglia potente e virtuosa che va per tutte le strade che conducono al potere, uno generale degli alpini, uno gesuita predicatore famoso, un altro presidente degli industriali. Il parroco di Dronero sta trattando la resa con i fascisti e i tedeschi trincerati nella cittadina, noi aspettiamo e scende la notte. Sembra di essere in un dramma di Ibsen: i padroni di casa seduti con dignità e calma nelle poltrone del salotto, i figli e i nipoti curiosi che fanno capolino dalla porta, Steve che mi guarda e forse pensa ancora al formaggio grana che gli ho rubato sotto il Rastciass e l'operaio comunista Moretta che inizia la sua recita morale: «Ehi, giellista, sai cosa ha fatto il compagno Moretta quando il partito gli ha detto di salire in montagna? Si è fatto togliere i denti d'oro e li ha dati alla sua compagna perché non aveva altro da lasciarle». Dio santo, proprio il compagno Moretta doveva portarsi dietro Steve, questo rompiballe. «Ehi, giellista, lo sai cosa è un giellista per un comunista? È come due peli dei suoi coglioni.»

Ma non è finita, il compagno Moretta le sue soddisfazioni di operaio comunista entrato con il mitra nella casa dei signori Lombardi vuole togliersele tutte. Così finge un gran sonno e incomincia il suo spogliarello sotto gli occhi dei Lombardi, anche della signora. Si spoglia con lentezza studiata, prima il giubbotto, poi il fazzoletto rosso, poi la camicia e rimane per un po' così con la canottiera bianca e i pantaloni. Alberto che è parente dei Lombardi viene da me e mormora: «Non potresti farlo smettere?». Passo la domanda a Steve, ma lui scuote il capo. Intanto il compagno Moretta sta sfilandosi i pantaloni, li piega, li mette su una sedia, si corica. Su una cosa ci siamo sbagliati, Alberto, Steve ed io: nel pensare che i Lombardi siano seccati, scandalizzati. Anche Moretta e le sue mutande sono un sentiero per cui si può arrivare in alto nella nuova Italia. Guardano impassibili lo spogliarello e quando finalmente si corica sul pavimento, la testa appoggiata a uno zainetto, chiedono: «Possiamo fare un caffè?».

Di caffè ne faranno molti, fino al mattino quando arriva il parroco a dirci che il comandante della Monterosa e i suoi ufficiali ci aspettano in municipio per trattare. Dronero è ancora circondata dal filo spinato, entriamo in quattro guidati dal parroco. Alla fontana coperta stanno i fascisti con la mitragliatrice puntata. E se questi sparano? Il parroco è grande e corpulento, la sua mole nera procede tranquilla, noi dietro. Indoviniamo gli occhi della gente dietro le persiane chiuse, solo una donna anziana corre verso Alberto e lo abbraccia come la nutrice che riconosce Ulisse. Saliamo le scale del municipio e come entriamo nella sala cade un silenzio di gelo. Gli ufficiali fascisti sono seduti negli scanni dei consiglieri a semicerchio, il generale Molinari a un tavolo davanti a loro. Anche questo è teatro, c'è sempre nella vita un bisogno teatrale che passa per politica.

Il parroco ci fa segno di sedere al tavolo di fronte al generale. Come poso sul tavolo il Thompson vedo davanti a me due baffoni noti, ma sì è proprio lui, Soria, il segretario del Guf Torino, quello che ci mandava a far le gare di sci e stava in fotografia in mezzo a noi quel giorno che vincemmo la staffetta a Madonna di Campiglio. Mi guarda e a me viene da sorridere. «Ciau Soria.» «Ciau Bocca.» Un mormorio non sai se di stupore o di sollievo passa fra gli ufficiali fascisti. Allora si può trattare.

Il generale esita, vorrebbe avere notizie da Caraglio dove c'è un battaglione della Monterosa, insiste, ma si sente un brusio che sale dalla piazza e poi si alza un canto che non distinguo. Mi avvicino alla finestra dove c'è Soria. «Sono i vostri che cantano?» «Non direi,» dice lui «cantano *Bandiera rossa*.» Finisce così, gli alpini della Monterosa fascisti per sbaglio o necessità hanno deciso di aprire i reticolati senza aspettare le decisioni dei comandanti. E tu generale Molinari stai contento così, che hai salvato la pelle.

Quando arrivai a casa a Cuneo l'indomani pare ci fosse una interprete tedesca che aveva fatto amicizia con mia madre e pare che io mi incazzai fortemente e uscii sbattendo la porta. Ma questa l'ho completamente rimossa, è mia sorella Anna che se ne ricorda ancora e che ci ride su. Io invece ricordo che tre giorni dopo entro in sala da pranzo e ci trovo Grio, il medico della nostra divisione, un Pellegrino dei Pellegrino che hanno villa a Madonna dell'Olmo. È già tutto combinato: dobbiamo portare a Torino sull'autoambulanza del Grio il moroso di nostra cugina Teresina, un fascista della Littorio, «però bravo» assicura mia madre. Non resta che partire. Lui che è già in borghese ci aspetta in casa della Teresina: lo corichiamo sulla lettiga senza dire una parola. I posti di blocco ci fanno passare, a Torino fermiamo davanti alla stazione di Porta Nuova e gli diamo il largo, senza una parola, vai con Dio anche tu. Io devo portare una lettera di Detto a Peccei, il direttore generale Fiat che è dei nostri ma anche della Fiat tanto è vero che ha piazzato il comando di Giustizia e Libertà nella villa del senatore Agnelli.

L'atrio e il piano terreno sono pieni di partigiani. Qualcuno mi fa scendere nella cantina dove c'è Leo Chiosso che suona la chitarra, il Chiosso che faceva il regista a Bassano al corso allievi ufficiali per la rivista teatrale dove io ero il giornalista dell'età della pietra, ed entravo in scena con un'ardesia gridando: «Pietra sera! Pietra sera!». Leo sta vicino alla rastrelliera degli champagne millésimé di casa Agnelli, mi offre un bicchiere di Dom Perignon. Dormiamo in casa Agnelli. Un po' ciucco apro per sbaglio la porta della stanza dove sta la segretaria del senatore. È a letto, con tutti i bigodini in testa. «Se non se ne va» dice impettita «chiamo il comandante.» «Il comandante sono io» sbiascico. Fa solo un gesto imperioso: via. E io via. Con le segretarie Fiat non si scherza.

La villa del senatore è vicina al Po, su cui ogni tanto passa il cadavere di un cecchino fascista, di uno dei briganti neri che non si arrendono perché sanno che saranno fucilati. Si spara ancora e corre la voce: «Ce n'è uno su un tetto di piazza Vittorio». «Ce ne sono alla Gran Madre.» Allora le auto partigiane, adesso tutti hanno automobili, partono sgommando per la sparatoria. Sono nell'atrio quando sento il fruscio delle corde dell'ascensore. Esce un vecchio signore in abito scuro, con canna. È il senatore Agnelli. Mi viene incontro e chiede: «Posso uscire a fare due passi?». «Non le conviene senatore, stanno ancora sparando.» Ci pensa su poi si gira, torna all'ascensore, in un fruscio di corde metalliche risale nella sua stanza. Il professor Valletta sta per tornare a Mirafiori scortato dai paracadutisti inglesi.

Mi chiesero se avevo delle ambizioni politiche, se desideravo una carica pubblica, una candidatura alle elezioni. No, niente politica. Avevo tenuto un comizio a Busca, un mese dopo la liberazione, un comizio per il Partito d'Azione, io e Aurelio Verra al balcone del municipio, sotto in piazza un centinaio di contadini e di bottegai. «Siamo per la nazionalizzazione delle grandi industrie e la libera iniziativa per le medie e piccole.» Quelli della piazza, commercianti in faggio da ardere, formaggiai, contadini ci guardavano in silenzio, senza capire, senza protestare. No, la politica, il rapporto con la gente non facevano per me. Dissi che preferivo fare il giornalista e mi trovarono un posto a «GL», Giustizia e Libertà, l'edizione torinese dell'«Italia libera» organo del Partito d'Azione che si stampava a Milano.

Torino la conoscevo dai giorni dell'università ma allora andavo e venivo ogni giorno da Cuneo. Viverci con poche lire non era divertente. La prima stanza a me e a Detto che lavorava al partito ce la affittò per due settimane un compagno: i vetri erano rotti, i letti senza lenzuola e federe, il frigorifero scassato. Stava dalle parti del Lingotto e l'aria che entrava dalla finestra sapeva di vernice e di ruggine. Poi giravamo per pensioni rumorose, alberghucci sporchi e mangiavamo a prezzo fisso da Mariano, un ex croupier preso dalla passione della politica che lavorava pure lui al partito, sezione operaia. Era un cocainomane, ma convinto che il Partito d'Azione sarebbe stata «l'ala marciante del proletariato», lo ripeteva spesso mentre teneva d'occhio che non consumassimo troppo olio o non andassimo oltre le due pagnottine del forfait. Faceva cucina una sua amante sbiadita e scocciata, la compagnia cambiava di continuo, arrivavano amici e conoscenti che Mariano ci presentava senza scendere nei particolari, ma dei loro affari, borsa nera o rappresentanze o altro non parlavano, parlavano tutti di politica, di cosa doveva fare Ferruccio Parri, il mitico «Maurizio» presidente del Consiglio a Roma, del vento del nord.

Eppure c'era qualcosa di eccitante, di corroborante in quella Torino: in un paese a pezzi, sconfitto, occupato dagli inglesi e dagli americani, il partigianato aveva lasciato una forte certezza di contare, di essere un paese sovrano in cui noi, i comunisti, i monarchici, i padroni, gli operai, ci saremmo giocati il nostro destino. Gli americani e gli inglesi c'erano, con dei carri armati grandi come una casa, ma noi non ci sentivamo provincia dell'impero e credo che la vitalità indomita, trascinante di quella Italia dovette sorprendere anche i vincitori che dopo qualche mese erano già spettatori disattenti, un po' infastiditi dalle nostre violente fazioni e un po' intimiditi da quella nostra ottimista, veemente, sicura certezza di venir fuori dalle rovine, di uscire indenni dalla sconfitta.

I popoli hanno vicende biologiche, quando crescono non c'è mazzata in testa che li possa arrestare. O forse era la gioventù, forse gli anziani e i deboli in quella Torino disastrata la vedevano grigia. A me tutto andava bene: il sabato tornavo a Cuneo. Viaggiavamo sui carri merci, gelidi d'inverno, su panche di legno, ma fumavo Camel e al caffè Lagrange di Porta Nuova potevo permettermi tramezzini al tonno e ai carciofini. E risparmiavo pure, da allora non avrei mai smesso di risparmiare, quel salvadanaio a forma di ferro da stiro nella stanza di mio nonno non lo potevo dimenticare.

Finalmente mi sistemo nella casa di via Legnano della terribile madama Emma Sacerdote che continua a vestirsi di nero come quando saliva in montagna e a occuparsi senza tregua del figlio Ugo. Non era per niente cambiata, riscaldava solo la cucina con una stufetta elettrica, e invidiavo Franco Venturi, il direttore di «GL», e sua moglie Gigliola che almeno potevano scaldarsi, due in un lettino, nella stanza accanto. Dalla finestra della mia stanza vedevo l'abitazione di Marziano Bernardi, critico d'arte de «La Stampa». Mi riscaldavo guardando il suo camino acceso nello studio, l'oro della fiamma che illuminava le librerie, lui che in veste da camera leggeva o scriveva. Poi lo incontravo nell'atrio o nei corridoi della redazione in Galleria San Federico perché stampavamo lì anche noi di «GL». Era cortese, quasi premuroso come gli altri grandi del giornalismo sopravvissuti alla effimera purga antifascista, il filosofo Burzio, Giulio De Benedetti, il critico cinematografico Mario Gromo con una moglie bellissima che lo tradiva, ma lo si diceva con cautela, il palazzo di via Roma era impregnato di rispettabilità Fiat. Però a casa loro non ci invitavano mai. Ci invitava il barone Mazzonis con casa patrizia in piazza Carignano e un conte Radicati, perché a quella aristocrazia militare costretta a frequentare la borghesia industriale andavamo meglio noi con cui avevano diviso i rischi della guerra partigiana.

Vivevamo il nostro primo giornalismo esattamente come Gramsci e Togliatti e gli altri de «L'Ordine Nuovo» venticinque anni prima: aspettare la partenza della rotativa, prendere le prime copie, tirar tardi in qualche osteria a parlar di politica e di giornali e poi, magari, incontrare qualcuno della teppa. Non c'era via di mezzo in quella Torino fra Marziano Bernardi, famoso critico d'arte visto nell'agiato tepore del suo studio, e Blaky «la iena» che incontravo alle due di notte dalle parti di Porta Nuova, diretto in via Legnano. Era un tipo piccolo e tozzo sui vent'anni, con una forza mostruosa. Il suo scherzo preferito era di avvicinarsi di scrpresa a una carrozza di piazza, afferrarla per l'asse delle ruote posteriori, sollevarla di un metro con il vetturino in cassetta e poi lasciarla cadere di peso con il cavallo spaventato che partiva al galoppo, il vetturino urlante e la risata di Blaky, da iena, proprio. Un giorno Blaky mi propose serio di andare con lui a fare la stagione a Sanremo. Io non capivo. «Dai,» disse «laggiù è pieno di culi, tiriamo su un po' di soldi e andiamo a giocare al casinò.» Era tranquillamente privo di morale, gli andava bene tutto, rubare, accoltellare, tirar su un po' di soldi con i culi a Sanremo, parlare con i giornalisti. Lo incontravo solo di notte, mai una volta che lo abbia visto di giorno.

Certe notti eravamo al seguito del marchese Carlino di Moncrivello, discendente degli Aleramo del Vasto signori del Monferrato, un marcantonio biondo dagli occhi azzurri che il mattino dormiva, il pomeriggio passava delle ore alla confetteria Peyrano a bere il cappuccino e a parlare del Torino e di notte andava al tabarin seguito di malavoglia dalla moglie, una tessile biellese cui faceva pagar caro il titolo di marchesa, champagne per tutti e, salito di giri, rimbombanti «viva Savoia», il bicchiere alzato in gesto di sfida verso i borsari neri con entraîneuse al fianco che, Savoia o non Savoia, erano lì per una notte brava.

Gelidi e roventi quei mesi, senza scelta. Il gelo delle case, dei treni, dei tram, delle corse mattutine sull'auto del giornale per trovare in un campo della periferia, i pantaloni alla caviglia, il corpo seminudo già sbiancato dalla brina, la testa spaccata da un «corpo contundente», l'omosessuale ucciso per rapina, da farci la notizia secondo le regole torinesi, osservate da tutti, sinistra e destra: «La polizia ha accertato che trattasi del ragionier Domenico Agassi (*omissis* impiegato della Fiat o del Comune), vittima di una squallida vicenda nell'ambito delle amicizie particolari». E caldo soffocante, umido negli uffici, nelle pensioni, nei ristoranti da poco prezzo come il Sollazzo Gastrico di via Palazzo di Città, dove le puttane di sessant'anni aspettavano dei clienti e li trovavano, e noi al Sollazzo ci pigiavamo urlando, ridendo, imprecando, discutendo di comunismo e di libertà che continuavano a stare, non si sapeva come, insieme.

Una sera a pranzo da un Radicati di Primeglio e quella dopo con Maurizio, il gommista, che rigenerava i vecchi pneumatici e poi partiva per il Sud con il suo camioncino, svelto ad andarsene prima che si accorgessero che lasciavano sull'asfalto due tracce nere come di carbone; o con il Pino che commerciava in diamanti, li ingoiava ad Amsterdam e li cacava a Torino e nessuno lo fermava mai alla dogana perché era piccolo, biondo, con due occhi da prima comunione. O al ristorante della stazione di Chieri, dall'oste pittore Roccati che pur di avere qualcuno che parlava di lui sui giornali ci passava quasi gratis le sue finanziere agrodolci, stupende, con quella Freisa amara frizzante che fanno dalle parti di Castelnuovo Don Bosco.

In quei mesi gelidi e roventi Torino e l'Italia si digerivano pian piano i resti della guerra, la civile e la grossa. Per qualche mese vedemmo girare per redazioni e tabarin, per direzione Fiat o Sip, quei tipi alla Piero Piero, ex comandante partigiano delle fantomatiche Brigate socialiste Matteotti che portava abiti gessati, scarpe di vernice e ghette come il George Raft nella notte di San Valentino. E per toglierselo di torno i piemontesi «ben per ben» gli ordinavano partite di inchiostri, cancelleria varia, teli tenda, senza curarsi da dove arrivassero.

Digerivamo pian piano anche i resti della guerra grossa. Nel settembre del '45 arrivò a «GL» da un'agenzia una incerta notizia secondo cui erano arrivati al Brennero i primi alpini reduci dalla prigionia in Russia. I treni funzionavano da Torino a Trezzo d'Adda dove era saltato il viadotto. Lì si attraversava il fiume a trenta per volta sulle zattere e si risaliva a piedi la ripa precipite tutti carichi di pacchi, fagotti. Io niente, neanche una maglietta di ricambio, per essere più leggero o perché allo sporco partigiano ci avevo fatto l'abitudine. Giunti sulla ripa si poteva andare avanti solo sui camion militari degli americani e degli inglesi che però si fermavano di rado a raccattar la gente. Bisognava aspettarli in paese, a una curva stretta, calcolare a occhio se sul cassone c'era ancora posto, se c'era una probabilità di essere tirati su e poi scattare, saltare. Spesso i camion voltavano senza preavviso per una strada laterale verso Iseo, verso Chiari e allora fra urli e bestemmie si doveva saltar giù al primo rallentamento, tornare a piedi sulla statale per Bergamo.

Fra Brescia e Peschiera sembrava di essere in un girone dantesco con i dannati della sconfitta alla loro punizione: decine di migliaia di prigionieri tedeschi, in fila continua, che lavoravano lungo la strada non si capiva bene a cosa, alcuni scavando buche, altri piantando paletti, forse per montare una linea telefonica da campo, forse per far passare la giornata faticando. La loro uniforme non era più grigio acciaio, ma grigio terra, grigio discarica. Strappati i gradi, le mostrine, i distintivi, le fronde di quercia, le aquile, sembravano loro questa volta un esercito di *Untermenschen*, di sottouomini. Ma in una cosa facevano ancora paura, come Hans Dieter, prigioniero in Varaita: nessuno stava stravaccato o con le mani in mano, nessuno chiacchierava con il vicino, tutti cupamente, seriamente, attendevano al loro lavoro. E camminavano rapidi, facevano gesti rapidi e sicuri, non alzavano gli occhi dalle loro buche e dai loro paletti neppure al nostro passaggio, non rispondevano agli urli, agli insulti che partivano dai nostri camion.

Da Brescia si riprendeva il treno fino a Verona, ma su nella valle dell'Adige era un macello, strade interrotte di continuo, tutti i ponti saltati. Ero giovane, forte, con la rabbia in corpo del cronista che corre allo *scoop*, partivo all'assalto dei camion come una pantera, scalciavo quelli che si afferravano a me per salire. Fra Egna e Caldaro la statale era coperta da una frana, bisognava proseguire per le strade di campagna, passò un carro carico di mele guidato da uno che aveva il grembiale di tela blu e il cappello tirolese. Bloccò il carro, si fermò a guardarmi con la frusta impugnata, poi vidi che mandava giù qualcosa, il rospo della sconfitta, lo deglutiva a fatica. Si rimise calmo, lasciò che salissi e andava per i frutteti del Sud Tirolo, più nazista dei nazisti, senza parlare.

I reduci c'erano davvero ma non al Brennero, a Merano, in quarantena. Per me era un terno al lotto: muoversi non potevano, il telefono non funzionava, avevo due giorni di tempo, nessun altro giornale aveva creduto alla vaga notizia o trovato uno disposto all'arrembaggio dei camion. I reduci erano circa duecento, stracciati, sfiniti, ma quando gli chiedevo nome e indirizzo dei parenti si svegliavano, parlavano di sé e degli altri che stavano arrivando o che avevano visto vivi nei campi. Rientrai a Torino, «GL» pubblicò gli elenchi centellinandoli in sei o sette giorni, per altrettanti fummo il giornale più venduto del Piemonte.

Che giornalismo primitivo da nuova frontiera era quello

di quei mesi gelidi e roventi! C'erano spazi immensi, ine-
splorati di notizie, di cronache. I giornali si occupavano solo
di politica e avevano quattro pagine quando andava bene.
Un giovane attento, con la voglia di fare, poteva cogliere
una voce, una notizia e proporre un servizio, e potevano anche dirgli di sì. Così dopo i reduci dalla Russia trovai Leo-
narda Cianciulli, la saponificatrice di Correggio. Aveva avuto quattordici figli e gliene erano morti undici. Era pazza,
ma a Correggio nessuno se ne era accorto. Forse il marito e
il figlio, ma non parlavano. Fu lei a dire di avere ucciso «per
placare la morte» prima di scomparire in un manicomio dove l'avrebbero fotografata mentre preparava il presepio o
lavorava al tombolo.

Arrivai a Correggio verso mezzogiorno, il giorno dopo
che l'avevano arrestata. Il paese era deserto, strade e piazze
vuote come in un De Chirico metafisico. La casa della Cianciulli era vuota, il marito e il figlio in prigione, la chiave ce
l'aveva una vicina di casa, allora non usavano i sigilli polizie-
schi e i reperti della scientifica. Dalla finestra della cucina si
vedeva, in un piccolo orto, il vecchio che ci lavorava ogni
giorno ma non si era accorto di niente, come la vicina che
non aveva visto le donne anziane che entravano nella casa e
non ne uscivano più. Neppure il marito e il figlio se ne erano accorti. Si sa come è la pazzia, fa leggeri i passi, cancella i
segni, segue una sua nitida oscurità. Ma possibile? Possibile
che nessuno avesse sentito rumori, odori mentre lei faceva a
pezzi le donne e le metteva nei secchi di soda caustica e li faceva bollire per poi nasconderli in uno sgabuzzino?

Ero solo nella casa. Su una parete della cucina era rimasta
l'impronta di una mano, come se una mano unta di sapone
umano si fosse stampata sull'intonaco rosa. La pazzia della
Cianciulli era cauta e metodica. Sceglieva le vittime fra le
donne anziane di Correggio, le invitava a casa sua e placava
la morte riportandole a materia informe. La polizia sospet-
tava che avesse cucinato per il marito e per il figlio pezzi di
carne umana, ma non se ne erano accorti, nessuno in paese
si era accorto di niente. C'era dell'astuzia in quella crapa
contadina, dietro quella faccia schiacciata, quelle labbra sot-

tili, dietro quei suoi occhi grandi neri, bovini, che sembravano pigri, spenti ed erano pieni di morte. E doveva avere una forza terribile, la forza della pazzia se in poche ore, mentre marito e figlio erano in ufficio, uccideva, squartava, metteva nei secchi, faceva bollire. O forse procedeva metodica, giorno dopo giorno. Ma gli altri non sentivano odori strani, non vedevano tracce di sangue?

Le invitava a casa sua nel primo pomeriggio quando marito e figlio erano al lavoro e Correggio deserta. Poi nelle settimane seguenti faceva arrivare come Landru delle cartoline alla casa delle uccise. Da Venezia, da Berceto, da Viareggio. Le aveva spedite lei durante le gite organizzate dal Comune o da qualcun altro. Non se ne seppe mai niente, lei ingoiata dal manicomio, i parenti che ripetevano di non sapere. Arrivava nell'alloggio della saponificatrice, quel pomeriggio, il raspare di una gallina e ogni tanto la voce dell'ortolano che non aveva visto niente.

Poi in quei mesi gelidi e roventi, in quella Torino dura e viva di giornalisti e di puttane, di ferree signore Sacerdote e di teppisti, di antifascisti mitici e di magliari, di critici d'arte in veste da camera davanti al caminetto e di rigeneratori di pneumatici usati, del Carlino di Moncrivello erede degli Aleramo del Vasto e di Blaky la iena, incominciò a incombere, come una ferrea possente nave spaziale, la Fiat di Vittorio Valletta. Sì, passato qualche mese, incominciai a capire che dopo i vent'anni del fascismo le cose tornavano al punto di prima, che dopo venti mesi di Resistenza si era di nuovo, suppergiù, al '21, al rapporto di odio-stima e di lotta nella coesistenza che c'era stato fra il senatore Agnelli e la direzione Fiat e quelli di Ordine Nuovo, Gramsci, Togliatti e il capo operaio Parodi.

Forse il 25 aprile, se non fossero arrivati gli americani, il professor Valletta sarebbe finito in un forno, ma gli americani c'erano, Valletta sapeva che c'erano e che sarebbero arrivati, l'ipotesi non reggeva. E infatti il Togliatti di ritorno da Mosca aveva dato agli operai la parola d'ordine di lavorare, di ricostruire, e i capi del comunismo torinese Negarville e Roveda su una cosa certamente concordavano con il professore: «salvaguardare la compagine lavorativa della Fiat», concentrazione di cervelli e di tecniche, cultura del lavoro, isola moderna, la sola autorizzata in Italia a colloquiare con i Krupp e con la banca Morgan, con i Ford o con il Rockefeller, Stato nello Stato, una cosa che al pauperista e autodidatta Mussolini era risultata ostica. «Torino porca città» lo avevano sentito mormorare dopo la fredda accoglienza del Lingotto per la sua visita del decennale. Difficile per un romagnolo entrare nelle ipocrisie morali di Torino, nelle sue ambiguità edificanti, nel produttivismo mistico della Fiat, nell'affarismo spirituale degli Agnelli, nel fatto che agli occhi piemontesi il senatore Agnelli e i suoi eredi, il professor Valletta e i direttori, instancabili divoratori di capitali e di aziende, potevano però sentirsi parte di una «cooperativa del lavoro e dello spirito», come aveva detto il professore la volta che nel '21, durante l'occupazione delle fabbriche, esortò Giovanni Agnelli a restare al suo posto perché «vi è un dovere da compiere, un dovere civico e voi, sorretto dalla vostra coscienza e dal plauso di tutti gli azionisti, non solo, ma del paese, lo compirete».

Il provinciale che ero ascoltava voci diverse, sfiorava fazioni diverse in quella Torino delle cose serie, importanti, dure che emergevano nel suo confuso giovanilismo e il professore incominciava ad apparirgli al centro degli enigmi e delle tradizioni torinesi. Perché Vittorio Valletta era il potere, ma un potere sorretto da un consenso generale, anche dei comunisti, in fondo. Il suo doppio gioco nei venti mesi della occupazione tedesca era stato opportunistico, mirato alla difesa dell'azienda, ma in questa difesa c'era una protezione degli operai, un ostacolo alle deportazioni, la continuità del primato industriale di Torino. A noi Valletta piaceva anche fisicamente, era uno dei nostri «cit e cativ», piccoli e cattivi, che muovono le cose, trascinano gli uomini ed era anche, come si diceva, «nerchiuto», come riconosceva ammirata, anche dopo i suoi settant'anni, la sua *maîtresse en titre* che c'era, contava, ma non appariva a corte come la Bela Rosin.

Il professore era al centro di quel produttivismo industriale torinese esploso dopo il trasferimento della capitale a Roma come rivincita, come incontro dell'aristocrazia disoccupata e senza corte, ma ancora provvista di coraggio e di capitali, e la borghesia composita, ma omogenea nei valori, dei tecnici, degli ingegneri, dei capi officina o «cavajer» nati con la rivoluzione industriale, i «giacchetta nera» con i baffetti a punta, impomatati, un tocco per ungere le dita e sentire meglio il tornio. Ho visto una fotografia dei due Agnelli, il senatore Giovanni, il fondatore e suo figlio Edoardo, che attendono assieme a Valletta, tutti in tight, di essere ricevuti da Mussolini per la presentazione della Balilla. Giovanni Agnelli, già ufficiale di cavalleria, eretto e imperioso come un kaiser, Edoardo un po' ciondolante, ironico e snob e poi il «cit e cativ» in una giacca stretta, impaziente, con lampi negli occhi da Bagonghi elettrico che pensa: ma che facciamo qui in giornata lavorativa vestiti da carnevale?

In altre città la retorica del lavoro Fiat era sconosciuta o ridicola o incomprensibile ma a Torino no, la sua aneddotica un po' surreale circolava con simpatia e identificazione: «Ingegnere, vediamoci in ufficio il giorno di Natale, così possiamo parlare tranquilli», «Lo sa che Durando si è sposato? Ma quella lo sta rovinando, li hanno visti l'altra sera a teatro». Il linguaggio aziendale e cittadino era militare, la direzione era chiamata «lo stato maggiore» o anche «la mano a sei dita», Valletta più i cinque direttori generali. E anche quel linguaggio era un collante, un denominatore comune fra i due ceti, l'aristocratico e il borghese tecnico che guidavano la rivoluzione produttiva, qualcosa di simile al sistema svizzero dove si è dirigenti di aziende e di banche solo se si è almeno colonnelli dell'esercito. Quando Valletta propone di far entrare il giovane Gianni Agnelli nella direzione ritiene doveroso e normale ricordare i suoi meriti militari, le campagne in Russia e in Tunisia, come legittimazioni della sua ascesa al trono. E nelle case dell'aristocrazia come della borghesia tecnica quando si parlava di esercito o di guerra tornava immancabile la sentenza piemontese, che tornava anche sulle labbra del playboy Gianni Agnelli: «I bei fiöj van fè el suldà, i macacu restu a cà», i bei giovanotti vanno soldati, le scartine restano a casa.

La voglia dei partigiani comunisti di mandare arrosto in un forno il professore era a ben pensarci la stessa degli operai comunisti del '21 allo sciopero delle lancette, lo sciopero sugli orari; ma era la stessa anche la convinzione che comunque poi si sarebbe ritornati alle regole della società monarchica militare del vecchio Piemonte, bianchi o rossi che fossero i dirigenti. Una società in cui i signori direttori, come i signori ufficiali, possono rubáre un po' sull'indotto come sulle forniture di caserma o sul rancio, ma di fronte al lavoro come al nemico non si tirano indietro, escono da corso Marconi o da Mirafiori solo quando è uscito il professore e se lui o i suoi luogotenenti chiamano a mezzanotte o alle cinque del mattino nessuno si tira indietro; perché la Fiat è come un'armata con il suo dominio territoriale e chi ci sta dentro come dirigente-ufficiale si sente un po' padrone e responsabile anche lui del territorio, dei capannoni, del magazzino, delle presse, della pista collaudo di Mirafiori, sente anche lui che salire su un'auto di un'altra marca è come mettersi la divisa di un esercito straniero. E se poi, in confidenza, si raccontano le sporche o meschine vicende di «mamma Fiat», più sono carognesche e più il loro sado-maso se ne crogiola, perché la grande fabbrica è come una grande caserma e in caserma chi può stangare il sottoposto si consola così delle stangate dei superiori e si convince, come sotto la naia, che una somma di violenze e sofferenze magari cretine, ma sopportate perché fanno parte dell'impresa comune, del capitale accumulato, delle tradizioni consolidate, tutto sommato è cosa buona.

La cultura del lavoro, come quella militare della disciplina e della fatica, è dominante: «El travaj», «Travajuma», «Venta ruschè», bisogna lavorare. Un giubilo laborioso militar-salesiano-barbetto-valdese accomuna tutti: «Anche Gesù Crist l'era n'ouvrié». Chiesa e fabbrica lavoratrici, il dialetto piemontese come lingua unica, i giornali non torinesi non solo rifiutati ma disprezzati, Milano remota e affarista, Roma a distanze africane, il linguaggio dell'industria diffuso e dominante: «Ci scusi, ma attualmente il nostro parco uomini è un po' scadente», «Signorina, mi inganci l'ingegnere».

Le stelle Fiat che splendono nella notte, rosse come quelle del Cremlino, alte sul popolo. Se si sta sotto il mantello di «mamma Fiat» meglio non parlare di politica, meglio giocare a ramino o a «conchin» o sentir musica, pieni i concerti, pieni i circoli. Una cultura a isole, non repressa o perseguitata ma appartata: Einaudi Giulio, il figlio del professor Luigi, che naviga per conto suo nel comunismo togliattiano, gli storici Venturi e Garosci che si dedicano al Settecento, Norberto Bobbio che regna nel suo istituto di scienza politica, Massimo Mila all'Utet, un antifascismo che si ritrova solo il 25 aprile o alle lezioni sulla sua storia, zeppo il Teatro Alfieri, gremita tutta piazza Solferino, poi tutti a casa e ci si rivede l'anno prossimo.

In quella Torino l'amministrazione comunista prestava al partito i suoi attacchini per applicare i manifesti contro lo sfruttamento Fiat, ma chiudeva gli occhi sulle tasse non pagate dall'azienda, faceva entrare e uscire i tram dalle rimesse secondo gli orari della Fiat e tutto si spiegava con la logica dei grandi numeri, le ore di punta dei trasporti erano quelle dei turni Fiat. Non si apriva una sottoscrizione se la Fiat non dava il via su «La Stampa», se si azzardava a farlo, «La Gazzetta del Popolo» era un flop, tutte le borse si chiudevano, il grosso del lavoro bancario e assicurativo era di scontare le cambiali per gli acquisti a rate delle auto e provvedere alle assicurazioni auto, furto, incendio, responsabilità verso terzi. «In agosto possiamo chiudere,» mi diceva il professor Levi, direttore della Banca del sangue «quando chiude la fabbrica i nostri donatori vanno in vacanza.»

Dall'anno della sua fondazione 1899 la Fiat aveva assorbito, adattato a sé tutti i miti e i riti piemontesi, un po' come la Chiesa di Roma che aveva fatto le sue chiese sui templi pagani. Aveva fatto suo fra l'altro anche l'autoritarismo del regno sabaudo: se nella *company town* un vigile torinese fredda a rivoltellate un ladro d'auto, i giornali devono inventare lettere compassionevoli per la vittima perché quelle che arrivano sono di feroce giubilo. Nelle scuole professionali Fiat si scatta sugli attenti a sinistr o a destr quando passa un professore e l'allievo sta di fronte a lui sugli attenti, guai se mette le mani in tasca.

Il professor Valletta «bolla» all'ingresso nell'azienda come gli impiegati, e come il piccolo re Vittorio Emanuele III fa le sue ispezioni alla truppa, va tra i fanti di prima linea, dà cinquemila lire di premio al guardiano che lo ha fermato perché aveva dimenticato la tessera di riconoscimento, la buona sentinella. La Fiat finanzia tutti, gli avversari di classe come i concorrenti, se le conviene. Come il senatore Agnelli che salvava la Lancia dal fallimento e poi diceva a Vincenzo Lancia: «No, non mi ringrazi, se non ci fosse la sua fabbrica dovrei inventarla, se no i nostri tecnici si addormenterebbero». La Torino del '47 è la città più comunista d'Italia, ma il partito comunista che grida e accusa sulle piazze si sta arrendendo alla cultura Fiat, per i torinesi la disciplinata fanteria Fiat è meglio della cavalleria leggera della Olivetti, per i torinesi i tecnici inventivi di Ivrea «a sun d'artista», bravi ma da non fidarsene.

Il provinciale che sono sta a guardare senza passione politica questo confronto fra la grande azienda che ha fatto sua la tradizione militare monarchica della città e i comunisti. E li vedo questi eversori del mondo, questi che hanno alle spalle l'Oriente rosso e barbaro dell'Unione Sovietica, questi che considerano noi di Giustizia e Libertà come «due peli dei loro coglioni», li vedo andare a sbattere la testa contro il bastone e la carota del professore che li lascia gridare nei comizi e poi fa scrivere migliaia di lettere alle mogli per informarle che quei testoni dei loro mariti perderanno il lavoro o i premi di produzione se continuano a votare per la Fiom; e facciano pure i rivoluzionari, ma l'azienda gli alloggi appena finiti li darà a quelli che sono dalla sua parte o neutrali, non a quelli che vogliono distruggerla.

Non è esattamente così, i comunisti non vogliono distruggere la Fiat ma solo contarci un po' di più, ma la tattica del professore funziona perché gli operai, come diceva Gramsci, sono «uomini in carne ed ossa», piace anche a loro l'utilitaria e devono ammettere che se cresce la produzione diminuisce il prezzo e si scenderà dalle 800.000 lire del '48 alle 465.000 di dieci anni dopo. I comunisti sanno che la Fiat è prepotente, maternalista, ipocrita, conformista ma sanno che, fra le tante cose che non funzionano in questo scombinato paese, è una delle poche che riesce a produrre automobili, carri ferroviari, grandi motori, aerei, macchine movimento terra o per l'agricoltura, come l'ultimo trattore largo meno di un metro e con ruote snodabili che può passare tra i filari della vite.

Io lo vedo alla prima uscita ufficiale a Dogliani località San Giacomo, la villa del professor Luigi Einaudi presidente della Repubblica. Quel pomeriggio il presidente portava in testa un basco scuro, un po' di traverso, come era lui che arrancava sulla sua gamba zoppa, appoggiandosi a un bastoncello. Dietro gli occhiali chiari vedevo brillare il suo sguardo miope un po' strabico, da contadino che sa fare i conti. Non era impacciato e infastidito come al Quirinale, sorrideva, guardava il trattore che andava avanti e indietro per i filari con le sue ruote sghembe. Sghembo il trattore, sghembo il vecchio Einaudi, in pose sghembe i contadini che osservavano, ma l'insieme era solido e di buon senso. Io guardavo Einaudi come si guarda un padre, *un homme d'autrefois*, un piemontese convinto che tutto, risparmi, carriere, confini dello Stato sono frutto di lunghe fatiche, che le cascine non si comperano e non si conservano senza le fatiche delle generazioni; che poi se uno ha un figlio spendaccione come Giulio, il prediletto del senatore, serviranno anche a lui.

Così andavano le cose in quella nostra Torino dura e viva e noi cronisti non ridevamo la volta che ci fecero assistere all'assemblea degli azionisti Fiat e facevamo un po' di baccano mentre Valletta stava per parlare quando *tota* Rubiolo, la direttrice dell'ufficio stampa, disse, severa: «Signori, prego, un po' di silenzio, qui si fa l'Italia». *Tota* Rubiolo era alta, bionda e non le avremmo supposto una vita amorosa, salvo quella per la Fiat, se non avessimo saputo, in gran segreto, che era l'amica del piccolo biondino Frittitta, segretario di redazione de «La Stampa», stenografo sistema Cima. Nel maschilismo sicuro e fuori discussione della Fiat le donne non avevano posti dirigenti ufficiali, ma posti di fiducia e di prestigio, come proiezione del maschio direttore di cui erano le segretarie. Devote e onnipotenti, ma nel cono di luce del loro capo. Reverenti, rispettose in pubblico, disponibili per qualche celia erotica nel privato, come la volta che, per rara combinazione, mi trovai in una villa del Monferrato in casa di un dirigente che un po' brillo abbracciava alle spalle la sua *tota* segretaria e le diceva, in piemontese: «Ninin, lo senti l'acciaio?». E lei brancicava nei suoi pantaloni con una mano, senza girarsi, e rispondeva: «Ingegnere, io sento solo ovatta».

La corruzione allora era quasi angelica. *Tota* Rubiolo tirava fuori da un suo cassetto le penne stilografiche, «queste per lei dottore che scrive così bene», e i cioccolatini, «questi per la sua signora» che non c'era, ma *tota* Rubiolo non poteva dire «per la tua morosa, per la tua ganza». Dirigere l'ufficio stampa Fiat di Torino, allora, non era un gran problema. I rapporti con il governo e i politici li teneva personalmente il professore, scendeva a Roma con una valigetta piena di bustarelle, faceva il giro delle sette chiese politiche e ministeriali, un segretario provvedeva a distribuire le bustarelle per «ungere le ruote». A Torino figuriamoci. Il direttore de «La Stampa», Giulio De Benedetti, aveva il filo diretto con il professore e i capi cronisti attendevano le veline di *tota* Rubiolo.

Il professore e De Benedetti, tutti e due «cit e cativ», conoscevano molto bene Torino, il suo antifascismo di fondo reso più saldo dalla guerra partigiana, la disponibilità borghese al riformismo e al paternalismo. «La Stampa» aveva questa linea e guadagnava lettori, «La Gazzetta del Popolo» obbligata a seguire la politica ultraconservatrice, monarchica, reazionaria della Sip, Società Idroelettrica minacciata dalle nazionalizzazioni, li perdeva.

Arrivavano a Torino i meridionali in cerca di lavoro, erano la prima ondata, raccomandata dai parroci, fuggita da una miseria nera e si integravano rapidamente. La domenica gli operai «terroni» che avevano comperato a rate l'utilitaria portavano la famiglia a visitare la fabbrica. Ai torinesi della piccola borghesia bottegaia e affittacamere i terroni non piacevano, ma senza esagerare. Appendevano cartelli con su scritto «Qui non si affitta ai meridionali» o «Buon Natale ai piemontesi», ma senza un vero incitamento allo scontro etnico. Questo antimeridionalismo era anche lui in gran parte costume, tradizione di una città che dal 1915 non aveva mai eletto nel consiglio municipale un meridionale, salvo, per chiari meriti, il politologo Mosca. Negli alti gradi Fiat non si conosceva un meridionale salvo l'ingegner Gabrielli direttore del reparto aviazione, ma i suoi colleghi dicevano per tranquillizzarsi: «Ma lo sai che Gabrielli sembra proprio un piemontese?».

Ogni regime forte e stabile deve essere fortemente ipocrita e la Torino di Valletta lo era. Da casa Sacerdote avevo dovuto sloggiare, per via delle piattole, prese da qualche puttana di via Palazzo di Città, e del tubetto di MOM «elimina le piattole in ventiquattro ore» trovato dalla terribile Emma Sacerdote in un mio cassetto. E che li aprisse non mi stupivo, sapevo dalla guerra partigiana che era una che voleva tenere le cose sotto controllo. Mi disse soltanto e dandomi per la prima volta del tu, non al comandante partigiano, ma al puttaniere: «Domani faccio venire quello per la disinfestazione con il gas. Cercati un'altra casa». «Con il gas?» chiesi io. «Con il gas» disse Emma e la sentenza era definitiva.

Così andai con altri giornalisti in casa Protani in un grande palazzo quadrato dalle parti di piazza Statuto, quadrato come la vicina caserma dei carabinieri di via Cernaia, con le cucine e i cessi affacciati sul grande cortile quadrato a quattro portoni, ai cui ingressi stavano, quasi in permanenza, guardandosi in silenzio le quattro portinaie, animali-donne con i capelli grigio stoppa e odore negli abiti di minestrone di cavoli. E proprio dal balcone della cucina seguivo usi, personaggi, orari di quella fabbrica Fiat dell'amore adulterino: tanti alloggetti di due o tre stanze per l'amante fissa, per il figlio o la figlia illegittimi, che il dottore o l'ingegnere Fiat veniva a trovare la domenica sera, quando la prole era fuori, dopo la partita di calcio. Niente scandali, regolare contratto d'affitto, gli altri giorni ognuno al suo posto.

Nessun rapporto si intende con la mala, con la Torino dei piccoli imbroglioni e dei peccatori mai assunti in Fiat per informazioni dei parroci e dei carabinieri. Eppure anche questi «dritti» o «balurd» o «garga» erano integrati nella civiltà motoristica torinese, molti si facevano ladri d'auto per poter comperare macchine di cilindrata sempre più alta destinate alle agognate evasioni verso i paradisi torinesi del Sestriere, di Rapallo, Sanremo, Alassio. La cronaca nera dei giornali torinesi si divideva in due parti: la deamicisiana verso gli afflitti, i poveri, gli ammalati che avevano peccato, ma in stato di necessità, e gli altri, i delinquenti veri; e qui la cronaca aveva funzione di catarsi, i bravi impiegati e operai Fiat potevano vederci rappresentata, prefigurata la loro sorte amara se fossero usciti dalla disciplina e dal perbenismo Fiat, potevano leggere la intrigante ma terrorizzante storia del Fallarini amante della Giubergia che aveva ucciso il marito della donna, d'accordo con lei, e ora stavano all'ergastolo, tutti e due. Particolare da brivido, da comunicare subito alla moglie: «Ma hai letto del Fallarini e della Giubergia, avevano un alloggio al Sestriere, cinquanta metri dal nostro!».

In quella Torino c'erano solo due isole estranee alla Fiat: il Cottolengo e il Balùn, la grande casa della Divina Provvidenza e la casbah vicina a Porta Palazzo. Al Cottolengo arrivava non solo Italo Calvino con il suo *La giornata di uno scrutatore*, ma anche noi cronisti. Ci chiamava nei capannoni degli invisibili, dei mostri, una non saprei dire quale voglia di espiazione totale, di umiliazione. Perché dopo essere passati per un'ora tra quei corpi deformi, quei visi, si scopriva, tornando nella Torino dei torinesi, che il discrimine fra la normalità e la mostruosità è minimo e labile, che alla minima accentuazione o deturpazione o mutazione di rapporti corporali l'umanità dei normali sarebbe tutta da Cottolengo.

Il Balùn, il grande mercato caotico, incontrollabile, di ricettatori e di rigattieri era come la città proibita a Hong Kong, la città alle cui porte si fermano i poliziotti di Sua Maestà, dove puoi ancora mangiare il cane arrostito e trovare la prostituta dodicenne. E attorno al Balùn c'era il fascino di Porta Palazzo, il termitaio in cui venivano ad abitare e a morire i poveri della città ma in cui trovavi, come in una città levantina e orientale, il ristorante per l'abbuffata Le tre galline e il grande emporio di articoli sportivi di Dalmasso. A due passi da Palazzo Reale e dalla Sacra Sindone, i bordelli miserabili di via Conte Verde, con le maîtresse che avevano delle cannucce appuntite con cui punzecchiavano le prostitute enormi o cadaveriche se facevano flanella, e giovialmente incitavano gli studenti: «Su, giovanotti, andiamo a prender la laurea sui peli della fica». Arrivavano in quei bordelli il macellaio dell'angolo, con il grembiale insanguinato, il mendicante che si era appena tolta la benda con cui si fingeva orbo, gli impiegati del Comune, sezione distaccata dell'Anagrafe.

In una soffitta di Porta Palazzo andai a intervistare Pulidor, uno dei comici dell'Ambrosio film, 1920, fine della belle époque. Un vecchio magrissimo, in canottiera, seduto su uno sgabello vicino al bacile con i piatti sporchi, e in quella miseria, in quel gelo mi raccontava di quando girava in corso Vittorio su una Bugatti foderata con pelli di leopardo e che la Lyda Borelli non era poi quel gran che, meglio Ida Negri. Eh, i giornalisti, avevan detto che aveva copiato da Cretinetti e da Ridolini, tutte calunnie, lui era Pulidor.

C'era a Porta Palazzo una galleria simile, in piccolo, a quelle della Torino ricca; con piccoli caffè che davano anche loro i cappuccini e il Carpano come i caffè di piazza San Carlo e vi si capiva molto bene lo spirito gerarchico piemontese, la ragione per cui in tutte le città piemontesi c'è una piazza grande, tipo Campo di Marte, come piazza Vittorio a Torino e in ognuna portici come in via Po e in via Roma. Così anche nella Liguria di ponente, colonizzata, a Savona, a Imperia. Non a Genova, a Genova i piemontesi non hanno lasciato davvero alcun segno. La nostra città di mare è La Spezia, tutte strade diritte e caserme.

Nelle regole del gioco di quella Torino nessun giornale indipendente, cioè tutti meno «l'Unità», dava notizia di un operaio morto per incidente sul lavoro dentro il perimetro Fiat. Moriva sempre mentre lo trasportavano in autoambulanza all'ospedale, anche se era caduto da una impalcatura alta cinquanta metri. Nessuno riusciva a capire che vantaggio ne venisse all'immagine della Fiat, ma la regola era tacitamente passata per tutte le cronache. Altra regola era di tacere sulla vita privata degli Agnelli. Già allora Gianni, l'erede, era al centro di infinite chiacchiere, tutti si raccontavano le imprese magari vere, magari inventate del playboy: si era messo a pisciare su una roulette a Cannes, il general manager della Juventus era uno che gli forniva le donne, la notte dell'incidente d'auto era con la figlia di Churchill. Ma sui giornali appariva solo la fotografia in cui al volante di una spider bianca, efebo ambiguo del capitalismo, sorrideva ai sottostanti Pirelli, Valletta, Bianchi, i vassalli dell'auto e della gomma seduti scomodamente su una pedana, sotto il loro giovane re.

Quando «Giustizia e Libertà» tirò le cuoia nel maggio del '46 e l'amministratore, l'avvocato Ottolenghi, pagò la liquidazione a tutti meno che a noi iscritti al Partito d'Azione, capii che nella vita civile, come anche in guerra, non sempre conviene essere in gamba. Arrivò il vecchio senatore Alfredo Frassati fondatore de «La Stampa», tornato temporaneamente ad esserne comproprietario con la Fiat, e ci esaminò uno per uno per assumerci nel suo giornale. Era un bel vecchio, alto e dritto e consapevole del suo prestigio. Mi guardò in silenzio come a cercare un discorso sintetico. E lo trovò: «Ho letto il suo reportage sull'industria laniera biellese. Ha scritto delle cose di buon senso. Lei è un discreto inviato, ma a noi servono dei cronisti». Volevo gridargli: ma senatore son disposto a tutto, anche al giro degli ospedali e dei commissariati. Non me ne diede il tempo, alzò una mano nel gesto del congedo, cortese ma definitivo.

Così dovetti accettare il posto che mi offriva «La Gazzetta del Popolo», monarchica, diretta da Massimo Caputo, che era un bel signore claudicante che aveva raggiunto il culmine della sua vita quando lo avevano accettato al Circolo del Whist, il circolo dei nobili, con saloni dorati in piazza San Carlo. Fra le poche confidenze che mi faceva c'era quella della sua cuoca che faceva la minestra di ceci che piaceva a

Cavour. Anche «La Gazzetta del Popolo» sembrava una piccola corte sabauda: il capo della portineria, Colombo, si metteva sugli attenti quando passava il direttore e gli si illuminavano gli occhi come se avesse visto passare il suo sovrano; e il direttore della distribuzione Toscano, del tipo piemontese olivastro, a giornale chiuso arrivava in tipografia come a rapporto dal colonnello comandante, aspettava silenzioso che il direttore si rivolgesse a lui e poi, falso e cortese, gli diceva: «Diretùr, con quel suo articolo di ieri siamo andati a ruba». Caputo annuiva sorridendo, coglione come un colonnello comandante. Sia pace anche all'anima sua, anche se è stato l'uomo che mi ha reso infernali sette anni della gioventù.

Quando la gente dice di me che sono uno di lunga tenuta le do ragione, ho mangiato merda per sette lunghissimi anni. Con lui mi era tornato il sadomasochismo del partigianato con Dante Livio Bianco: mi umiliava, mi castigava e io ce la mettevo tutta per dimostrargli che aveva torto, mi metteva in cronaca e facevo cose folli per trovar fotografie di assassinati o di annegati, di adultere o di ereditiere e non capivo una cosa elementare, che più gli dimostravo che con me si era sbagliato e più mi pestava, più desiderava che mi togliessi dai piedi. «Se quello è un nevrotico» diceva al segretario di redazione «vada a farsi curare.»

Però era una carogna vera, oltre i miei desideri sadomaso. Una volta mi chiamò nel suo ufficio: aveva sulla scrivania la nota spese di un servizio che avevo fatto a Lione, su un prete che per raccogliere soldi si tuffava nel Rodano da un ponte. «L'hai fatta tu questa nota?» chiedeva. Ma chi vuoi che l'abbia fatta, dicevo fra me, mia nonna? Allora chiamava al telefono a casa suo figlio Livio che adesso è redattore al «Corriere della Sera» e diceva: «Livio, vuoi vedere quanti chilometri ci sono da Torino a Lione?». «Trecentosessantuno» diceva Livio e lui: «Livio dice che sono trecentosessantuno, ma tu qui hai scritto trecentosettanta. Già vi eravate abituati alla finanza allegra voi partigiani. Ti potrei denunciare». Avevo lasciato a casa a Cuneo una pistola silenziosa e non sapevo che mia sorella, per incarico di mia madre, l'aveva già buttata nella Stura. Certe sere mi passavano per la testa, come fitte di dolore, pensieri omicidi: io lo stendo questo bastardo.

Ci fu un periodo che mi aveva messo alle province. I corrispondenti erano pagati un tanto a pubblicato, ce n'era uno di Aulla che ogni giorno mandava notizie su tutto, la raccolta dei funghi, la festa dei testaroli, la sagra del pesto, e un altro di Biella che aveva una fantasia rabelaisiana, ci avvisò una volta di aver scoperto un maiale da corsa, un contadino stava allenando un maiale per una corsa contro un cane. Siccome non la pubblicammo fece una variazione: disse che un contadino teneva il maiale in culla per allevarlo docile. Andai a Biella, lo incontrai: era un nanetto, viveva in una stanzuccia, dormiva su un materasso posato sul pavimento, lo portai a mangiare in trattoria, giurava che il maiale in culla c'era davvero, che oggi non era possibile ma domani mi avrebbe portato a vederlo. Tornai a Torino e non dissi nulla al redattore capo. Un giorno accesi la radio per sentire il *Gazzettino padano*, lo speaker diceva che nella campagna di Biella un contadino stava allevando un maiale da corsa.

Ero alle province e ogni sera a mezzanotte avveniva la cerimonia della prima bozza. Avevamo i migliori tipografi d'Italia, lavoravano con rapidità e destrezza, chiudevano il telaio, mettevano il foglio umido come se fosse un lino consacrato, passavano il rullo, tiravan su a due mani la bozza e la posavano sul tavolo sotto la lampada verde. Caputo si avvicinava zoppicando, i redattori si chiudevano a cerchio dietro di lui, io stavo vicino al bancone del tipografo che era mio amico, tutti e due sapevamo che cosa stava per succedere. Si sentiva la voce un po' nasale di Caputo: «Chi è quel cretino che ha passato questa notizia?». Allora il cerchio dei redattori si apriva, le loro facce ipocrite seriose ma gongolanti si voltavano verso di me, Caputo vedendomi faceva un gesto di magnanimo disprezzo come a dire, c'era da prevederlo, che posso farci, il tipografo amico mi teneva per un braccio, uscivo, saltavo in macchina e correvo in via Madama Cristina per vedere se il casino era ancora aperto. Eppure quando lo mandarono a casa alla sua minestra con i ceci e dopo l'arrivo del nuovo direttore lo incontrai a un pranzo di giornalisti al castello di Fenis, andai a sedermi vicino a lui e ascoltavo con pazienza le balle che raccontava su un giornale che voleva fare. Lo vidi l'ultima volta a Bonn dove era corrispondente del «Corriere della Sera». Ero già un giornalista di successo e pranzammo insieme. Fu molto cordiale. Quando me ne andai disse a un collega: «Questo Bocca, sempre lo stesso coglione».

Una sola volta sentii verso di lui un sentimento di amichevole compassione: quando alle elezioni politiche negli anni '50 si era presentato con i liberali e alle quattro del pomeriggio del giorno dello scrutinio vediamo salire dal bar dell'angolo di corso Valdocco due camerieri con vassoi pieni di bicchieri rosati di Campari soda per il brindisi della vittoria, lui al centro del suo stato maggiore. E un'ora dopo arriva la notizia che è stato bruciato sul filo d'arrivo dal professor Alpino, collaboratore economico del giornale. Caputo uscì a tarda sera trascinando la sua gamba zoppa, feci finta di guardare le agenzie.

Ma c'era anche attorno a quelle nostre miserabili vicende una gran giostra di vita, di ricordi, di scoperte perché nel palazzo di corso Valdocco stavano anche le redazioni de «l'Unità», dell'«Avanti!», del «Mondo nuovo» socialdemocratico. Giovanotti ignoti nati al mondo con la guerra partigiana a braccetto con i personaggi mitici dell'antifascismo: passava fischiettando Umberto Calosso, la voce di Radio Londra negli anni di guerra, la voce che sembrava arrivare dai cieli alti della libertà, dai cieli di Westminster. Ed era la voce di questo ometto panciuto, con la faccia furba dei contadini del Monferrato. Passava poi senza salutare nessuno, come se dovesse attraversare un reparto di appestati, Mario Montagnana, il fratello di Rita, la moglie di Togliatti che capitava qualche volta nella redazione de «l'Unità» e andava nell'ufficetto di Felicita Ferrero, segretaria di redazione; una donnetta piccola e furtiva che quando passava per l'atrio lanciava occhiate oblique come se temesse di essere aggredita, se la salutavi abbassava gli occhi e noi la pensavamo come una comunista infida, arrivata dalla Russia pronta alla delazione e invece era diventata così, una piccola donna spaventata, nell'ufficio del Glavlit, della censura staliniana, dove al mattino si contavano, si guardavano per sapere chi nella notte aveva sentito bussare alla porta dagli agenti della Ghepeu. Già noi guardavamo quei vecchi comunisti senza sapere niente delle loro storie ed essi si erano così abituati alla disciplina del silenzio che non ne parlavano, non so se per perdurante paura o perché si erano gettati quegli orrori, quegli incubi dietro le spalle, non volevano più sentirne parlare.

Mario Montagnana se ne andò in silenzio come era arrivato, lasciando negli archivi una serie di articoli grigi come una giornata di nebbia e arrivò a sostituirlo Ottavio Pastore, un bel vecchio con i capelli bianchi e gli occhi azzurri, un comunista di una specie particolare, gentile, spiritoso. Proprio davanti a «La Gazzetta del Popolo» si alzavano, alti sopra le case, gli alberi di un giardino in cui si era sistemato l'Eden Danze del nostro amico Massimo che ci faceva entrare gratis. Pastore veniva con noi la sera del sabato o il pomeriggio della domenica. Si sedeva a un tavolino di prima fila, si distendeva sulla sedia come se fosse in vacanza, finalmente, guardava contento la gioventù che ballava e canticchiava fra sé, po po po.

Che cosa voleva dire quella sua faccia da vacanza l'ho capito anni dopo quando ho scritto la biografia di Togliatti. La sua era la faccia distesa dello scampato, la faccia di uno riapprodato alla libertà e alla vita senza terrore, di uno che a Mosca negli anni della grande purga aveva portato a Togliatti un biglietto di Edmondo Peluso, arrivatogli non si sa come da un lager staliniano, una disperata richiesta di aiuto. E Togliatti dopo averlo letto, senza dire niente, lo aveva strappato in cento pezzi. Era la faccia di uno che aveva avuto il coraggio di dire ai duecentocinquanta comunisti italiani rifugiatisi a Mosca di non prendere la cittadinanza sovietica perché equivaleva a mettersi in balia della polizia staliniana.

Ma che ne sapevamo noi giovanotti arrivati all'onore del mondo con la guerra partigiana? Po po po, canticchiava Ottavio Pastore con la faccia della vacanza, del sollievo, disteso in una poltroncina dell'Eden Danze mentre Achille Togliani cantava melodicamente con l'orchestra del maestro Angelini. Avevano faccia da vacanza un po' tutti i dirigenti tornati da Mosca o dall'esilio. Ce l'aveva il Togliatti che passeggiava in Valle d'Aosta e Luigi Longo che tornava a Fubine nel Monferrato, suo paese natale, e l'Amendola che andava a Napoli a trovare il fratello ed erano facce di persone uscite dalla paura e dalla diffidenza.

Sulle pagine dei giornali, nei comizi, nelle discussioni, nelle polemiche il conflitto politico sembrava ardente, aspro, senza limitazione di colpi, nel paese si susseguivano grandi cataclismi politici, la monarchia veniva cacciata, il bell'Umberto, il re di maggio, partiva per il Portogallo come il suo trisavolo Carlo Alberto, si riuniva la Costituente, «L'Uomo Qualunque» di Guglielmo Giannini rivelava un'Italia indifferente, immutabile, nell'aprile del '48 si andava alle elezioni con il paese diviso in due, fronte popolare da una parte, comunisti e socialisti, tutti gli altri dall'altra dietro lo scudo crociato della Democrazia cristiana, e noi scrivevamo cose di fuoco. Davide Lajolo, redattore capo de «l'Unità», mi chiamava pennivendolo, ma poi uscivamo insieme dal palazzo di corso Valdocco per andare a pranzo al ristorante Pollastrini, con il poeta Alfonso Gatto che mi guardava come un gattone spelacchiato e bonario e diceva con voce fonda: «Bocca, tu hai tradito le tue origini» e si portava alle labbra un boccone morbido delle grandi cotolette alla milanese di Pollastrini.

Abitavamo, mi pare d'averlo detto, in casa Protani vicina al giornale: tre redattori de «l'Unità», io della «Gazzetta», un commerciante in legname, un carabiniere che un giorno trovammo impiccato in camera sua e nessuno si curò mai di sapere il perché. E restammo assieme anche nei giorni torridi e tempestosi dell'attentato a Togliatti. Era un alloggio enorme di dieci stanze più cucina, di proprietà dell'ex questore repubblichino di Torino il camerata Protani, fucilato dai partigiani. Non c'erano eredi o almeno nessuno aveva il coraggio di presentarsi; il Comune o il condominio lo aveva affidato a una donnetta con i capelli tinti di nero, infermiera del manicomio, che si muoveva felice, a suo agio in mezzo al nostro gruppo selvaggio. Molti vetri delle finestre erano rotti, sostituiti con tavole di compensato; si era rotto anche il vetro della porta d'ingresso, la seconda porta, certe sere la chiudevamo e poi aspettavamo che rientrasse «Old John», un vecchio correttore di bozze che teneva su «l'Unità» una rubrica naturalista sul topo muschiato e sull'avvoltoio con il collare; molto miope, sbatteva nel telaio della porta e rovinava sul pavimento con bestemmie orrende.

La Rina, l'infermiera, ci aveva capiti: non puliva ma non raccontava in giro le nostre faccende, arrivava a dare un'occhiata alle sei di sera, chiacchierava, sghignazzava, scroccava qualche lira e poi usciva. Allora cominciava il via vai delle donne e chi stava telefonando in canottiera, con l'affare penzolante, all'unico apparecchio vicino al cesso non faceva una piega, salutava le signorine in visita e continuava a telefonare. Una sera qualcuno portò il parroco di Quincinetto conosciuto in una osteria di Porta Palazzo. Aveva alzato il gomito, il reverendo, ma nel cuor della notte si svegliò, capì dove si trovava, scappò come da un bordello. Passavano in visita anche futuri dirigenti del Pci e della Democrazia cristiana, da Aldo Tortorella a Carlo Donat Cattin; attori come Raf Vallone, che allora dirigeva la pagina letteraria de «l'Unità», ci pubblicava due versi di Catullo e scriveva sotto: traduzione di Raf Vallone; o Italo Calvino, che essendo già allora il più intelligente preferiva tacere e sorridere.

Alla notizia dell'attentato a Togliatti Torino era stata bloccata dallo sciopero generale, passavano per via Garibaldi solo i camion requisiti alla Fiat dagli operai, pieni di partigiani armati. «La Gazzetta del Popolo» al piano nobile aveva chiuso i battenti, al piano terreno «l'Unità» continuava a far uscire edizioni speciali. Per fortuna gli unici a non aver perso la testa erano i due professori, il Togliatti ferito dalle rivoltellate di Pallante e Valletta. Togliatti mentre lo portavano all'ospedale aveva mormorato ai compagni: «Siate calmi, non perdete la testa». Il professore era rimasto nella palazzina di Mirafiori e di lui sapevamo attraverso Manfredo Liprandi, cronista de «l'Unità», che era di servizio, ma ogni tanto arrivava in casa Protani per farsi una birretta e darci le ultime notizie. Aveva appena parlato con il compagno Santhià vice-direttore Fiat insediato dal Comitato di Liberazione e messo da Valletta in una stanza a guardar le ragnatele. «Quello cerca di incastrarmi» diceva Santhià. «Vado a trovarlo nel suo ufficio, gli chiedo: "Come va professore?" e in quella arriva una telefonata del prefetto e lui, impettito: "Non si preoccupi per me e nemmeno per la Fiat, qui sistemiamo le cose da soli". Poi mi sorride. Allora gli dico: "Perché non va a casa professore?". "Me ne dà la libertà per scritto?" "E perché mai, professore, lei è libero cittadino, può uscire quando vuole." "No," diceva lui con il suo sorriso da faina "il mio posto è qui fra gli operai."» «Cul lì» diceva Old John «venta scurcielu.» «Se lo scurci, se lo accorci» diceva Liprandi «non resta più niente.» E noi guardavamo stupiti il vecchio correttore di bozze miope che facevamo cadere chiudendo la porta a vetri, non c'eravamo mai accorti che fosse un duro.

La rivoluzione comunista abortiva fra cortei, sparatorie, scioperi, tempestose sedute alla Camera, dichiarazioni distensive del ferito e noi continuavamo a giocare a ramino mandando ogni tanto qualcuno all'Eden Danze a suonare alla porticina di servizio per cui Massimo ci passava panini e birra. Si è detto poi che fu la vittoria di Bartali al giro di Francia a sciogliere la tensione, a pacificare il popolo nel giubilo della sua vittoria. Non fu così, ma siccome quella notizia piaceva agli uni come agli altri molti l'hanno poi ingigantita nella memoria. Da Mirafiori Manf Liprandi ci portava le ultime notizie: il prefetto aveva chiesto a Valletta se doveva intervenire con le autoblindo e Valletta aveva risposto che era tutto a posto, libero di muoversi. E lo avrebbe ripetuto al processo contro i rivoltosi per incastrarli, per fargli vedere come si comporta un vero imprenditore, come il capitalismo di mamma Fiat sopravvive alle convulsioni politiche. Deciso però a fargliela pagare, deciso a ridurre i comunisti iscritti in Fiat nei primi anni Cinquanta a non più di trecento.

Non è vero che la rivoluzione rientrò per la vittoria di Bartali, l'ordine di abbandonare i blocchi e di rinfoderare le armi era già partito giorni prima, Longo e Secchia avevano già deciso di salvare il salvabile, ma è vero che quella sera del 14 luglio i bar riaprirono, la gente ricominciò a parlare di sport e a dividersi, non fra Togliatti e De Gasperi, ma fra Bartali e Coppi. L'Italia non ha mai avuto triadi: o guelfa o ghibellina, o fascista o antifascista, o per il Torino o per la Juventus, o per Varzi o per Nuvolari, o per Bartali o per Coppi. Io ero, con gelida passione, coppiano, per Fausto, uno come si legge nel *Don Chisciotte* «di solida complessione, secco di corpo e magro di viso». Uomo sensibile, dolente, che evita l'abbraccio della folla come per difendere la sua fragilità, timido con i giornalisti a cui risponde a monosillabi, a frasi incerte, goffo nelle faccende familiari e sentimentali, ma sulla bicicletta bellissimo, elegante come un levriero, né astuto né arrogante come Bartali, sicuro di sé. Appena mette piede a terra, nel momento del trionfo, le sue spalle si rimpiccioliscono, il suo corpo appare rachitico, il petto sporgente come lo sterno di un uccello esile, vulnerabile. Di fronte a lui Bartali «Ginettaccio» è il soldato di ventura, beffardo e chiacchierone, che usa la bicicletta come uno strumento di lavoro, ottimista, uno che sa che in ogni paese italiano ci sarà sempre un posto a tavola e un bicchiere per lui.

Per vederli partivamo all'alba da Torino in Vespa, il motorino si arroventava salendo al Moncenisio o al Sestriere, ma il popolo ciclista era già lassù dall'alba, i prati nereggiavano già di folla, bandiere sventolavano sopra i tornanti delle strade ghiaiose e nell'attesa migliaia di radioline gracchiavano le notizie, annunciavano la fuga di Coppi e di Bartali, raccontavano le loro epiche magnanime imprese: «Sulla salita del Galibier Gino ha passato la bottiglietta dell'acqua a Fausto, credeteci ci è venuto un groppo alla gola»; «Stiamo salendo al Monginevro, Gino ha forato ma gli hanno passato subito la ruota, Fausto lo ha aspettato». Dalla folla in attesa lungo i tornanti partivano boati di giubilo. Fausto era uno che non sapeva quanto guadagnava e si faceva mangiare tutto dalle donne e dal seguito. Gino, un cattolico dichiarato, militante, era un risparmiatore e proprietario terriero. Le sue vittorie piacevano a papa Pacelli e a De Gasperi che lo ricevette non so dopo quale giro o tour e gli disse: «Gino, noi ci terremmo a manifestarti la nostra riconoscenza. Dicci quello che vuoi e cercheremo di accontentarti». Bartali ci pensò su e rispose: «Guardi presidente, mi levi un anno di tasse». «Questo non si può» disse De Gasperi. «Allora nulla» faceva Gino, uno a cui non piaceva pregare.

Arrivava la guerra fredda, la «cortina d'acciaio», l'Europa spaccata in due e proprio allora mi capita l'occasione di fare un viaggio nelle province dell'impero comunista. «Vuoi venire con noi a Zakopane?» mi ha chiesto Martin Zoccola, cronista sportivo de «l'Unità». «E dov'è?» «In Polonia, vicino al confine cecoslovacco. Dai che così ti vedi Praga e i campionati europei studenteschi di sci.» «Ma agli europei non ci va nessuno.» «E a te che te ne frega, fai una vacanza.» Da Torino partiamo in dieci, un po' giornalisti, un po' funzionari del Pci. Uno è un operaio di borgo San Paolo che ha una bella voce tenorile e l'umorismo surreale dei torinesi di barriera, il surrealismo di canzoni diaboliche e grottesche come la «Ca' granda», un inferno da osteria a Moncalieri.

Siamo alla stazione di Vienna, uno dei pochi edifici bombardati della città, impressionante però, pareti alte nere a sesto acuto come in una cattedrale gotica sventrata. Fra quelle austere macerie sono fermi giganteschi soldati russi con la stella rossa sul colbacco e il balordo di borgo San Paolo, «el burg del fum», va incontro a uno, lo chiama a gran voce «tovarisc» e attacca *O sole mio*. Tovarisc imbraccia il mitra e grida qualcosa minaccioso, *O sole mio* muore nella gola del compagno di borgo San Paolo, il capo comitiva lo recupera, lo fa risalire sul treno, è la prima gelata per i compagni venuti a vedere le mirabilia del comunismo.

A Praga pianto la comitiva che prosegue per Zakopane, prendo una stanza all'hotel Acron. Ho dentro la fodera della giacca una lettera di una nobildonna torinese, amica di Caputo, per una sua parente cecoslovacca, una, mi è parso di capire, che aveva una fabbrica a Praga. Ogni volta che incontro una pattuglia di poliziotti mi tocco la giacca per accertarmi che la lettera non sia caduta. La signora sta ancora nel suo palazzo nella vecchia Praga, ma non più al piano nobile, in due stanze della portineria. È sui sessanta, ha capelli bianchi, un bel viso e non ha rinunciato ad essere quella che è sempre stata, una signora. Ha una figlia di venticinque anni alta, robusta, con capelli lisci neri ma che sembra fatta di burro, con due grandi tette di burro, un culo sporgente di burro, cosce di burro. La signora va nell'altra stanza a leggere la lettera e mi ringrazia con un certo riserbo. La lettera è della sua amica e viene certamente da Torino, ma non si sa mai.

Ci salutiamo come per sempre, quel che dovevo fare l'ho fatto, di quella grana mi sono liberato. Così vado all'ambasciata italiana perché so che nelle ambasciate italiane c'è sempre qualcuno, segretario o cancelliere, che ti cambia i dollari alla borsa nera e divento ricco sfondato, con un cambio venti volte superiore a quello normale, posso prendere un taxi anche per andare all'edicola dell'angolo, posso ordinare caviale e champagne e ricco come sono telefono alla signora, le chiedo se posso invitarle a cena. Sento che parlotta con la figlia, la risposta è sì, mi sembra di essere in *Ninotchka*, dentro una pièce della letteratura anticomunista e mondana. Hanno indossato gli abiti degli anni felici, i gioielli no, quelli sono serviti per ottenere le due stanzette della portineria. «Lei conosce Praga?» chiede la signora. «No, è la prima volta che ci vengo.» «Posso scegliere io il ristorante?» «Certo.» Un maestoso taxi ci porta in uno dei night-club sopravvissuti nella vecchia Praga, ci sono state l'ultima volta due anni fa, ma i camerieri, il barista, l'orchestrina sono ancora quelli dei giorni felici, accolgono la signora come gli esiliati russi la principessa Anastasia, il direttore le bacia la mano, l'orchestrina attacca un valzer lento che la fa sorridere con dolce melanconia. C'è ancora del grasso in Cecoslovacchia, il comunismo non si è ancora divorato tutto, c'è champagne, cognac, filetti di sogliola, fegato d'oca. E raccolgo le prime confidenze, la signora è una contessa, per campare fa la cuoca all'ambasciata americana, la figlia è rimasta vedova, il marito è morto in guerra, sperano tramite l'ambasciata americana di ottenere un visto per gli Stati Uniti ma da due mesi la porta per l'estero si è chiusa. «C'è un solo modo per uscire,» dice la figlia guardandomi «farsi sposare da uno straniero.» La contessa la ascolta, materna e seccata.

Tre giorni dopo le invito di nuovo, andiamo in un altro ristorante della belle époque e, dopo, la contessa mi prega di accompagnarla all'ambasciata dove dormirà perché c'è un pranzo di gala e deve alzarsi prestissimo. La porto all'ambasciata e poi riaccompagno a casa la figlia. La ragazza di burro mi fa entrare nella sua stanza e non indugia in alcuna schermaglia, non allude, non civetta, prepara solo tranquillamente il letto, mette un cuscino di traverso, a metà letto, come usa dalle parti mitteleuropee, per rialzare il sedere ed esporre meglio il sesso. È sola, è triste, non sa cosa l'attende, ha voglia di fare l'amore, io sono uno che passa, che non crea problemi. Che altro? Dopo si mette a piangere dolcemente, va nuda, con il suo corpo bianco, burroso alla finestra, scosta le tendine, si vede la piazza deserta, il selciato che luccica, il mondo ostile in cui vive, come in una caverna lunare. Non la rivedrò più, in queste cose sono un vile, o cedo all'istinto della conservazione e allora taglio.

Mi sono rimasti un centinaio di dollari, non so come farli passare alla dogana, li nascondo sul treno dietro una delle fotografie turistiche dello scompartimento. Al confine ci fanno scendere, ci portano in uno stanzone, perquisiscono le valigie. Si riparte. Svito la cornice della fotografia turistica, i dollari sono spariti, un ferroviere o un poliziotto cecoslovacco inviterà la sua ragazza, forse alla cena con ballo a cui sono andato con la nostra delegazia in un salone dorato del castello, una festa degli «apparatničik» comunisti in abito scuro con mogli e fidanzate, grasse, rosse in viso, alcune in gonnellino ricamato e gamboni al vento mentre l'accompagnatore del partito diceva «qui dove ballavano i capitalisti sfruttatori oggi balla la gente del popolo», e Martin Zoccola mi tirava per la giacca perché non ne dicessi una delle mie. Erano piuttosto depressi al ritorno i compagni della delegazia, il compagno di borgo San Paolo non aveva più voglia di cantare.

In Italia la guerra fredda era meno suggestiva e nei giornali era più stupida che cattiva. Le fazioni deformavano ogni notizia, la realtà del mondo si impastava nella propaganda. Se un funzionario dell'ambasciata sovietica a Parigi come Kravcenko cambiava campo e raccontava la realtà russa, i nostri fogli comunisti ne facevano un mentitore, un venduto; sul «Corriere della Sera» si leggevano delle corrispondenze di Vittorio G. Rossi in cui diceva che i sovietici «avevano gli occhi come iniettati di benzina». Stare alle province a «La Gazzetta del Popolo» era una pena. Arrivavano notizie di nera, uno che aveva ucciso la moglie, l'altro che era scappato con la cassa e io facevo un titolo sul fatto, non sui trascorsi partigiani dell'autore. Mandavo notizia e titolo al redattore capo, il dannunziano dottor Pennino che sembrava mite anche se fascista, ma lui su questo era implacabile, il titolo doveva essere: «Partigiano sanguinario uccide la moglie», «Partigiano truffatore colto sul fatto».

Già, sulla nostra bella guerra partigiana scendeva una pesante, insistente diffamazione e le ultime rese dei conti, ora feroci e ora grottesche, fornivano altra legna da gettare sul fuoco. Non era facile muoversi in quella liquidazione della guerra civile da cui le persone di testa e di soldi si tiravan fuori lasciando che volassero gli ultimi stracci, che andassero a consumo gli ultimi balordi. Sapevo che il giornale mi usava come cronista di quella liquidazione, sapevo che restava dentro di me una solidarietà partigiana, sapevo che non sempre era giusta, ma il giornalismo non potevo mollarlo, dovevo passare per tutti i suoi mali passi, tener duro.

Fu il mite fascista, il dannunziano dottor Pennino a dirmi con quel suo sorriso da coniglio: «Guarda questa notizia da Casale, un certo Tek Tek ha ripreso le armi e si è trincerato in un castello vicino a Moncalvo. Tu lo hai conosciuto Tek Tek? No? Be', certo se non ti va di fare il servizio ti capisco, ma...». «Ci vado» taglio corto. Era successo questo, a Milano avevano destituito il prefetto Troilo, un prefetto partigiano, e Pajetta alla testa di partigiani armati aveva occupato la prefettura. Qua e là, in Piemonte e in Emilia, gruppetti partigiani avevano ripreso le armi, Tek Tek sopra Moncalvo. La polizia mi ferma a un posto di blocco: «Se va su» dice il tenente «ci va a suo rischio e pericolo». «Ma chi è questo Tek Tek?» «Uno delle Garibaldi.» Proseguo a piedi fino al castello e non trovo sentinelle. «Ehi voi, là dentro» grido, ma non risponde nessuno. La porta è aperta, sono tutti a tavola, i pentolini della bagna cauda fumano sul tavolo, c'è già una sfilza di bottiglie sturate. Tek Tek deve essere quello che mi viene contro barcollando, con la pistola puntata. «Sono Giorgio» gli dico «della X Divisione GL.» «Giorgio?» dice lui. «E cosa fai qui?» «Faccio il giornalista.» «Bravo giornalista, ti devo parlare, ma prima mangiamo.» Tirano fuori salamini e tome e altre bottiglie. «Ti ricordi il maggiore Jordan? Ma tu eri dalle parti di Primo Rocca o di Ulisse?» Si brinda ai vecchi tempi, si canta *Urla il vento e fischia la bufera.* Tek Tek si commuove, si mette a piangere con la sua bocca sdentata in bella vista e a me sembra di capire perché piange, non perché il prefetto Troilo è stato destituito dal ministro Scelba, non perché è in corso la restaurazione ma perché pensa che domani o dopodomani consegnerà le armi alla polizia che farà finta di averle trovate in un deposito per non mandarlo in galera, e tornerà a tappar bottiglie nella cooperativa vinicola di Odalengo. Ci abbracciamo, giù hanno tolto il posto di blocco, anche il questore è stato partigiano e ha dato la disposizione: togliete il blocco, fate come se non fosse successo niente, magari stanotte se ne tornano a casa. Ma al giornale queste cose non le sanno, quando poso sul tavolo di Pennino l'intervista a Tek Tek mi guarda incerto su chi sono io, solo un giornalista di coraggio o un criptocomunista che gli sparerebbe alla nuca?

Nella nostra guerra fredda un cronista ex partigiano navigava fra il grottesco e il tragico. Una raffica di mitra nelle spalle l'ho rischiata sul serio due volte, in Emilia. La prima nel «triangolo della morte» dalle parti di Castelfranco dove continuavano a uccidere ex fascisti, preti, proprietari terrieri. A Castelfranco andai alla sede del partito dove c'era il compagno Ermes Vanzini. «Esagerazioni,» dice Vanzini «tu che sei stato partigiano puoi capirlo. E poi sai, uno che ha avuto i familiari torturati e uccisi e si trova davanti il boia non sempre tiene i nervi a posto.» Capivo che non tirava aria buona e capivo bene. Pochi giorni prima era arrivato a Castelfranco un commerciante napoletano di nome Jervolino, aveva avuto un incidente con una ferita leggera, si era fermato per farsi medicare. Qualcuno aveva portato subito la notizia al compagno Ermes Vanzini comandante della polizia partigiana, ufficialmente sciolta, ma ancora operante. Così era arrivato in ospedale il vicecomandante Giuseppe Stopazzini che aveva interrogato Jervolino come pro forma, ma le duecentomila lire che aveva nel portafogli le aveva sequestrate. «Per me quello è un affamatore del popolo» aveva riferito Stopazzini. Così passano le duecentomila lire a una cooperativa partigiana, portano Jervolino in riva al Panaro e lo fucilano. Sì, l'avevo capito da me, quella volta, che a Castelfranco non tirava aria buona.

Mi andò bene anche la volta che ci furono i morti di Reggio Emilia, gli operai delle Reggiane uccisi dalla polizia e i parlamentari della sinistra abbandonarono Montecitorio e si riunirono a Modena e l'intera provincia fu occupata in armi dai partigiani. Giravo per la provincia sulla mia Topolino, carrozzeria a pezzi ma motore instancabile. A Sassuolo andai alla camera del lavoro dove si erano riuniti i comandanti partigiani. Mi sfottono un po': «Di' ben so giornalista, ma il tuo giornale è un po' fazista. Quando la finite di menarla con il triangolo della morte?». Qualcuno mi guarda duro, ma mi lasciano andare. Esco da Sassuolo diretto a Formigine e sento dietro il rombo di una motocicletta. È uno di quelli che mi sfottevano, ma adesso mi guarda da amico. «Scolta me,» dice «non passare per Formigine, ti aspettano all'uscita del paese.» Non mi dà tempo di parlare e se ne va con la sua giacca mimetica e il suo fazzoletto rosso, forse ha saputo che sono stato partigiano, forse non gli va di lasciarmi uccidere.

In quella liquidazione della guerra civile gli stracci rossi e quelli neri potevano unirsi in losche alleanze. Nella Volante rossa di Milano due dei più sanguinari erano ex marò della X Mas e salutavano a pugno chiuso. E fascisti c'erano nella masnada messa assieme dall'avventuriero Cavallo per fare da claque e da guardie del corpo a Eddy Sogno, la primula rossa della Resistenza passato all'estrema destra. Di passaggio ad Aosta li vidi sotto il palco su cui Sogno teneva un comizio, una ventina di scalcinati urlanti nella piazza deserta. E riconobbi fra loro Tabusso, un cronista de «Il Popolo» democristiano analfabeta geniale e alcolizzato. Mi convinse ad andare a cena con la banda in un alberghetto di Leverogne, una sbronza rischiosa e triste, ubriachi che ora si abbracciavano e ora ricordavano di essere stati su barricate opposte e si insultavano, picchiavano una piccola cameriera che fuggiva urlando da una stanza dove volevano stuprarla, bicchieri rotti, vomito.

E invece grandi spazi intatti, limpidezza tibetana nella gran valle della Durance per il delitto e il castigo del patriarca Gaston Dominici. Gli uccisi erano una famiglia inglese: lord Jack Drummond, sua moglie Ann e la figlia Elisabetta. Si erano fermati per la notte in un prato della Grande Terre con la loro roulotte, nel prato della *luzerne*, l'erba medica del vecchio Gaston Dominici, arrivato dalla Calabria a otto anni con sua madre, una lavandaia, pastore per quaranta e poi proprietario terriero, capo assoluto di un clan contadino. Come fossero andate le cose lo si poteva immaginare: qualcuno nella notte aveva avuto un alterco con lord Drummond e lo aveva ucciso fuori dalla roulotte, poi aveva colpito la moglie e inseguito la bambina in fuga sul greto della Durance fino a raggiungerla e a spaccarle il cranio con il calcio del fucile.

Lord Drummond non è un turista qualsiasi, è l'uomo che ha diretto l'approvvigionamento dell'Inghilterra durante la guerra; arrivano giornalisti inglesi, americani, francesi, la legione straniera che si forma per i grandi eventi di cronaca, e da Marsiglia su una Renault nera, come nei film di Jean Gabin arriva il commissario Sebeille, un corso, il poliziotto numero uno di Francia, la volpe che ha sgominato la malavita marsigliese. Arrivano anche gli accademici di Francia Jean Jono e Armand Salacrou e il regista Clouzot, mandati sul posto dai grandi giornali parigini. Buio profondo, la cascina dei Dominici ha le porte sbarrate, si parla di vaghi indizi, un automobilista è stato visto fermo vicino alla sua auto a poche centinaia di metri dal luogo del delitto proprio a quell'ora, degli zingari sono passati per la Grande Terre alla vigilia.

Andiamo a Forcalquier, in Provenza, per i funerali dei Drummond: non hanno parenti, il governo francese si è offerto di seppellirli a sue spese, quello inglese si è detto d'accordo. Il cimitero è su una collina di ulivi e il frinire delle cicale è assordante: i tre feretri, il console inglese di Nizza, il commissario Sebeille, nessun parente, forse duecento tra fotografi e giornalisti e poliziotti in borghese, e non ancora coperti i tumuli la grande bagarre, il corteo delle auto che rincorre la Renault nera del commissario.

Polvere e corse a vuoto per venti giorni: i due figli di Gaston Dominici, Clovis e Gustave, non parlano, sono sui quarant'anni, belli di viso ma come spenti, come ottusi dalla autorità paterna. Chi è l'assassino? Arrivano centinaia di lettere anonime, Sebeille interroga centinaia di persone ma alla fine c'è sempre l'impenetrabile silenzio del vecchio Gaston. Silenzio e astuzia feroce. «Chi è che tagliava la *luzerne?*» gli chiede Sebeille. «La tagliava Gustave» dice il vecchio. Ma dopo una lunga pausa: «Ma qualche volta anche Clovis o sua moglie». A Sebeille sembrava di aver notato che Denise, la moglie di Gustave, stava per parlare, ma Gustave l'aveva stretta a un braccio.

Sebeille e tutti noi sappiamo che la verità è chiusa dentro i muri grigi della Grande Terre, ma chi si azzarda a entrarvi? Un giornalista inglese che ci ha provato ha sentito l'urlo e visto il bastone del vecchio. Noi alloggiamo a Digne, la città dove Jean Valjean ha rubato i candelabri d'argento del buon vescovo, dove Napoleone ha incontrato e abbracciato il maresciallo Ney tornando dall'Elba, e pranziamo al Relais Napoléon «trois étoiles», *pâté de grive* e *coquilles Saint-Jacques*. E una notte si sparge la notizia: il vecchio è crollato, si è stancato di Sebeille di noi di tutto e ha detto secco: «Li hai crebai», li ho crivellati.

Il sopralluogo è fissato per il giorno dopo alle dieci. Il mattino è fresco e azzurro, la valle della Durance è immensa, uno spazio d'aria pura che sembra arrivare fino alle Alpi, arriva la camionetta della polizia e il vecchio Gaston discende senza farsi aiutare, lui che ha passato gli ottanta, vestito come sempre: cappello di feltro, giacca nera, camicia di flanella, pantaloni di velluto marrone, scarponi ferrati. I due gendarmi che lo tengono per le braccia non lo sorreggono, ne sembrano trascinati. Il vecchio non ha più nulla da nascondere e vuol finirla presto, quando gli dicono di far vedere come inseguì e uccise la bambina, parte come un toro, sfugge alla presa dei gendarmi, corre sul greto della Durance con un braccio alzato come se impugnasse la carabina Rockola comperata dagli americani e picchia, picchia su quella piccola testa di bimba che «sembrava come picchiare delle noci dentro un sacco». Sì, li aveva «crebai», uccisi per delitto di lesa proprietà perché si erano accampati sul suo prato di erba medica senza chiedergliene il permesso, perché lord Drummond alla sua ingiunzione di andarsene dalla sua terra aveva parlato in una lingua straniera e gli si era mosso incontro, minaccioso, nel suo prato, vicino all'*eboulement*, la frana del canale che aveva appena riparato.

Tornai qualche mese dopo per il processo. Si era rimangiato la confessione e si difendeva con durezza e quasi con sarcasmo. «Dicono che siete collerico.» «La collera quando è necessaria, signor presidente.» «Egoista.» «La porta della mia casa era aperta a tutti. Anche la vostra?» «Vanitoso.» «Se qualcuno mi chiedeva come fare una cosa dicevo: io la faccio così.» «Perché aveva mentito?» «Io non mento, io sono un uomo franco e leale.» «Si volti, guardi la corte.» «Io guardo, non mi vergogno. Io ho ascoltato quello che voi dite, voi dovete ascoltare quel che dico io.» Gli diedero l'ergastolo. Feci in tempo a vederlo novantenne dopo che lo avevano graziato, in casa di un figlio. Magrissimo, pallido, con quegli occhi neri con cui mi ammutolì prima di chiudersi in casa.

Non ho nessuna nostalgia per il giornalismo politico o economico di quegli anni, era peggio che adesso, ma per la cronaca sì, per quel mestiere fra il cronista e il poliziotto che le telecomunicazioni hanno ucciso o impigrito. Ci fu un delitto nell'alta Valle d'Aosta di cui l'Italia neppure si accorse ma che per noi fu giornalismo vero, intenso. Era l'estate del '50, un mattino fu trovata in un prato di Entrèves una ragazza torinese di nome Cavallero trafitta da una trentina di pugnalate. Non accorre una legione straniera come per l'uccisione dei Drummond ma una ventina ci siamo, tutti alloggiati all'hotel Corona di Aosta. Non facciamo cronaca, ma indagine, sopralluoghi, ricognizioni, non siamo più cronisti ma segugi. Il maresciallo dei carabinieri di Morgex ha arrestato Jolanda Bergamo, una poveretta che era in vacanza con la Cavallero nello stesso alberghetto. Il maresciallo ha saputo che fra le due non correva buon sangue, che la Bergamo era gelosa della Cavallero. Ci dicono che la Bergamo è zoppa. Ma come, è uscita dall'albergo solo dieci minuti prima della scoperta dell'assassinio e in dieci minuti avrebbe dovuto percorrere più di un chilometro? Facciamo una prova, uno di noi zoppicando ripete il percorso, ci mette più di venti minuti. Il povero maresciallo di Morgex viene liquidato dal colonnello comandante la legione di Torino, la Bergamo è liberata dal carcere di Aosta, l'avvocato De Leon, suo datore di lavoro, è ad attenderla con una Cadillac azzurra, la Bergamo in piedi fa un giro trionfale per Aosta, la libera stampa trionfa.

Carabinieri e poliziotti però se la legano al dito, non ci perdonano la brutta figura, non danno più notizie e partono due indagini parallele, quella dei poliziotti e la nostra, uno per tutti e uno contro tutti nel senso che se uno di noi potesse bruciare tutti gli altri lo farebbe volentieri, ma nel frattempo ci si aiuta a vicenda, ci si scambiano le informazioni. Andiamo a cercare tutti coloro che il giorno del delitto lavoravano fra Entrèves e Notre-Dame de la Guerison e uno di essi ci mette sulla pista giusta: quel giorno ha visto un giovane, un forestiero, che scendeva in bicicletta da Notre-Dame de la Guerison diretto a Entrèves e aveva sul portapacchi dei recipienti di vernice e pennelli da imbianchino. Chi ha fatto imbiancare qualcosa sopra Notre-Dame de la Guerison?

Troviamo finalmente una baita tinta di fresco, ma il padrone non c'è, se ne è andato in Francia, nessuno sa dire dove. Ma se l'imbianchino era in bicicletta deve stare in valle, non si arriva da Ivrea o da Torino in bicicletta con i recipienti delle vernici. Passiamo tutti i paesi dell'alta valle, troviamo gli imbianchini, verifichiamo i loro alibi e finalmente ad Aosta troviamo quello giusto, non lui di persona perché è andato soldato a Palermo, ma il suo nome, la sua colpa: si chiama Nadir Chiabodo, il giorno del delitto era al lavoro a Notre-Dame de la Guerison, è un ex della legione straniera, gira sempre armato di pugnale. Anche i carabinieri sono arrivati a Chiabodo, ma uno o due giorni prima di noi, lo hanno già arrestato a Palermo, lo stanno portando in valle, qualcuno ci fa sapere che andrà nella caserma di La Thuile. Il brigadiere di La Thuile è un vecchio amico compagno di sci e di sbronze, se Chiabodo confessa lui uscirà dalla caserma e si metterà a pisciare nella neve. Si vede che a noi piemontesi pisciare nella neve piace. Comunque esce e piscia che manca poco alla mezzanotte, giusto il tempo per fare una ribattuta de «La Gazzetta del Popolo» e dare il buco a quelli de «La Stampa».

Sì, quel giornalismo *en plein air*, di sonni inquieti, con la porta della stanza aperta per sentire se gli altri partivano in caccia nel cuor della notte, di pasti saltati, di amori puttaneschi non era davvero male. La sua apoteosi fu l'alluvione del Polesine quando il Po rompe a Occhiobello prima di Ferrara e forma un mare fino ad Adria, fino a Rovigo e noi correvamo sugli argini con le nostre Topolino dalle carrozzerie ammaccate ma dal motore rabbioso, instancabile. E le piantavamo sugli argini per salire sugli anfibi dei pompieri accorsi da ogni parte d'Italia per navigare su quel mare cilestrino da cui uscivano tetti di casa, campanili, pioppi; e sui tetti c'era ancora gente che aspettava di esser salvata e ci aveva tirato su, chi sa come, anche maiali e capre, e sulla forca di rami di un albero potevi trovare uno che era lì da due giorni. Arriviamo ad Adria allagata da due parti, dal Po e dall'Adige, ed è una piccola Venezia con le strade curve diventate canali, la gente ai balconi che hanno bifore come i veneziani e su un balcone ci sono le puttane del bordello, una avvolta in una bandiera tricolore che grida a gran voce: «Viva l'Italia» come se fossimo l'esercito di Vittorio Veneto. Le strade del rodigino e del ferrarese scompaiono nell'acqua come uno scivolo per barche, finiscono nella gran pace cilestrina della inondazione perché salvo che a Occhiobello dove il fiume in piena irrompe per l'argine, il resto è calma e silenzio, volo di gabbiani, passare di barche a remi. L'impressione non è di una catastrofe naturale ma, al contrario, di una ricomposizione della natura come quando il golfo tiepido dell'Adriatico si allargava nella pianura fra gli Appennini e le Alpi.

Il Po in piena aveva ucciso i primi giorni una ventina di persone, ma poi si era disteso, acquietato, le barche dei soccorritori sembravano di casa come a Chioggia, come a Murano, come a Grado; anche la gente che stava sugli argini, attendendo i parenti dispersi o i soccorsi, era composta, taciturna come se vivesse una vicenda nota, antica, contro cui era inutile pregare o imprecare.

Era l'anno di grazia, di grazia per me, 1954 e Michele Serra mi tolse dalla provincia torinese, dalla *company town*, mi chiamò a Milano all'«Europeo». Michele Serra era un siciliano alto e gentile che vedeva il mondo come un orologiaio triste, convinto che se le cose le smonti pezzo a pezzo riesci a capire come funzionano, ma non è il caso di gioirne, se punti in alto corri troppi rischi, se ti accontenti di una media fortuna, media fortuna è. Lui si accontentava di una media fortuna e per conservarla faceva combinare tutti i pezzi del suo orologio: mai parlar male di nessuno, mai dare giudizi negativi, mai dire no agli editori quando ti chiedono il peggio, ma cercare di evitarlo, di limitarlo, mandare telegrammi a tutte le persone importanti, ma anche a quelle che potrebbero diventarlo, avendo annotato in una rubrica i loro compleanni, partecipare ai lutti e ai matrimoni, conservare attorno a sé un certo mistero fingendo di non capire, ma poi con un sorriso o una mezza frase far capire di aver capito, essere insomma persona non pericolosa ma che non si lascia padroneggiare, avere una vita privata riservata, amori senza slancio e senza scandalo, fare un giornalismo freddo ma non volgare, fotografico, ma non di cattivo gusto. E con questa coerenza pessimistica, con questa disciplina di vita e di mestiere si era convinto che per qualsiasi avventura politica e sociale fosse passato lo avrebbero riconosciuto, per così dire, fuori dalle parti.

Era stato l'ultimo redattore capo de «Il Popolo d'Italia», il giornale di Mussolini che il Mussolini giornalista usava come suo organo personale, polemizzando con gli antifascisti di cui la stampa di regime non faceva mai i nomi su argomenti che nell'Italia fascista erano taciuti o dimenticati. L'orologiaio triste non era un fascista, non aveva alcuna affinità elettiva con il fascismo e con la sua retorica, era molto meno fascista psicologicamente di noi arrivati all'antifascismo con la lunga marcia dentro il regime, ma gli era bastata la sua precisione da orologiaio per salire nei piani alti del giornale di Mussolini, forse perché al Duce e a suo fratello Arnaldo andava bene un lavoratore d'ordine. E lui aveva fatto il giornale del dittatore come se giocasse al meccano o a una collezione di francobolli, o a un puzzle di cui sapeva comporre le tessere senza esser pro o contro il disegno che ne risultava. E infatti la mattina del 26 luglio, con Mussolini arrestato, se ne stava nel suo ufficio quando sente un vociare confuso nella piazza e dalla finestra vede che la gente sta dando fuoco alle copie del giornale. E allora, senza scomporsi, prende dai cassetti penne, accendino, agende, carte, le mette nella sua borsa di pelle, scende a piedi per le scale fingendo di non vedere gli sguardi stupiti dei tipografi e dei fattorini, esce in piazza Cavour e se ne va indisturbato, torna a casa sua dove sta, seduta in poltrona, la vecchia madre sempre vestita di nero e in tutta calma aspetta che finisca la bufera della guerra civile per offrire i suoi servizi di orologiaio ai vincitori, sicuro che qualcuno dei colleghi con cui è stato sempre gentile lo manderà a chiamare, perché nei giornali c'è sempre bisogno di uno che è un uomo d'ordine, e non è una carogna.

Michele Serra che mi ha conosciuto a «La Gazzetta del Popolo» mi manda a chiamare e mi dice, senza la minima ironia o cattiveria: «Sto discutendo con i Rizzoli se alzare la qualità dell'"Europeo" o se abbassarla a livello più popolare. Se decidiamo di abbassarla ti chiamo». Per mia fortuna decidono di abbassarla e io arrivo di corsa a Milano con la mia prima moglie Vivienne Stapleton Henthorne, un'inglese danzatrice classica con cui le ho sbagliate tutte. Aveva smesso di ballare per via di un ginocchio malconcio e io la faccio operare, così torna alla danza e a un giro di interessi diversissimo dal mio. Non aveva mai conosciuto suo padre, un gentiluomo inglese che se l'era squagliata quando era venuta al mondo, e io la porto nello Yorkshire, telefono al padre, combino un appuntamento; lui è uno esile e pallido, piuttosto impaurito, arriva con una collana di smeraldi di vetro da quattro soldi, dice due frasi di circostanza e poi taglia via, chi si è visto si è visto, per sempre. E appena arrivati a Milano la mia bella inglese entra nel corpo di ballo della Scala e il nostro matrimonio, senza litigi né insulti, si svuota, a poco a poco, nonostante la nascita di una figlia, Nicoletta.

Dicevo che i Rizzoli avevano deciso di abbassare la qualità dell'«Europeo» affidando il compito al direttore robotico. Ma capita questo imprevisto, capita che i giornali sono come delle persone, come delle piante, mica puoi cambiargli la testa, le linfe, gli odori da un giorno all'altro, nei giornali quel che sono stati è molto duro a morire. Lui, il direttore meccano, era disponibile a fare un giornale più popolare ma la redazione che si ritrovava non voleva saperne e con stupore lui si accorgeva che anche io, assunto come manovale, stavo dalla parte del vecchio «Europeo» e cominciava a guardarmi come uno un po' strambo, che aveva accettato un patto e poi gli voltava le spalle. Lui da buon capo officina sceglieva delle fotografie da grande pubblico o che credeva da grande pubblico, ma per la volgarità bisogna esserci nato e lui volgare non era. Un giorno entrando nel suo ufficio lo sorpresi mentre guardava una foto della Lollobrigida, scollata, popputa, mentre succhiava uno spaghetto. E come un bambino, o come un entomologo, con un dito percorreva la curva del seno.

La redazione non poteva seguirlo, era composta dai genialoidi un po' matti e un po' snob che Arrigo Benedetti, il fondatore del giornale, si era tirato dietro, come il Nazareno gli apostoli. C'era un Tolomei della grande famiglia veneta del senatore Tolomei che aveva tradotto in italiano tutti i nomi tedeschi del Sud Tirolo. Per ragioni che non so non aveva mai una lira, spesso dormiva su un tavolo della redazione, lo trovavi al mattino sotto una coltre di giornali con il cappotto addosso perché «el cumenda» Angelo Rizzoli di notte teneva i termosifoni al minimo. Sentendoci entrare si tirava fuori dai giornali e senza sorridere, da ragazzo invecchiato di buona famiglia, mi diceva con la sua lieve inflessione veneta: «Buongiorno, che tempo fa in città?».

Giancarlo Fusco lo aveva trovato in un night-club della Versilia Manlio Cancogni e se lo era portato dietro a Milano: era sdentato, vestiva come un barbone, Arrigo Benedetti che era un lucchese ammodo lo aveva fatto ripulire, rivestire e l'aveva fornito di una dentiera. Raccontava meglio di quanto scrivesse, quando lo leggevo immaginavo come lo avrebbe detto, dei grandi raccontatori aveva l'arte del verosimile, metteva sempre qualcosa di vero, di riscontrabile nelle sue immaginazioni e a quel vero, a quel riscontrabile ti richiamava, come un testimone. Frequentava i boxeur suonati in un tabarin dell'Ortica o almeno gli piaceva che lo si dicesse; inghiottiva dei pesciolini crudi quando si passava a Venezia per il mercato di Rialto, che poi non era un grande orrore, ma a noi faceva impressione e lo raccontavamo; passava per un bevitore senza fondo ma mi ero accorto che versava di nascosto i bicchierini di grappa nei vasi da fiori. Una sera a Roma, durante una festa del generone romano, c'era anche un figlio di Ciano, ubriaco, che, saputo che ero un ex partigiano, mi veniva dietro dandomi del vigliacco e traditore. Persi la pazienza, mi voltai e gli dissi duro: «Stronzo, smettila, va alla cuccia». E lì Giancarlo che aveva grande senso del teatro improvvisò una scena madre, tirò fuori un coltello a serramanico e puntandomelo sul ventre gridava: «Io ti ammazzo carogna, io non ti permetto di essere senza pietà con un ragazzo sfortunato». Io lo guardavo ostentando tranquillità, come la volta che Primo Rocca il garibaldino mi aveva piantato il mitra sulla pancia, mica tanto sicuro, però, dentro, che stesse solo recitando.

Se ne andò dall'«Europeo» dopo avere organizzato a Venezia, a spese del giornale, un pranzo per cento persone. Arrivava una raccomandata con la nota dell'albergo, Michele Serra chiamava Fusco e senza alzare la voce gli diceva: «Fusco questa è roba tua, il giornale non ti ha autorizzato». Fusco gridava, piangeva, si toglieva giacca e camicia, ma Michele Serra non si commoveva. Finì che quel pranzo non lo pagò nessuno. Poi Fusco si trasferì a Roma, stava in piazza del Popolo, alloggio e pranzi gratis nella trattoria di un gigante che lavorava a Cinecittà e nei film picchiava tutti. Si mise a recitare anche lui, una volta a Sondrio vidi un film, *I misteri di Hong Kong*, in cui Fusco faceva la parte di Kung Fu, aveva un testone enorme con il quale, cozzando come un caprone, sfasciava automobili e faceva strage di malvagi.

C'erano anche all'«Europeo» l'Oriana Fallaci e la Camilla Cederna. L'Oriana odiava la Cederna perché allora era più famosa di lei e la Cederna detestava Michele Serra il quale, a volte, girandosi all'improvviso, la coglieva nell'atto di chi ti sta calando una martellata in testa, ma faceva finta di non capire o la Camilla non rientrava nei suoi puzzle, era una tessera che non trovava il suo posto.

Ma il personaggio centrale di quel mondo meneghino era il vecchio Angelo Rizzoli detto «el cumenda». Lui non amava il culturale, ma era tutt'altro che stupido, aveva un occhio vivo, da faina e la bellezza di quelli che fanno fortuna da soli, che proprio brutti non sono mai. Tornano brutti, slavati, melensi magari i figli e i nipoti, ma loro, i fondatori, sono come il falco da preda, come il cavallo di razza. La Rizzoli stava in piazza Carlo Erba dirimpetto alla fabbrica della Bianchi, biciclette. L'ufficio del «cumenda» era al primo piano e lui si era fatto fare una finestrina da cui poteva tener d'occhio la tipografia e il magazzino e vedere se qualcuno si metteva in tasca un po' di piombo o qualche libro, così telefonava in portineria e lo faceva prendere in flagranza. Era capitato anche a Marotta, l'autore de *L'oro di Napoli*, e invece di indignarci con «el cumenda», pensavamo che era un gran dritto, uno a cui non la si faceva. Noi dell'«Europeo» in quel palazzotto eravamo un corpo estraneo, «el cumenda» non veniva mai nella nostra redazione, non parlava mai con uno di noi, gli andava meglio «Oggi» che vendeva un milione di copie. Ma non era antipatico e ci dava ogni giorno una lezione di economia, ci spiegava cosa era dirigere un'azienda.

Arrivato da un giornale come «La Gazzetta del Popolo», dove l'amministratore era uno che pensava solo a metter fieno nella sua cascina lasciando la ordinaria amministrazione a un ex giornalista sportivo, perché intanto c'era la Sip Società Idroelettrica Piemontese a ripianare i bilanci, scoprivo un giornalificio, fatto di tante cose, uffici, redattori, tipografi, rotoli di carta, inchiostri, rotative, archivi che l'occhio del padrone seguiva di continuo perché lui era un autodidatta, ma aveva capito la regola fondamentale del padrone, convincere i dipendenti che sa tutto, che non ti perde mai di vista. Ebbi la precisa sensazione di essere in un giornalificio anche il pomeriggio che con una scusa seguii negli archivi una segretaria di redazione di origine ungherese e mentre facevamo l'amore si sentiva il ronzio delle rotative, si sentivano gli urli degli operai.

Verso la politica «el cumenda» ostentava la più spavalda indifferenza, nel suo giornalificio poteva starci tutto, purché rendesse, dal filofascista o filomonarchico «Candido» di Guareschi al sinistrismo dell'«Europeo» e nessuno se ne stupiva, nessuno poneva dei problemi di coesistenza, di compatibilità, ogni redazione era un mondo a sé e tutte erano satelliti ruotanti attorno al sole del vecchio «cumenda». Il quale nel suo pragmatismo milanese non faceva finta di leggere i giornali o i libri che uscivano dal suo opificio: ci pensassero i direttori e i redattori che li pagava bene per quello e mica come ora a fine mese, ma settimana per settimana, si passava alla cassa e ti contavano i biglietti da diecimila. Sì, lui aveva capito quello che noi giornalisti non avremmo mai capito in tutta la nostra vita, che sei un padrone vero se nessuno ti imbroglia sul prezzo della carta, sugli straordinari, sulle note spese.

La sua fama di personaggio popolare, quasi socialista, veniva dall'essere stato un martinitt, un trovatello come «l'amico Nenni», che forse conosceva appena ma che tutti davano per suo amico. Ero all'«Europeo» da quattro anni ed ero diventato il suo inviato di punta e un giorno che eravamo nel corridoio e qualcuno mi chiama per nome «el cumenda» si volta e fa: «Bocca, chi è Bocca?». Poi mi guarda e dice: «Ma lo sa che mi ha parlato bene di lei il direttore del "Corriere della Sera", il Missiroli?».

Una ingenuità sicura di sé illuminava lo sguardo di Angelo Rizzoli. Aveva un figlio quarantenne di nome Andrea, riuscito male, grasso, pelato, con occhiali a lenti spesse. E ogni volta che se lo trovava davanti gli faceva rabbia, come se gli riapparisse il mediocre e il brutto da cui si era tolto. Se Andrea si azzardava a interloquire lo zittiva, «tas ti, pistola». Al povero Andrea venne un infarto. Il giorno dopo «el cumenda» incontra Emilio Radius, il nostro redattore capo, uomo intelligente di grande ironia, e alle sue finte commiserazioni taglia corto: «Eh sì, caro Radius, per me l'infarto di Andrea è stato un vero campanello d'allarme». Da quel giorno guardai Andrea con maggiore comprensione, con quel padre che faceva del suo infarto un campanello d'allarme per la sua ottima salute di robusto settantenne.

Di casa i Rizzoli stavano in un palazzo con giardino e sala cinematografica in via del Gesù e la loro ricchezza sembrava sterminata, ubiqua: tenute nel Sudafrica, gli alberghi e le terme di Ischia, la cartiera, la casa cinematografica a Roma, il nuovo stabilimento in costruzione in via Palmanova. La moglie del «cumenda» piccola e gentile girava per le ville e gli alberghi come una regina madre, facendo finta di non sapere che lui aveva per amante un'attrice. A un festival del cinema a Venezia Angelo Rizzoli ci invitò sul suo yacht ancorato al Lido. Era in giacca bianca e cravattino nero, abbronzato, circondato da belle donne. Ogni tanto tirava fuori di tasca il pacchetto di Muratti e scriveva rapidi appunti sul retro, forse per confermare la leggenda che quello fosse il suo modo di amministrare e di progettare. Una leggenda così nota nella Milano ricca che anche Giangiacomo Feltrinelli, l'editore miliardario che voleva fare la rivoluzione, un giorno che ero a casa sua tira fuori il pacchetto di Muratti, fa un po' di conti sul retro e mi spiega che dovrei scrivere un libro per lui gratis o quasi. A conferma che i ricchi, anche quelli rivoluzionari, se fanno di conto lo fanno sempre a loro favore.

Quella sera a Venezia ci spostammo dallo yacht al vicino Casino. «El cumenda» stava al tavolo da gioco come un re circondato dai ruffiani e dalle attricette cui prestava delle *fiches* che gli scriteriati giocavano e perdevano subito. Non così l'Oriana Fallaci che io tenevo d'occhio, lei fingeva di gioca-

re e poi, nella ressa, si allontanava, andava alla cassa a riscuotere. La voce della Oriana la riconoscevo, alla Rizzoli,
già dalle scale, arrivava dall'ufficio di Riva l'impaginatore, la
sentivo gridare: «Oh Riva, ma a che gioco giochiamo, a quel
bischero di Bocca gli fai un titolo a sei colonne e all'Oriana
quattro? Sbaracca Riva, sbaracca». E lui milanese gentile di
fronte a quella fiorentina arrabbiata sbaraccava.

In otto anni di vita torinese non ero mai entrato nella casa
di un dirigente Fiat, di un industriale. Il massimo della mia
scalata nella Torino imprenditoriale era stata la frequenta-
zione dello Sporting Club della Juventus. Subito eliminato
dai tornei di ramino o di bridge, più fortunato in piscina dove mi ero fatta amica una bella signora di mezza età che ac-
cettava la mia corte come una piacevole stramberia e mi presentava al marito, padrone di acciaierie che veniva a prenderla per il pranzo, come «il giornalista di cui ti ho parlato».
Lui mi guardava un po' stupito: un giornalista? Ma che tipi
frequentava sua moglie? Milano era diversa, nella Milano
commerciale, pubblicitaria, terziaria un giornalista era uno
che stava in qualche modo fra gli interessi della borghesia
ricca, uno che poteva fare una recensione a un tuo libro,
presentarti a Buzzati o a Montanelli, uno che stava nel giro
dei fotografi, attori, musicisti, registi, antiquari, grafici, stilisti, politici, sindacalisti. E poi le donne di quella borghesia
ricca, annoiate a morte dai discorsi sulla lira di mariti, co-
gnati e figli, visto che i soldi ce li avevano già dalla nascita o
dal matrimonio e non dovevano perder il tempo a farli o a
parlarne, e magari anche solo per portare un po' di carne
fresca nella loro vita, ci invitavano, ci frequentavano. Noi a
quella borghesia ricca davamo pochissimo fastidio anche se
qualche coglione villano lo si poteva incontrare. Una sera in
casa Austoni, grande chirurgo, sposato a una Sgaravatti,
grandi floricultori, un tale veniva da me che stavo mangiando in piedi e diceva: «Lei è Bocca? Perché è qui a sputare nel
piatto in cui mangia?». Ma fatto il suo numero non dava più
noia. Di piatti in casa Austoni ce n'erano una cinquantina in
oro massiccio dentro una teca di cristallo, sembra di essere

entrati nella tomba di Tutankamon, ma anche lì, anche in casa Austoni c'era un'apertura civile, una figlia molto intelligente, una ospitalità franca, priva di diffidenze e risentimenti.

E poi in quegli anni di guerra fredda, di mondo spaccato in due molti di noi, né comunisti né fascisti, avevano accantonato la politica. Avevamo fatto la guerra partigiana, l'avevamo fatta bene, non eravamo caduti nel reducismo ma ci avevano preso lo stesso a calci nel sedere, ci avevano minacciato di galera. Un giorno a Torino ero andato in questura per rinnovare il passaporto; la guardia allo sportello lo ritira, passa un'ora, ne passa un'altra e non si fa più viva. Allora vado nell'ufficio del vicequestore e capisco che mi aspetta, che è impacciato: «Mi spiace dottore, ma abbiamo qui un avviso della procura, pare che lei sia implicato in un processo». «Che processo, dottore?» «Ma non so, qui, nell'avviso sta scritto omicidio e strage.» Ci aveva denunciato un fascista di Bolzano, l'avvocato Mitolo che avevamo fatto prigioniero in Varaita con gli alpini della Monterosa. Per fortuna avevo degli amici alla procura. Mi fecero leggere le note informative dei carabinieri sul mio conto: «Si riferisce a codesta Procura che l'individuo in questione si aggirava nella valle armato di mitragliatore Thompson ed era a detta dei testimoni di carattere violento». Senza il minimo riferimento alla guerra partigiana.

Usciti bene o male dalla restaurazione ci avevano lasciato entrare nei giornali, nelle orchestre, nei teatri, nelle scuole, nelle varie professioni ma a patto che non rompessimo le scatole, e a noi andava bene così, stavamo al gioco, evitavamo di fare politica, di parlare di politica, imparavamo a gustare le cose buone della vita e io a Milano facevo la conoscenza della borghesia che i soldi ce li ha, sul serio. Dal principio dell'autunno e fino alla vigilia di Natale e poi da Pasqua fino alle ferie estive c'erano feste e ricevimenti a raffica nel *do ut des* della mondanità ambrosiana, che comprendeva anche noi giornalisti. Andavamo nelle case dei grandi ricchi e ci sfioravamo, come pesci in un acquario, con i «padroni del vapore» di cui leggevamo le imprese ladronesche negli

articoli su «Il Mondo» di Ernesto Rossi. Eccoli qui i tosatori
dei piccoli azionisti, i signori degli aumenti truffaldini di capitali, i beneficiati dai regali governativi, i salvati dalle amicizie nei palazzi di giustizia, e più il loro *palmarès* di furti e inganni era fitto più sembravano circondati da reverente ammirazione. Sembrava, certe sere, di essere al mare quando
vedi il colore diverso delle correnti che vanno ma non si incontrano mai: loro e noi, i ricchi e gli squattrinati ci passavamo accanto senza disturbarci.

«Un po' di champagne dottor Bruno?» mormorava il vecchio cameriere dei Visconti Venosta. «No» diceva seccato il
dottor Bruno della Centrale che stava conversando con Leopoldo Pirelli e io mi fermavo un momento a guardarlo, ma
senza disturbare, questo dottor Bruno che aveva appena fatto un aumento di capitale della Romana Elettrica escluden-
done gli azionisti minori e vendendo a sé e agli amici fidati
del «salotto buono» del capitalismo italico a tremila lire azioni che in Borsa erano quotate quattromila, «alleggerendo
con destrezza gli azionisti», come aveva scritto Rossi. Erano i
tempi in cui, come diceva un altro Rossi, industriale torinese, se un padrone proprio non lo sorprendevano mentre
sgozzava il figlio o pugnalava la moglie, in prigione non ci
andava. Gli articoli di Ernesto Rossi erano il nostro Bædeker
nelle serate mondane.

Questo signore alto, con un viso gotico lungo e pallido, lo
sguardo intelligente e ironico, deve essere il Valerio della
Edison. Sì, proprio lui. Di una onnipotenza che fa gemere di
ammirazione e di dedizione totale gli agenti di cambio:
«Non ha ancora alzato il telefono che qui in Borsa sappiamo
già quel che vuole». Vorrei avvicinarmi e dirgli: «Ma lo sa
che abbiamo il falegname in comune, sì, il Bollati di Monza
che mi sta facendo le librerie in noce. Mi ha detto che le ha
fatte anche per lei. Ingegner Valerio ma lo sa chi è il mio
oculista? Suo fratello. Meglio andare dalla gente fortunata
che dai trovatelli, no?» Anche Ernesto Rossi si era accorto
dell'alta ironia dell'ingegner Valerio: «Nelle cinquantadue
pagine della sua relazione all'assemblea degli azionisti non
c'è una sola notizia sui conti della società. Pagine e pagine

sull'andamento idrologico, sulla politica estera, sui provvedimenti legislativi, sulla geologia dei bacini montani ma non una sola riga su come lui e pochi altri hanno deciso di ripartire gli utili e le riserve».

Andai una volta all'assemblea della Bastogi che allora era la camera di compensazione dell'alta finanza. Seduti al tavolo della presidenza gli stessi che trovavi nelle assemblee di tutte le grandi aziende, Valerio, Pirelli, Pesenti, Falk, Bruno, Agnelli, tutti con facce lunghe e pallide, gotiche, come in un coro di vescovi medievali. Alla destra della presidenza consiglieri vari, un principe romano, un generale in pensione, un cugino della sorella del presidente. Alla sinistra i sindaci già pronti a firmare i bilanci e a intascare il gettone di presenza. Se uno sconosciuto si alzava a parlare lo si guardava come un mentecatto. Gli interventi autorizzati erano quelli dei *plauditores* «sotto la guida geniale del nostro presidente» e degli specialisti. Gli specialisti erano quattro o cinque, non di più, veri geni della finanza che avrebbero potuto insegnare all'università o dirigere una banca, senonché eran nati tortuosi e vendicativi. Lo specialista saliva alla tribuna, si aggiustava gli occhiali, sfogliava lentamente una copia del bilancio e finalmente, con sarcastica deferenza diceva: «Mi scusi signor presidente, forse non ho capito bene, forse ho frainteso, scusi la mia ignoranza ma non riesco a mettere a fuoco il tema delle spese di rappresentanza». Il presidente Valerio lo guardava e sorrideva, stendhalianamente aveva capito: «Costui ha un animo nobile, bisogna pagarlo bene e in contanti». Poi il presidente Valerio mormora qualcosa all'orecchio del dottor Bruno e dice a voce alta: «Se non avete nulla in contrario proporrei una breve sosta». Nessuno ha qualcosa in contrario, meno di tutti lo specialista. Lui sa che un segretario del presidente lo inviterà a passare in un salottino dove dentro una copia del bilancio ci sarà una busta gonfia di bigliettoni, giusta ricompensa per le sue apprezzatissime critiche, che però non è il caso di render pubbliche.

Passavo per le case e le assemblee dei grandi ricchi, osservavo, non disturbavo. Solo una sera in casa Stucchi, trovandomi incastrato in un gruppo che ascoltava religiosamente

Leopoldo Pirelli il quale stava descrivendo il prossimo grande rilancio del partito liberale, un po' sbronzo dissi: «Ma ingegnere, che rilancio, i liberali sono quattro pirla». Leopoldo impallidì, si voltò, uscì dalla casa seguito, come un'onda, dai padroni e dagli invitati che volevano trattenerlo ma non sapevano come. Mi rifugiai sul terrazzo e poi me la filai, ma l'indomani Piero Stucchi mi incontrava per strada e ci rideva su.

No, Milano non era militar monarchica come Torino e i Pirelli non avevano la testa da faina di un Valletta. Quando li conobbi meglio scoprii, un po' stupefatto, che avevano dei problemi morali. Una sera mi capitò di ascoltare un fitto dialogo fra Giovanni e Leopoldo Pirelli. Giovanni, che aveva scelto il socialismo e il terzomondismo lasciando l'azienda a Leopoldo, gli spiegava fraternamente, affettuosamente: «Guarda che un industriale è un fascista, credimi, tu puoi onestamente credere di essere un liberale, ma la logica dell'industria e della finanza è una logica fascista». «No Giovanni, non credo» rispondeva turbato ma paziente Leopoldo. «Nel progetto Pirelli vogliamo fare del riformismo onesto.» Giovanni scuoteva il capo, desolato.

Godevamo della confidenza di cui godono i sarti o i maestri di tennis. I grandi ricchi parlavano liberamente sapendo che non avremmo mai scritto nulla sui nostri giornali. La Camilla Cederna ci raccontava le serate al Biffo, la villa dei Crespi a Merate. C'era stato a cena anche Umberto di Savoia, e la mitica Giuseppina Crespi che gli era seduta accanto, molto emozionata gli aveva chiesto: «Zuppa d'altezza, pesce?». O forse se l'era inventata la Camilla.

No, i nostri rapidi incontri ravvicinati con la borghesia ricca e potente non avevano esiti giornalistici. L'intervista a uno di quei potenti che si consideravano e giustamente al di sopra dello Stato e delle sue leggi era impensabile: erano i padroni di tutti i grandi giornali, erano *out of limits* loro, i loro familiari, le loro amanti; il povero Vittorio Notarnicola era stato silurato come capo cronaca del «Corriere della Sera» perché in un pezzo era uscito che Puccini era morto di cancro alla gola. Ma non si poteva scriverlo sul «Corriere» perché una della famiglia Crespi era figlia adottiva di Puccini e non stava bene parlare del «male che non perdona» anche se non aveva una goccia del sangue del musicista. Altri cronisti erano stati messi in frigorifero perché nelle cronache del delitto Bellentani a villa d'Este – la contessa Bellentani con stola di ermellino aveva preso dalla borsetta una rivoltellina d'argento e aveva freddato il suo amante, il setaiolo Sacchi – eran comparsi nomi di amici dei Crespi.

Ma Milano non era solo i giornali, era qualcosa di più complesso. Da un lato io ci vedevo la scomparsa della specie in cui aveva fermamente creduto la mia famiglia cuneese, la specie dell'*honnête homme*. Di persone oneste ce n'erano moltissime anche in quella Milano, ma non erano più un modello, un archetipo, l'onestà non era più una virtù di moda, non ne parlava nessuno, tutti parlavano di soldi, solo i soldi davano rispettabilità, era molto rispettabile anche il grande avvocato che aveva iniziato la sua carriera come gigolò, come *tombeur* di donne ricche e gliene restava qualcosa nella piega delle labbra, erano rispettabili anche i pirati delle immobiliari e rispettabilissimo il cavalier Virgillito, specie nell'asilo dove mandavo Nicoletta, la mia bambina, il benefattore, quello che dava i soldi ai parroci per farsi la chiesa nuova e poi faceva sfracelli in Borsa. Ma quando lo intervistai aveva la battuta pronta: «Dicono che quando sono arrivato a Milano avevo i buchi nelle scarpe. Sciocchezze, sono arrivato con un paio di sandali».

Ma la differenza fra Milano e Torino, in fatto di soldi, era che a Torino dominava una fabbrica che produceva auto e soldi, ma che veniva prima dei soldi, che si concepiva come organizzazione e come gerarchia, mentre a Milano i soldi, il giro dei soldi era proprio la cosa più importante e la consapevolezza di stare nella città «un quinto del paese», che aveva il venti per cento dei soldi, dei telefoni, delle tasse del paese era contagiosa, diffondeva anche fra i poveri una fiduciosa mitomania, dava anche ai poveri o ultimi arrivati la voglia di tentare, di provare. Insomma la sensazione che a Milano c'era posto per tutti, che ognuno poteva viverla a suo modo.

Sapete dove era Paolo Grassi, il fondatore del Piccolo Teatro, appena arrivato dalla Puglia la sera del 28 aprile '45 mentre il cadavere di Mussolini veniva issato sulle pompe di benzina di piazzale Loreto e noi correvamo il Piemonte seguendo le retroguardie della divisione SS Hermann Göring? Era nella redazione dell'«Avanti!» a scrivere un pezzo intitolato *Teatro e popolo*. Perché se a Torino tutti danno la caccia al fascista o la osservano da dietro le persiane, a Milano c'è gente che fa la stessa cosa ma anche altri che pensano già al teatro, alla Scala, a Palazzo Marino; a Milano ci sono anche i Grassi, gli Strehler, i Ghiringhelli che per il 14 luglio organizzano la gran festa della liberazione: il parco del Castello cintato per contenere le sette orchestre e le sette piste da ballo, il sindaco socialista Greppi in maniche di camicia in mezzo alla gente, nel cielo tre palloni frenati con su scritto «Egalité Fraternité Liberté», e Strehler che guida la sfilata del circo Togni. Questa Milano di uomini che amano l'arte, il teatro, la musica, ma anche pratici, attivi, anche memori della sentenza «savoir prévoir afin de pouvoir». Il Grassi ha occupato i locali di via Rovello dove era accasermata la Muti, squadraccia fascista, ha fatto pulire le stanze, cancellare le tracce di sangue da quelle usate per la tortura e ci ha messo il Piccolo Teatro pilota. «Tutti democratici,» come dice l'industriale Ghiringhelli, diventato sovrintendente della Scala «ma lavoratori.» Tutti innamorati del servizio pubblico, del prestigio milanese, sicché ben venga la diva Callas con la sua corte di fanatici, maniaci, melomani.

In quegli anni ho scoperto anche la Milano che trasforma il niente in niente e ci campa su a rischio di galera. Prendiamo il delitto Fenaroli, del '58. La vittima, Maria Martirano, viene trovata uccisa a Roma, strangolata. È la moglie del commendator Giovanni Fenaroli, impresario edile a Milano. Sono praticamente separati, lei vive a Roma da parecchi anni, lui è di quelli che a Milano passano la vita a rincorrere il denaro: «Eravamo in ufficio dalle sette del mattino a mezzanotte, ma la corsa dietro ai soldi non era mai finita. Quando la liquidità è scarsa si va dietro al denaro come scemi». Gli uomini della Milano che trasforma il niente in niente e ci campa su si ritrovano a mezzogiorno nelle trattorie con pergolato che stanno dalle parti della Stazione Centrale, da Berti, alle Abbadesse, tutti i tavoli pieni, un brusio fitto, ordinazioni rapide, «A me una punta di vitello al forno, insalata fresca, acqua minerale gasata», «Cià cià, andemm, andemm», «Cameriere sveglia, frutta caffè e conto». A un tavolo il commendator Fenaroli sta parlando con il dottor Carlo Savi, suo medico di fiducia: «Senti Carlo, questo favore me lo devi fare, la Maria devi sistemarmela, veleno, allagamento, caduta nella tromba della scala, scegli tu. Se incasso l'assicurazione mi tiro fuori dai guai. Ho già preparato tutto, i soldi, i biglietti dell'aereo per Roma, vai e torni in giornata». «Giovanni, i biglietti mettiteli nel culo» dice il medico di famiglia, ma non ne parla con nessuno, meno che mai con la polizia, andemm, nella Milano degli affari ognuno fa gli affari suoi, è la regola. «Mai denunciato nessuno in vita mia» confermerà il commendator Fenaroli davanti ai giudici, anche la Milano dei furti e degli imbrogli è a suo modo morale.

Fenaroli si dà da fare, trova il suo uomo, un tecnico della Vembi Elettromeccanica, Raul Ghiani, cliente del bar Catanoso, abito blu gessato per andare a ballare con la fidanzata Tina Dardi, ma anche qualche viaggio con l'amico Lang, un austriaco. Un gran nasone, il Ghiani, il taglio sottile delle labbra, nuca piccola, gli occhi freddi, «capace di quello e d'altro» come diranno i testimoni. Timbra il cartellino alla Vembi poi corre in taxi alla stazione per prendere il treno per Roma ed è su questo che lo incastrano. «Lo so, c'è il foglio verde della Wagon-Lits con il mio nome e con il numero della mia patente, lo riconosco, è una cosa assurda, ma io quel viaggio a Roma non l'ho fatto, non c'ero sulla Freccia del sud.» E invece per i giudici c'era, arriva a Roma al mattino, si presenta a casa Martirano come uno mandato dal marito per ritirare delle carte, fa il suo lavoro, ritorna in aereo a Milano e alle undici e mezzo si fa vedere in ditta.

La sera del 10 settembre il commendator Giovanni Fenaroli cena alle Abbadesse con il medico di famiglia Carlo Savi e gli dice: «La cosa è fatta». Poi si ritrovano al processo. «Sì lo dissi ma scherzavo.» «E io stavo allo scherzo.» «Non dicesti che nei miei panni anche tu lo avresti fatto?» «No amico, ti dissi che non ero ancora maturo per l'uxoricidio.» «Sei un gentiluomo e ti credo.» «Dici che scherzavi e non lo escludo.» Ma il medico di famiglia ha qualcosa da aggiungere: «Quella sera Giovanni mi chiese se conoscevo qualche ragazza libera. Oehi, gli dissi, faccio mica il ruffiano!». Ma il medico di famiglia non dice ai giudici che l'indomani, saputo che lo scherzo non era proprio uno scherzo, manda la sua brava partecipazione funebre al «Corriere della Sera», trenta millimetri listati a nero, carattere «el dudes di mort», pagamento anticipato.

Era una compagnia di guitti della finanza quella che stava attorno al commendator Fenaroli. C'era il ragionier Sacchi, commercialista, che faceva finta di non capire, svicolava. Un giorno che Fenaroli parlava di uxoricidio lui gli diceva mellifluo: «Commendatore, c'è il padreterno, si ricordi, sa quello con la barba che sta sulle volte delle chiese». Al che giustamente Fenaroli tagliava corto: «Sacchi, non mi faccia il fesso». Poi c'erano negozianti di elettrodomestici, le loro mogli, le loro amanti sistemate presso di loro dal Fenaroli che gestiva il suo clan con i toni e le eleganze di un banchiere fallito.

E così anche al processo: «Signor presidente, permette che detti io il verbale? Sa, trattandosi di materia tecnica finanziaria». «Se crede» diceva il presidente. E allora l'ometto mal ridotto dalla prigione, colorito terreo, reumatismi, borse sotto gli occhi, abito che cadeva addosso alla sua magrezza si ergeva e dettava: «Avendo il ventisei del corrente mese scontato due cambiali della ditta Fabbricini, mi trovai nella necessità di rinfrescare il mio giardinetto.» «Che cosa, Fenaroli?» «Le anticipazioni della banca, presidente.» «Ma lei Fenaroli è davvero ingegnere?» «Ingegnere con diploma svizzero, presidente.» «Ma lei perché scontava anche le cambiali del negoziante Grisolia?» «Vede, signor presidente, noi imprenditori questi piccoli favori possiamo farli, sa nel giro dei miliardi.» E avanti a ricordare consigli di amministrazioni, voli Milano-Roma-Milano, giri bancari, società anonime. Della moglie vecchia, ammalata e sola, assassinata su comando, un solo ricordo: «Sa, era un peperino». Niente passioni, niente gelosia, un delitto a misura della Milano dei soldi, della Milano terziaria, assicurativa, bancaria, affidato a un operaio specializzato, giocato sugli orari, sugli aerei, sui telefoni.

Poi arrivò la follia televisiva, la prima vittoria culturale e informativa dei democristiani. Gli editori della carta stampata non capirono niente, erano arcisicuri di restare i padroni della informazione vera, la televisione gli sembrava un giocattolo, i più cauti pensavano che avrebbe avuto una parte simile a quella della radio, nessuno si rendeva conto del potere enorme delle immagini. Il duopolio Mondadori-Rizzoli sembrava non aver rivali, avevano scoperto un modo molto semplice per mantenere lo *status quo*, appena un periodico aveva successo da uno, l'altro lo copiava o gli portava via il direttore in un sistema a vasi comunicanti. Intanto i grandi quotidiani arroccati nelle loro inconquistabili basi regionali, «La Stampa» in Piemonte, il «Corriere della Sera» in Lombardia, «Il Resto del Carlino» in Emilia, «La Nazione» a Firenze, «Il Messaggero» a Roma, «Il Mattino» a Napoli, guardavano al futuro con tranquillità assoluta. E così tutti snobbarono la televisione e il piccolo Fanfani se ne impadronì mettendo a dirigerla Ettore Bernabei, un fiorentino astuto, e ne fece un feudo democristiano.

Gli editori della carta stampata si accorsero del cavallo di Troia che avevano lasciato entrare nella loro città quando un programma di quiz diretto da Mike Bongiorno, *Lascia o raddoppia?*, fece letteralmente impazzire gli italiani e fu presto accompagnato da *Campanile sera*, sempre a indovinelli ma città contro città. L'«Europeo» mi manda a Mondovì il 18 novembre del 1956. Scendo dal treno, entro nel caffè della stazione e il cameriere mi dà, con il caffè, un manifestino: «Monregalesi, tutti in piazza Maggiore a sostenere i nostri rappresentanti. Chi ha consigli da dare telefoni a questi numeri: 3196 3197 3198». «Sa, io non sono monregalese.» «Fa niente,» dice il cameriere «se può ci dia una mano.» Salgo a Mondovì Piazza, la città alta dove c'è il Comune e chiedo a un vigile se conosce qualcuno della trasmissione. «Comitato di coordinamento» dice. «Può dirmi dove lo trovo?» «In municipio,» dice un po' sorpreso «lo presiede il sindaco.»

Il professor Bartolomeo Martinetti, direttore didattico e sindaco di Mondovì, sta al tavolo della sala consiliare, coperto di fogli e di oggetti, sta studiando, mi dicono, la sistemazione degli esperti. Si accorge di un intruso e mi guarda con i suoi occhi azzurri, appannati dalla stanchezza. «Giornalista? Per carità adesso non posso, mi capisca, fra pochi minuti ho la riunione degli esperti, siamo alle strette.» Mi dirottano sul farmacista Pautasso che sa tutto. Lui spiega: «Sul palco saliranno gli esperti "universali", professori e persone di vasta cultura. Davanti al palco metteremo gli "specifici" ciascuno con la sua documentazione a portata di mano». «Specifici in che senso?» «Ma sì, esperti di moda, di calcio, di gastronomia.» «Ah!» «Gli eccelsi,» dice «le grandi menti staranno nel "pensatoio", una saletta della biblioteca civica collegata con speciale linea telefonica al palco. Dietro il palco, con un lavoro che dura da più di un mese, abbiamo preparato gli oggetti "strambi", anche un ranocchio, lei lo sa, in Piemonte ci chiamano "i babi cocc" i ranocchi bolliti, Mike potrebbe chiederci un ranocchio.» «Vivo o bollito?» chiedo. Il farmacista Pautasso non ha tempo di scherzare. «Per gli oggetti normali resteranno aperti i negozi.» «Ma siamo a Mondovì alto,» osservo «e se l'oggetto sta in un negozio di Mondovì basso?» Pautasso si confida: «Abbiamo un centinaio di ragazzi svelti, motorizzati».

Arrivano gli esperti, professori, avvocati, medici, geometri, sacerdoti, sono gli «specifici» con i loro testi, la vita professionale e civile di Mondovì è come sospesa nell'olimpo televisivo. Do un'occhiata ai testi: l'*Annuario delle materie plastiche*, *L'ABC degli scacchi*, *L'arte presso i pigmei*, *I medicamenti medievali.* Due ore prima della trasmissione arriva in municipio Enzo Tortora, il presentatore, con un cappottino di cammello chiaro e colletto di pelliccia, gli esperti si alzano in piedi e lo accolgono con una ovazione: «Tortora! Tortora!». Il presentatore nota me e un altro cronista e cortesemente ci prega di uscire dalla sala: si devono trattare cose delicate come l'uso del pulsante. Ci portano nell'ufficio dei vigili urbani. «Da quando siete sotto pressione?» chiedo al comandante. «Il sindaco» dice «saran tre giorni che non mangia e che non dorme.» «Ah, per quella» dice un vigile «l'han presa proprio decisa.» I due campioni di Mondovì, uno studente e una studentessa, sono nell'ufficio del segretario comunale, si allenano da quattro ore con i pulsanti a segnale luminoso preparati dall'ufficio tecnico. «Bravi?» «Lui non ci preoccupa,» dicono «lei è brava ma ha studiato in Inghilterra, pensa in inglese e traduce in italiano, sono sempre quelle frazioni di tempo che magari fanno la differenza, capisce?»

Saliamo in piazza Maggiore per l'ultima prova, Enzo Tortora in cappottino di cammello e colletto di pelliccia è già collegato con Mike Bongiorno che sta a Milano, mentre l'altro presentatore Renato Tagliani è nella tana dei rivali a Montefiascone. «Senti Mike, qui abbiamo quel tale Messina, sai quello svitato che taglia le cravatte alla gente. Gliene facciamo tagliare qualcuna?» «Non mi sembra il caso» dice Mike che è uomo d'ordine. «Sì,» interviene il regista Romolo Siena «evitiamo gag troppo smaccate.» «Romolo,» chiede Tortora «quelli con la fiaccola olimpica li facciamo comparire?» «No, per ora no, stiamo allo spettacolo normale.» «Io qui sono a posto» dice Tortora «la claque, gli alpini, le ragazze in costume.» Gli esperti non hanno perso una parola del dialogo, ma il sindaco vuole sincerarsi: «Novità signor Tortora?». «No tutto a posto, state tranquilli.»

Ci siamo, l'audio è già funzionante, i collegamenti pure, gli uomini della TV si scambiano saluti e osservazioni disinvolte mentre a Mondovì e a Montefiascone la gente brucia per l'ansia. «Ciau Enzo!» «Ciau Renato!» «Amici di Mondovì,» grida Tagliani dalla lontana Montefiascone «sentite il nostro ruggito!» Arriva uno strepito festoso di trombette, clacson, pentole, tamburi come passasse l'esercito di Franceschiello. «Ah Renato,» grida Tortora «beccati questa!» Alza le braccia e da piazza Maggiore parte un rombo di voci basse, come un gigantesco muggito. Si incomincia. Prima sorpresa di Mike: le città chiamino in piazza quanti più suonatori possono, suonatori civili. La banda musicale di piazza

Maggiore non vale, è in divisa. «Toglietevi la divisa,» grida
Tortora, che un po' ciurla nel manico «dategli degli abiti civili.» Berretti, cappotti vengono strappati alla gente, si vedono suonatori di tamburo in mutande, quello del clarinetto
cade sotto il palco. Calma ragazzi, è stato un falso allarme, la
disfida deve ancora cominciare, solo che Mike ha voluto mo-
strare all'Italia la potenza della TV. Alle prime battute i campioni di Mondovì vacillano per via di lei che pensa in inglese
e traduce in italiano, ma la preparazione piemontese di
Mondovì è un rullo compressore, gli esperti universali, gli
specifici e gli eccelsi funzionano come l'orologio che batte le
ore sulla torre del Moro. Vince Mondovì. Il sindaco questa
volta mi stringe la mano e dice: «La nostra città questa sera è
andata immensamente lontana su tutti i video d'Italia».

Il giovedì sera l'Italia si fermava per *Lascia o raddoppia?*, le
prime campionesse – la Garoppo, tabaccaia di Casale e la
«leonessa di Portogruaro» – avevano dei seni enormi e piacevano a Michele Serra. Ci riuniva a casa sua; la vecchia madre, vestita di nero, seguiva i duelli e dava giudizi laconici:
«Capricciosa quella è», «Troppo parla quella». Se poi nel silenzio diceva: «Femmina piacente è», finiva sicuro sulla co-
pertina dell'«Europeo».

A me che venivo da Torino, «porca città» come diceva
Mussolini, ma bellissima, fra collina fiumi e montagne, con
le spalle coperte, di raro vento, di rara nebbia, di tramonti
che incendiano il cielo «nell'ora vera di Torino», come dice
Gozzano, Milano sulle prime era sembrata bruttissima. Nessuna strada o viale diritti, non capivi dove fossero stati il cardo e e il decumano, un Palazzo Reale modesto, dei navigli
interrati o sporchi come cloache, attorno pianura nebbiosa.
Solo quando arrivavo al centro e passavo per la Galleria del
Corso sentivo come vibrare sotto i piedi un ronzio da centrale elettrica, sentivo nell'aria, nei volti, nei gesti una carica irresistibile. Milano non mi piaceva ma mi trascinava, mi possedeva, mi faceva suo con l'incalzare della vita, dichiarato,
scoperto, non dissimulato come a Torino dietro la cortesia
dei «faus e curteis». Nei negozi non ti davano il tempo di ri-

fiatare: «E poi?», «E altro?», «Lo prende lei o glielo mandiamo a casa?», «Ecco qui il telefono per il servizio a domicilio», «E poi?», «E altro?». E il muovere incessante delle mani che annodano nastrini e con un passar di forbice gli fanno pure lo svolazzo, il ricciolo, chiudono pacchetti, tirano giù scarpe o camicie dagli scaffali, battono sulla calcolatrice, chiamano la sarta per le correzioni dell'abito fatto, passano sorridendo sotto il carico di merce, ti riconoscono per uno che consuma molto e si illuminano: «Dottore come sta, un momento che finisco con la signora Bonomi e sono subito da lei».

Fu così che iniziò il mio sodalizio commercial-gargantuesco con il salumaio Abbiati di piazza Tricolore, che dura da una trentina di anni. Entrai nel suo negozio e gli chiesi del parmigiano. «Quanto?» chiese lui. «Facciamo un chilo.» «Vernengo o normale?» «Vernengo.» Lui tagliò, ma che dico, staccò con il punteruolo un gran pezzo, pesò e disse: «Sono due chili dottore. Lascio?» «Lasci» dissi, e fu per sempre. Ora quando entro nella salumeria Abbiati, se lui è sotto in cucina, i commessi che lo imitano, e parlano come lui, lo chiamano, lui sale di corsa e recitiamo il nostro duetto, lui che mi fa comperare tutto anche quello di cui non ho bisogno, mentre mi assicura durate senza fine di conservazione e intanto chiede: «Come sta la signora? Ho letto il suo ultimo pezzo dottore, ah lei gliele dice! Anche un po' di mostarda di Cremona, dottore?». Mi piace essere il Re Sole degli alimentari, non mi interessano i vestiti, le auto, i gioielli, le cravatte, mi interessano formaggi, carni, ortaggi, salami e vini, compero senza sapere il prezzo, l'altro giorno ho ordinato al mio amico Angelo Gaja vignaiolo eccelso qualche bottiglia di Darmagi. «Quante dice lui?» «Mah, un centinaio.» Lui tace, poi con voce che dovrebbe farmi capire: «Dici proprio cento?». «Ma sì cento, anzi dato che i cartoni sono da dodici facciamo centoventi.» Mi sembra imbarazzato mentre mi saluta. Capisco perché due giorni dopo, quando in un ristorante mi portano la carta dei vini e leggo: «Darmagi lire 90.000». Ma quel che è detto è detto, *noblesse oblige*.

La specie che odio di più io che faccio sempre la spesa e

frequento i negozi è quella dei micragnosi. Sarà gente da poche lire, lo capisco, ma passa il tempo venendo a far spesa ogni giorno e fa ordinazioni minime. Quando li sento qualcosa mi si attorciglia dentro, specie quando sono a La Salle in Valle d'Aosta e i clienti sono torinesi, e so prima che aprano bocca che chiederanno con la cantilena piemontese: «Mi dà mezzo etto di gorgonzola?» «È tutto?» «No, vorrei venti grammi di prosciutto cotto.» «E poi?» «Una mela e un dado Knorr.» A sentirli stando in coda mi monta dentro un furore consumistico, sicché quando arriva il mio turno chiedo della fontina e il negoziante punta il coltello su una mezza forma e domanda «Quanto?» e io quasi grido «Tutta», ma in valle non sono gargantueschi come Abbiati, in valle magari ti chiedono: «Lei tiene una pensione?».

E vennero i Natali tutti d'oro della Rinascente, Natali di ricchezza con venature di rimorsi, come nella canzone di Jannacci con il povero cristo che per festeggiare il Natale va a vendere l'ultima cosa che ha trovato nell'armadio, la sua radio. In quella Milano attorno al Duomo dove si sente il ronzio da centrale elettrica della gran carica vitale e affaristica i prezzi scomparvero. Niente prezzi su cravatte, camicie, pentole, coltelli, frigoriferi. Solo i gioiellieri per legge dovevano indicare il prezzo, ma invece di scrivere 1.000.000 scrivevano 1 seguito da sei puntini quasi invisibili. La periferia milanese era sempre lì, ma era come se non ci fosse per noi della Milano centro. C'erano Quarto Oggiaro, Lambrate, l'Ortica, il Giambellino con le vecchie strade, le vecchie case, una villa cadente rimasta imprigionata fra le nuove costruzioni, la cappella della peste manzoniana, il dedalo delle fabbriche e fabbrichette, i negozi tutti sulla strada principale con le antiche licenze multiple del vinaio che vendeva anche carne in scatola e cereali, dell'ortolano con la figlia che nel retro faceva la parrucchiera, del panettiere droghiere, ma noi li ignoravamo, salvo che nelle grandi festività come il Natale, il Carnevale, la Pasqua quando la partecipazione ai piaceri di massa era universale e cupa, totale e determinata.

La sera di Natale da piazza del Duomo a Niguarda, dalla

Scala ai gasometri del viale Forlanini, dalla lontana Baggio spersa nella nebbia alla scintillante via Montenapoleone, le moltitudini festeggiavano con massiccia ostinazione. I ristoranti tutti prenotati, anche le pizzerie, anche le tavole calde, anche le osterie sul fetido Lambro. Per accontentare tutti mettevano tavoli nella stanza da letto del padrone, sui pianerottoli, nei sottoscala, si mangiava schiacciati contro una credenza, seduti su un sofà dalle molle sfondate. Noi giornalisti dell'«Europeo» e del «Corriere» in abito scuro e le signore in lungo, antipasti vari con nervetti e carne cruda in mezzo alla calca, al passare continuo di gente che ti urtava la sedia, ti spazzolava la testa con il paltò. E continuava ad arrivare gente, dalla finestra si vedevano i fari delle automobili che si incrociavano nella nebbia, nessun prezzo sul menu ma nessuna protesta, neppure degli impiegati e degli operai che in quella sera spendevano un quarto dello stipendio, nella cupa voglia di divertirsi. Pochi li sentivi ridere, pochi cantare, tutti indaffarati a trovarsi un posto, a pagare un conto, a passare dal ristorante a una casa di amici, un po' ciucchi, sempre più delusi e stanchi nella vana attesa che il dio della felicità metropolitana planasse dall'alto.

Dicevo che in quella Milano i prezzi erano scomparsi dai negozi del centro, ma ogni tanto, senza preavviso, aumentavano del dieci o del venti per cento in tutta la metropoli e nessuno protestava. Quella Milano aveva un cuore capitalistico, una retorica socialdemocratica e una cultura radicale. Il cuore stava in piazza degli Affari, nei grandi palazzi delle banche e delle assicurazioni, nella Borsa, negli uffici degli agenti di cambio. La retorica socialdemocratica aleggiava in municipio, alla Scala, all'Umanitaria, negli istituti benefici dei Martinitt o del Pio Albergo Trivulzio, nelle conferenze dell'Azienda Elettrica Municipale sezione cultura diretta dal socialista Ferrieri; la cultura radicale aristocratica era per pochi ma importante, stava nelle case della borghesia o dell'aristocrazia illuminista, erede dei Verri e del Beccaria, per noi stava in casa Cederna dove imparavamo più i modi e lo stile di quell'essere colti che ad esserlo veramente.

I romani non ci amavano, neppure quelli de «Il Mondo»

di Pannunzio, su cui Enzo Forcella aveva scritto che la nostra Milano tanto celebrata era in realtà «il sindacato degli arrivati» e aveva perfettamente ragione, ma se lo diceva in tono critico si sbagliava; noi, gli arrivati, ci trovavamo benissimo nel panettone ambrosiano. Avevo letto un libro sul «Tout Paris» e non avevo afferrato bene il concetto, mi era parso semplicemente un elenco delle persone di successo, ricche, importanti. Lo capivo meglio ora stando nel «Tout Milan», inteso come società, qualcosa che non esisteva in nessun'altra città italiana. Non la biliosa corte torinese, non la micragnosa borghesia dello scanno genovese, non il generone romano o l'arcaica aristocrazia nera, ma la società di una città ricca e viva, l'olimpo corporativo delle arti e dei mestieri che celebrava se stesso nel «Compasso d'oro», festa del design nei grandi saloni del Castello Sforzesco, architetti, designer, stilisti, parrucchieri di grido, registi, tenori, politici, sindacalisti, industriali e tutti si conoscevano, si abbracciavano, si compiacevano di essere lì in quel sinedrio senza monarca, in quel consesso senza gerarchie o invidie, piuttosto da fiera campionaria dei talenti cittadini, in cui bevendo un po' di champagne e mangiando una tartina si potevano anche combinare affari e operazioni, ma senza star lì a mercanteggiare il prezzo, nella certezza che tutto sarebbe finito nel bene comune.

Francesco Alberoni ha scritto un saggio sulle società e sui movimenti allo stato nascente, ma è proprio così, ci sono nella vita di una città dei momenti irripetibili, un po' come la fioritura dei ranuncoli di cui vi dicevo sul col Birone, i momenti in cui tutto sembra andare per il verso giusto, per le giuste convergenze. Poi a quel consesso spontaneo sono subentrate le pubbliche relazioni, tutto si è burocratizzato, specializzato, separato, al posto di quella società omogenea ne sono arrivate altre a isole separate, neppure la prima della Scala, neppure la premiazione degli «Ambrogini d'oro» ci riportano a quel momento sociale magico.

Avevo ritrovato a Milano un amico torinese, quel Morello che alla Galleria d'arte di Carluccio, in via Po, scriveva presentazioni delle mostre dense di finezze e *trompe-l'œil* intellettuali da pochissimi apprezzati. Milano era la sua città, la Rinascente la sua nuova frontiera. Era l'uomo idee, l'uomo filosofia. Mi chiamava ogni tanto a partecipare a un *brain trust* o a un *brain storming*, raduno o tempesta di cervelli per programmare un Natale tutto d'oro. Esordiva citando una pagina di Köhler sulla psicologia della Gestalt, della struttura formale e ci avvisava fermamente: «Un'analisi troppo precisa, pedissequa dei Natali precedenti produrrebbe un Natale conservatore, ma attenti a una tempesta di cervelli sfrenata, ne potrebbe uscire un Natale eretico». Non dimenticassimo mai che Natale era una festa proustiana, gozzaniana, tutta dedicata all'intimismo borghese, un Natale da imitare era quello svedese, molto intimista. Partiva la tempesta dei cervelli, dicevamo quel che ci veniva in testa, sul quarzo che ti ricorda il professore di scienze del liceo, sul pallottoliere che ti ricorda l'infanzia, sui festoni di carta colorata che ti ricordano le feste di paese. Poi interveniva Massimo Vignelli di passaggio a Milano, l'architetto che aveva fatto fortuna a New York, e consigliava «confezioni importanti ma che non nascondano l'oggetto, di purezza geometrica». E ci faceva vedere le fotografie di una sua confezione per una famosa marca di profumi, tutti cubi in misure decrescenti, niente altro che perfetti cubi. Erano di moda anche le riunioni con diapositive, schermo bianco e presidente con bacchetta. Passavano sullo schermo diagrammi di vendita, comparazioni dei fatturati, Aldo Bassetti ci spiegava il mercato dell'acqua minerale Frisia attento a cogliere un nostro sorriso, perché conosceva le nostre proposte per il lancio: «Frisia l'acqua che fa far la pisia», «Credeteci, è meglio del piscio».

Il vago sentimento di aver rubato il gettone di presenza si scioglieva nel *rush* natalizio, nella marea degli acquisti, nell'arrembaggio dei compratori; la nostra aria fritta si giustificava, male non ne avevamo fatto alla Milano mercuriale. Andavamo con Morello a contemplare lo spettacolo delle nostra immeritata vittoria: la gente stipata sulle scale mobili faceva della Rinascente una gran fabbrica di insaccati umani, solo i capi reparto, in attesa di promozione, fendevano con il petto la marea, fieri e instancabili. Nella calma del dopo Natale andavo a trovare Morello e mi confidava: «Non ha funzionato la distribuzione dentro la distribuzione». «Sarebbe?» «Gli imballaggi e i trasporti sono risultati più cari del previsto.» «E allora che farete il prossimo Natale?» «Sto pensando a una forma di simulata austerità.»

Natali tutti d'oro in piazza del Duomo, Natali di povertà ma anche di speranza nelle «coree», i quartieri dei contadini immigrati dal Sud improvvisatisi commercianti al minuto, operai, manovali stipati nelle distese di baracche, di casette, di capanni tirati su di notte, contro tutte le regole, ma chi poteva opporsi a quel bisogno di mettere un tetto sopra la testa, chi poteva infierire contro la già grande sofferenza dell'esodo contadino? A volte tornando nella campagna di Cuneo, passando per le Langhe avevo l'impressione che il mio mondo, la mia origine fossero morenti, terra dei vecchi e della tristezza. Nessuno investiva più nell'agricoltura, dovevano passare quasi quindici anni prima che si ritrovasse qualcuno disposto a investire nella trasformazione dei prodotti agricoli. Lo spopolamento delle valli alpine era pauroso, metà degli abitanti era già fuggita, l'altra metà si preparava a seguirli. Nell'Appennino dell'Italia centrale e meridionale migliaia di villaggi abbandonati, migliaia di ettari lasciati alle male erbe. Dalla Calabria erano fuggiti in trecentomila, i proprietari avevan dovuto reclutare gli zingari per la raccolta delle olive. Nei villaggi del Sud chiudevano i casini, i circoli riservati ai «don» e ai «galantuomini», i loro figli cambiavano mestiere, svendevano le terre, scappavano.

La televisione aveva diffuso il mito della metropoli, le sue luci erano tutte puntate sulla città; la campagna, il mondo contadino sembrava come calato in una sua notte senza fine. Odiavano i contadini le donne, non sopportavano l'odor della stalla, le scarpe infangate, volevano un marito operaio o impiegato. C'era anche un odio ideologico verso i contadini. Ricordo Giuseppe Trevisani, il grafico, l'intellettuale comunista. Se gli parlavo dei contadini i suoi occhi dietro le lenti spesse diventavano gelidi: «Una delle ragioni per cui reputo Lenin un genio» diceva «è che ha capito che i contadini vanno annientati. Tutto ciò che c'è di peggio al mondo è contadino». Lo guardavo come un kulak avrà guardato quelli del partito arrivati nelle campagne per la collettivizzazione. Chi vivrà vedrà, pensavo, ma il povero Trevi se n'è andato prima che cadesse il muro di Berlino e il comunismo finisse in merda.

Certo, star nella grande città, vivere lo sviluppo automobilistico non aiutava a capire i dolori della campagna, noi correvamo sulle autostrade, guardavamo la campagna dai finestrini di un rapido e quel verde ci sembrava ricco e riposante. E invece era il mondo della grande retroguardia contadina dimenticata, disprezzata. Ci voleva un delitto, uno scontro sociale per farci ricordare che esisteva, per farci vedere che dentro quel verde restava una vita primitiva, bestiale.

Un linciaggio mi fa arrivare a Ca' dei Quinzani, dodici chilometri da Cremona. Si prende la provinciale per Mantova, poi a destra in mezzo ai campi con l'acqua verde dei fossi a pelo della strada, gelsi e ceppaie sulle sponde, i buoi a coppie che tirano i carri perché «Fiat o mica Fiat, i trattori nella fanga sprofondano». I carabinieri di Cremona sono stati avvisati poche ore fa: c'è stato un incidente, un incidente chiamato linciaggio. Si era accorto del morto un bergamino, un certo Denti, uno di quelli che scendono dalla montagna bergamasca per mungere le mucche. Passando all'alba del lunedì per l'unica strada della borgata aveva quasi urtato in una roba nera, carne e stracci, raggomitolata contro un muro. «Ehi, socio, ndemm, ndemm che fa frecc. Alzati, va a dormire.» Ma Renzo Bottoli, lo scemo, il girovago era morto, ucciso a pugni e a calci «perché aveva fatto i versi alla Pompea», la figlia dell'idraulico, quella che studia a Cremona.

Il Renzo era arrivato a Ca' dei Quinzani che annottava, la sera della domenica, già mezzo ubriaco. Infila l'unica strada, si ferma davanti a una finestra illuminata e bussa ai vetri. Tutti lo conoscono, a tutti può chiedere un bicchier di vino e un pezzo di pane. In quella si apre una porticina lì vicino ed esce la Pompea. Renzo è uno scemo ma anche a lui piacciono le ragazze, fa per prenderla per un braccio, perde l'equilibrio, cade sotto la sua bicicletta. La Pompea spaventata corre al bar dell'Enal, racconta del Renzo che le ha fatto paura. «Gli darei una cannellata» dice uno dei giovani, esce seguito dagli altri e vede la sua motoretta rovesciata nel fango. «L'è stà el Renzo» dice qualcuno. Si infuria, raggiunge il Renzo che sta alzandosi traballando e lo tira giù con due pugni. Tutti quelli del bar e anche delle cascine escono a vedere e si passano le voci: «È saltato addosso alla Pompea», «Ha minacciato sua zia», «Purcaciun, mandelo via». A calci a pugni a spinte Renzo arriva al bar, inciampa nei gradini, cade sul pavimento. «Mandelo via» gridano. Lo prendono per le braccia e per i piedi e lo sbattono in strada.

È da un'ora che lo pestano. Passa un contadino in bicicletta e dice: «Ma lasciatelo stare, è un cristiano anche lui». «Vattene, se no ce n'è anche per te.» A calci a pugni a spinte Renzo fa trecento metri sulla strada per Malagnino e poi lo lasciano lì per terra mentre invoca aiuto e si fa il segno della croce. Passano alcuni contadini in bicicletta, sentono le sue invocazioni ma non si fermano. «È quel porcaccione, quel barbone.» Renzo riesce a rimettersi in piedi, vede delle luci e cammina nella loro direzione, non si accorge di tornare a Ca' dei Quinzani. Cinque dei picchiatori stanno ancora bevendo nell'osteria. Vedono comparire la maschera livida e sanguinante del Renzo e si precipitano in strada a dargli l'ultima passata. «Cosa fate,» dice il Renzo «non vedete che mi uccidete?»

Il pane non manca a Ca' dei Quinzani e in tanti altri borghi della campagna che noi vediamo solo dalle autostrade e dai finestrini di un rapido, ma la vita anche negli anni Sessanta è bestiale e primitiva. Vino e bestie, vino e letame per tutti i giorni dell'anno. Il pane non manca nelle campagne della bassa, non si fa la fame come nel Meridione ma come uomini, come cristiani meglio non parlarne. Se una vacca partorisce il padrone manda a chiamare due veterinari, ma se gli dicono che una contadina ha le doglie lui che ha il telefono chiude la finestra e torna a letto. Inutile discutere di chi sia la colpa, fra padroni e braccianti c'è ancora un odio che lo tagli con il coltello. Prima con il fascismo tutti zitti e buoni, poi la gente si è divisa fra il par roco e il capolega, lì a disputarsi anime sorde e indifferenti. Si fa la processione del Corpus Domini e tutti dietro, arriva un capo comunista e tutti in piazza, senza credere né al prete né al compagno.

E perché dovrebbero crederci? A dieci, undici anni, legge o non legge, piantano la scuola e incominciano a lavorare; il poco che hanno imparato alle elementari lo dimenticano, nessuno sa parlare l'italiano, metà sono analfabeti. Chi può scappa in città, chi rimane ce l'ha con tutti, con il prete con il capolega con il padrone con la vita. C'è molta violenza nel verde morbido della pianura. A Belforte hanno linciato un guardiacaccia che ha sparato su un camionista, a Spigarolo hanno infierito a coltellate su un ladro. Qui è tutto finito: hanno portato il cadavere di Renzo al cimitero, la Pompea è andata a dormire da una sua zia a Fiorenzuola, nessuno testimonia, i bergamini finito il lavoro passano al bar per bere un bianchino e guardare la televisione.

Ero da poco all'«Europeo» quando se ne andò Alcide De Gasperi, uno dei padri della repubblica. Morì il 19 agosto del 1954 nella sua casetta di montagna a Sella di Valsugana. In morte si capisce molto bene se un uomo di potere ha rubato o no, se ha approfittato o se si è soltanto rimpannucciato con il potere. I De Gasperi erano rimasti tal quali come nel 1945, quando il padre faceva il bibliotecario in Vaticano con un misero stipendio. Non c'era nella casetta della Valsugana un qualsiasi oggetto di valore, non un quadro, non una scultura, non un argento. C'erano la moglie e le figlie in un dolore vero, c'era un paesaggio, un mondo alpino che lui doveva aver rimpianto spesso nella straniera Roma. C'erano anche tutti i notabili del giornalismo accorsi a Sella di Valsugana per poter raccontare ai loro lettori come lo avessero consigliato, guidato nella sua vita politica.

Tornai a Trento per dettare il servizio, uno dei miei pessimi servizi sulla morte che non è proprio il mio genere, uno che è morto è morto, che cosa puoi dire? Ma i notabili ne avevano da dire. Nella cabina telefonica accanto alla mia c'era Gaetano Baldacci inviato del «Corriere della Sera», un siciliano monumentale. Sentivo il suo vocione compiaciuto che diceva: «Il presidente mi fece l'onore di consultarmi durante la Conferenza della pace a Parigi. Presidente, gli dissi...». Il vocione andava e veniva a seconda di come si spostava nella cabina, ma ogni volta che tornava Baldacci stava parlando di sé: «L'anno seguente feci giungere al presidente un mio memoriale che...». Se non fosse stato tardi avrei riscritto il pezzo incominciando così: sono uno dei quaranta e passa milioni di italiani che non hanno mai incontrato Alcide De Gasperi, ma a cui questo cattolico del Trentino è sembrato un galantuomo. Non lo avevo mai incontrato e non avevo neppure lontanamente immaginato che il cordoglio per la sua morte sarebbe stato così universale, che avrebbe coinvolto anche i comunisti e i socialisti che lui in vita lo avevano insultato come il «cancelliere austriaco», il «lacchè degli americani».

Sì, non ho ancora capito perché quell'antitaliano che fu De Gasperi e quell'altro antitaliano che fu Togliatti siano riusciti ad arrivare al cuore degli italiani. Forse proprio perché erano diversi, gente di un'altra specie, arrivata a toglierci dai guai. O semplicemente perché erano gli uomini degli anni duri, quando il paese finalmente si era tolta la maschera pulcinellesca. Trovai un posto sul treno che portava a Roma per le esequie di Stato Alcide De Gasperi, lungo i binari per tutte le centinaia di chilometri del percorso c'erano due ali di folla inginocchiata, piangente, in preghiera. E così furono dieci anni dopo – Roma ferma nel lutto, milioni di persone lungo la sepoltura – le esequie di Palmiro Togliatti. Il paese non li amava ma capiva che con loro se ne andava la grande politica, lo scontro planetario, millenario, e comunque una politica per la politica, non per gli affari.

La democrazia antifascista morì con loro, i loro successori sapevano già come usare la macchina dello Stato ai fini delle carriere e degli arricchimenti, sapevano già come organizzare la presa di possesso dello Stato. Erano anche fisicamente diversi, i democristiani non avevano più la faccia da quaresimalista severa e tormentata di De Gasperi e i comunisti non avevano più il viso da intellettuale dalle passioni fredde come Togliatti; i primi avevano, come Moro, come Colombo, come Fanfani, facce da professorini cresciuti nella Fuci e laureati alla Cattolica, professorini di oscura fama, autori di libri da nessuno letti, sollevati al potere dalla marea dei voti cattolici o anticomunisti; e i comunisti facce da burocrati, da impiegati di banca passati alla politica.

Delle mezze calzette i democristiani, ma furbi, ammanigliati, educati dalla Chiesa alla gestione segreta del potere. Il loro leader Amintore Fanfani era come il suo nome, Amintore, un misirizzi dall'attivismo infrenabile quanto inconcludente, un ometto presuntuoso che piroettava fra Roma e la natia Arezzo. De Gasperi parlava l'italiano scabro ma pulito di chi ha imparato l'italiano come una lingua straniera, Fanfani un toscano imparato all'oratorio tortuoso come un sermone e pieno di ridicoli vezzi accademici. La politica con lui diventò scandalo, manovra dei servizi segreti, lotta di potere programmata negli ambienti giudiziari e nelle sacrestie dei sacri palazzi.

Per mesi la stampa italiana, la vita politica italiana furono sommerse da uno scandalo inesistente gonfiato a coprire una feroce lotta di potere, lo scandalo di Wilma Montesi, una ragazza di modesta famiglia, di quelle che campano fra l'impiego ministeriale e qualche lavoretto, che viene trovata morta sulla spiaggia di Tor Vaianica l'11 aprile del '53, poco lontano dalla tenuta di Capocotta. Su questa ragazza qualsiasi, su questa morte probabilmente accidentale si solleva una nube di accuse, insinuazioni, memoriali, contromemoriali, che copre l'intera Italia: è la Democrazia cristiana arrembante del misirizzi Fanfani che vuole liquidare Attilio Piccioni e la vecchia guardia del partito popolare e usa tutta la macchina dello Stato e della Chiesa, dai carabinieri ai gesuiti, per dimostrare che il colpevole è Piero Piccioni, un figlio di Attilio che scrive musica per il cinematografo e frequenta attori e attrici. Accusatrice principale una signorina della buona borghesia milanese travolta anche lei dalla dolce vita romana e dalla improvvisa notorietà, dal protagonismo.

Ora la incontro spesso il mattino ai giardini di Villa Reale a Milano, porta a spasso i suoi tre giganteschi alani, conversa con i posteggiatori, interviene con urli imperiosi se uno dei suoi giganti sta per divorare un cagnolino con gualdrappetta ricamata.

Enrico Mattei era un uomo secco e virile, nazionalista e populista, onesto e corruttore, uno che usava la politica per farsi largo, ma anche per fare, e fare bene, nella vita pubblica. Tipi così ne avevo conosciuti durante il fascismo, tipi così ce ne saranno sempre in Italia, della specie dei condottieri, amati e odiati, profondamente italiani, profondamente antitaliani. Nel '45 Mattei aveva salvato dalla liquidazione l'industria petrolifera italiana e aiutato da uomini simili a lui, profondamente italiani, profondamente antitaliani, come Vanoni e De Gasperi, aveva creato l'Eni, un colosso della petrolchimica. Nel '59 aveva comperato «Il Giorno», appena fondato da Cino Del Duca, senza sapere bene che tipo di giornale avrebbe fatto, ma sapendo benissimo come servirsene: un'arma, un *deterrent* contro tutti gli altri quotidiani legati alla grande industria privata e alle compagnie petrolifere americane. La posta in gioco non erano tanto le ricerche petrolifere nella valle Padana a cui nessuno credeva veramente, quanto la rottura del monopolio, l'irruzione nel mercato mondiale di un outsider pronto a far saltare i vecchi accordi sulla base del *fifty-fifty*, privilegio delle grandi compagnie.

Fu il direttore Italo Pietra a tradurre in linea politica il revanscismo e l'aggressività petrolifera di Mattei: una politica favorevole al Terzo Mondo produttore di petrolio, filoaraba e, in Italia, neocapitalista, riformista, appoggiata dalla sinistra democristiana e dai socialisti. Verso i comunisti non si andava più in là del *fair play*, al resto bastavano le sovvenzioni dell'Eni al partito. E il provinciale che sono ci ricadde, per la seconda volta tornò a sperare, come nella guerra partigiana, in un paese laico moderno in cui il giornale dell'Eni avrebbe dato voce a una nuova cultura industriale, a pensare che saremmo diventati il giornale dell'aristocrazia operaia e della tecnocrazia che stavano facendo dell'Italia un paese ricco e moderno.

La cosa riuscì a metà: Mattei disponeva di tanto denaro, di tanto potere che nessuno gli chiedeva di mettere in chiaro i conti. Per il primo finanziamento del giornale era bastata una speculazione edilizia di alcuni terreni dalle parti di San Donato Milanese, e poi nel bilancio del colosso «Il Giorno» era minutaglia. Così arrivarono ad amministrare il quotidiano dei simpaticissimi signori marchigiani, amici di Mattei, civili, onesti ma che sapevano niente di editoria. Facemmo del *dumping* e un buon giornale, arrivammo alle trecentomila copie moltiplicando le pagine a colori, i supplementi, i collaboratori ma anche con un buon giornalismo. Italo Pietra aveva la testa di un Mazarino, arrivava al giornalismo dalla politica, possedeva, credo dalla nascita, l'arte del possibile: affidava le opinioni a laici socialisti o radicali come Umberto Segre ed Enzo Forcella, ma compensava il partito di governo facendo gestire l'ufficio romano da giornalisti democristiani, sia pure della sinistra, e condiva il tutto con una grafica rivoluzionaria, una cronaca svelta, un forte impegno di inchiesta.

Al «Giorno» si poteva essere coraggiosi nei riguardi del vecchio *establishment*, era una grossa breccia apertasi di colpo nel muro compatto della subalternità alle grandi imprese e alla ricca borghesia e nel gioco senza fine delle opportunità. Se a Mattei «Il Giorno» serviva per la sua politica del petrolio, ai giornalisti serviva per fare del buon giornalismo. I signori della Confindustria e i loro giornali avevano picchiato sulla testa di Mattei e dell'Eni ai primi passi? E ora con «Il Giorno» Mattei si toglieva il gusto di restituirgli pan per focaccia, di tagliargli un po' le unghie.

A me «Il Giorno» di Pietra e di Mattei dava via libera per andare alla scoperta dell'Italia.

C'era una grande sconosciuta al principio degli anni Sessanta: la provincia industriale. Non si nascondeva, anzi ostentava i suoi vizi e le sue virtù, la sua volgarità e la sua vitalità, il suo caos e le sue conquiste, ma la stampa padronale la ignorava come un parente povero, parlava solo, come da comunicato confindustriale, dei suoi aspetti positivi e folkloristici, le cifre dell'export e le fiere con taglio di nastri fatto dagli onorevoli e benedizioni dei vescovi. «Il Giorno» ruppe quella versione parziale e idilliaca, ci mandò in giro per quella miniera a cielo aperto. Cominciai da Vigevano, la città delle scarpe.

Non c'ero mai stato e mi colpì forte. Attorno alla stupenda piazza leonardesca era un correre continuo e affannoso di migliaia di piccoli imprenditori che nascevano e morivano nello spazio di pochi mesi, come moscerini fra primavera e autunno. Sotto la nebbia che esala dal Ticino tribù fameliche giungevano dal Veneto povero o dalle lontane Calabrie; sui prati di erba umida su cui correvano i falconieri degli Sforza un crescere alla rinfusa di capannoni, villette, baracche; nelle risaie e lungo il fiume dove si alzano i pioppi di pelle bianca, la tomaia e la colla avevano spento il grido del sorvegliante «pianté ben tosan», piantate bene ragazze. Contadini inurbati, mondine scomparse. Una imprevedibile, esaltante e oscena pentecoste industriale aveva infiammato in questa quieta provincia uomini di forte avidità e di nessuna lettura, li aveva trasformati in produttori e venditori, monoglotti ma impavidi di fronte alla babele mondiale: «A me se mi chiudono il Congo me ne sbatto. Ti penetro in Birmania», «Me mi faccio capire da tutti, con la grana ti capiscono tutti».

Quante fabbriche e fabbrichette in quella Vigevano? Impossibile dirlo, l'unico elenco degli industriali è quello telefonico, nel 1961 se ne possono riconoscere novecento, ma cambiano di continuo fra i nuovi e i falliti. Le amministrazioni aziendali sono affidate a una signorina che ha fatto la scuola di avviamento, megalomane chi assume un ragioniere, da aspettare la domenica nella piazza Ducale al caffè Commercio per gridargli: «Un ragiunier, in te n'uficina, ma te see matt! Ma chi te credes d'es diventaa!». La nuova ricchezza che arriva la domenica nei caffè della piazza è ansiosa e sospettosa, non ha come la vecchia borghesia compradora la certezza dell'agio e del privilegio, ignora anche il candido rispetto dei piccolo-borghesi e dei contadini per il denaro, ha verso il denaro come una voglia di stupro, un desiderio vergogna, una foia che a malapena nasconde. Modesti a Vigevano! Niente pubblicità sui giornali locali: «Sa com'è, preferisco non mettermi in piazza», «Qui se ti firmi con nome e cognome sei perduto».

Di quella Vigevano Lucio Mastronardi era l'io parlante. La Vigevano operosa e feroce, rozza e impietosa lo avrebbe fatto a pezzi, ma senza di lui non esisteva, come lui senza di lei non avrebbe mai trovato la rabbia per scrivere. Era di nervi fragili, di grandi pudori il Lucio Mastronardi. Quando mandò il manoscritto de *Il calzolaio di Vigevano* alla Mondadori non gli risposero neppure per dirgli che non interessava. Aveva conosciuto Elio Vittorini, il più noto dei consulenti editoriali e scrittore famoso, andò a cercarlo a Milano, nella casa sulla darsena del Ticinese, ma era a Torino. Disse alla cameriera: «Mi spiace, volevo solo salutarlo per l'ultima volta». Poi lo videro nell'atrio della stazione centrale «che camminava e gesticolava come un pazzo». Fermato da un controllore all'ingresso ai binari si era messo a urlare: «Io sulla tua divisa ci sputo». Ma chiamarono la polizia solo quando tirò fuori da una tasca delle banconote e le lanciò a sfarfallare nell'aria.

Lo arrestano, lo portano in un carcere sul cui ingresso sta scritto «Vigilando redimere» e l'indomani i giornali scrivono di lui: pare che sia un poeta, pare che sia stimato da Vittorini, la Mondadori sta per pubblicare un suo libro. Lo liberano. Alla stazione di Vigevano incontra un industrialotto delle scarpe, già suo compagno di scuola: «Lucio, tu sì che sei forte». «Forte perché?» «Ma come io spendo milioni in pubblicità sul "Corriere" e tu con uno sputo riempi i giornali?»

Aveva a Vigevano una piccola casa e un piccolo tinello, dove avremmo potuto parlare tranquilli. Ma non riusciva ad essere tranquillo, la Vigevano che lo odiava e lo stroncava era qualcosa senza cui non avrebbe respirato, vissuto. Come il direttore didattico che lo aveva cacciato dalla scuola, come la moglie del direttore, la maestra Ficarotta. Le telefonava nel cuore della notte e le cantava al telefono quel nome, allungandolo: «Ficarottaaaaaa». Lei che lo riconosceva dalla voce gli gridava: «Va a pianté el ris zuvnot», vai a piantare il riso giovanotto. Quasi un apologo della vigevanesità: a chi ti insulta, a chi ti offende rispondi con la regola canonica della bassa, «purta a ca' el ris», portalo prima che marcisca, tieni sul sicuro, solo quel che è tuo è tuo. No, Lucio in casa sua, nel tinello, si immelanconiva, forse per i taciti rimproveri della moglie, i suoi sospiri.

Preferiva parlare con me seduti a un tavolino del caffè Commercio, mentre dagli altri tavoli o dalle auto che passavano lentamente quelli di Vigevano ci guardavano fra il sospetto e il disprezzo: «Chi sa cosa si dicono quei cornuti, chi sa cosa gli conta il Lucio al giornalista di Milano. Se gli fa il mio nome lo aspetto sotto casa, lo spacco». Cercavano di capire quel che dicevamo dal movimento delle labbra, si avvicinavano senza averne l'aria dietro la siepe del *déhor*, cercavano di incastrarlo come ne *Il maestro di Vigevano*, dove il maestro va al caffè e si mette a raccontare di suo cognato che ha messo su una fabbrichetta ma ha trovato il modo di non pagare le tasse, e uno dei tavoli vicini che ha ascoltato fa subito la spiata alla Finanza, perché un concorrente in meno è sempre uno in meno.

Gli piaceva anche portarmi alle Rotonde di Garlasco, cinque silos del riso alti come una casa collegati da uno stanzone e trasformati in discoteca. Stava a un tavolino con il suo cappelluccio sulla nuca, piccolo, fragile e si teneva vivo, si teneva in piedi guardando la rozzezza di quel mondo che stava per passargli sopra come un trattore carico di cento quintali di riso. E per non farsi schiacciare, in un crepuscolo nebbioso si lasciò scivolare in una roggia dove lo trovarono due giorni dopo, impigliato ai rami.

Era divertente, eccitante e anche facile fare il giornalista in quella Italia «della prima volta». La prima volta che i terrazzani e i viaticari pugliesi, poverissimi fra contadini poveri, andavano a raccogliere funghi, cicoria e lampascioni in motoretta; la prima volta che sulle strade per il mare si formavano code di decine di chilometri e la gente era così soddisfatta di partecipare a quella prima volta che la coda diventava come una festa popolare, la gente scendeva dalle auto per salutarsi, per scambiarsi panini, per chiedersi da dove veniva. Ricordo come mi si gonfiava il petto di ammirato stupore guardando il fiume di luci, *rétour de la mer*, sui tornanti della Scoffera o della Cisa.

E per la prima volta, su un giornale lombardo, ma che dico, italiano, usciva un ritratto veridico della famiglia dell'onnipotente cementiere Pesenti, padrone di Bergamo. Purtroppo il vecchio Pesenti si svegliava alle sei del mattino e alle sette aveva già visto i giornali, così poté far sparire dalle edicole molte copie de «Il Giorno». Lo aveva fatto impazzire di rabbia la descrizione che avevo fatto dell'amministrazione familiare: il frigorifero chiuso con un lucchetto per impedire i furti della servitù, il figlio che prestava l'auto agli amici ma poi gli presentava il conto per l'usura macchina e gomme.

Come era cambiata quella Bergamo! Solo pochi anni prima dalla città alta vedevi l'ordine contadino ai tuoi piedi: i campi verdi di erba, gialli di frumento dentro la punteggiatura precisa dei gelsi, i cascinali a distanza regolare, la distanza percorribile dalle bestie da lavoro, i borghi fermi attorno ai campanili in un tempo silente e laggiù, nei giorni limpidi, Milano. Un mondo durato millenni e ora violentato dal cemento, dalle case e dalle fabbriche nate negli ultimi tempi con la benedizione del papa bergamasco, Giovanni XXIII di Sotto il Monte. «Mi su mia bigot,» diceva Giusepi, il fratello del papa «ma i me porta i bloc.» Così partiva per Roma con le prime pietre nella valigia per farle benedire dal fratello.

Ma dove la prima volta era travolgente era nelle campagne della bassa reggiana e modenese. Sulle piazze calde del mattone cotto, sotto l'antica torre del castello estense c'erano per la prima volta automobili con targhe tedesche, inglesi, francesi. A Carpi, nella piazza grande del portico con cinquantadue arcate, come galleggiante in un miraggio sopra la baraonda industrial-mercuriale esplosa nelle fabbrichette di maglieria, centinaia di dadi rosa o azzurri con il nome aziendale sul tetto, al neon, quasi sempre femminile, Miriam, Edy, Noemi, Jolanda. Carpi dava il capogiro negli anni Sessanta, come un mondo rivoltato, stravolto e ricomposto con le vecchie pietre, i vecchi usi: donazioni di Lotario e circoli comunisti, iniziativa privata fervida e fraudolenta e *Bandiera rossa*, ponti levatoi, muri merlati e Porsche modello Carrera, dieci parole in lingua e venti in dialetto: «Ma sta tenta Tisbe, sta roba chi l'è fiapa, sagomé mel, te lo ripeto sempre Tisbe, i miei puloverini li voglio al bacio».

Il melodramma nel sangue, la Ferrari dodici cilindri nel cortile, un amante a Correggio, il popolo lavoratore che «dice no al fazismo», i *miliard* che hanno cancellato i *miliun*, le mondine che sono diventate maglieriste a domicilio in questo vulcano produttivo «che ti esplode cinquanta campionari nuovi ogni tre mesi, perché gli stranieri svelti come noi non lo saranno mai, a l'è propri acsè, o la va o la spacca, capìta la prassi?». E ragionavo, indagavo invano in questo imprendibile corpo sociale che è l'emiliano, che per primo ha messo in pratica la formula «il socialismo è il capitalismo amministrato da noi», poi riedita nel grande mondo in tutte le forme familiari e tribali, fino al monarchismo rosso del coreano Kim il Sung. Qui omogeneo, compatto, concorde nel comporre il pasticcio grasso del comunismo emiliano che a ben guardare era un'anticipazione delle leghe localistiche, una copertura rossa per nobilitare e coprire l'antico unanimismo locale, lo stesso che aveva fatto di queste province rosse nel '20 le più fasciste d'Italia nel '21, che aveva fatto passare da una settimana all'altra i braccianti rossi nel sindacato nero ai tempi di Italo Balbo e del cavalier Mussolini.

Ovidio, un padroncino di Carpi, mi portava una sera in un night-club di Modena. «A quelle» gli dicevo «dovreste dare una indennità per manate sul culo.» Ma le entraîneuse non si lamentavano, Ovidio ne chiamava due, una per lui una per me, chiamava un cameriere che portasse mille lire di mancia all'orchestra per un mambo e se al terzo mambo quelli di Modena o di Bologna protestavano, Ovidio gridava «Champagne per tutti!» e mambo fino al mattino.

A quelli di Carpi, in primavera, veniva la voglia delle sfide automobilistiche. Stavano al caffè nella piazza Maggiore con le Porsche e le Lamborghini allineate e splendenti sotto i lampioni delle dieci di sera e a uno veniva l'idea: «Puntata dieci milioni, prende tutto chi arriva primo sotto l'Arco di Trionfo a Parigi». Pagavano i caffè e via per la Carpi-Parigi. Condividevano, senza saperlo, l'etica protestante del profitto come premio divino. E lo dicevano a modo loro: «Ma chi è quel bestione che ha detto che i soldi non hanno occhi? Ce li hanno, eccome, guardano chi è capace a farli». In quei giorni il partito – il comunista, non ce n'erano altri in zona – organizzava letture di Garcìa Lorca e mostre di Guttuso. Deserte. I padroncini di Carpi stavano al caffè e si leggevano i fogli locali, «El rampein» e «El bidoun». Ovidio me ne passò uno, c'era in prima pagina una poesiola, molto terragna: «Quando passi in bicicletta / con la gonna tutta stretta / le ginocchia belle e tue / come gli occhi sono da bue». «Vi piacciono le donne bue?» gli chiedevo. «Dai, si fa per ridere. Quel che conta è che siamo in orbita e sciao!»

Del partito Ovidio parlava poco e malvolentieri, «sai qui non è mica tanto facile parlar male del partito», e aveva ragione, era il carrozzone su cui erano saltati tutti, contadini e operai, turatiani e bordighiani, fascisti e partigiani, impresari edili e impiegati del Comune d'accordo con gli impresari per fargli avere la licenza e per negarla a quelli delle altre parrocchie, rimasti in pochi. Inutile parlar della Russia come di una pietra di paragone, ti chiudevano la bocca: «Qui siamo a Carpi compagno e non copiamo nessuno, capìta la prassi?». Così il sabato piccoli imprenditori e sindacalisti, maglieriste e impiegati del municipio, il sindaco comunista e il commendatore Crotti, liberale ma così ricco da potersi permettere di esserlo anche a Carpi, sciamavano verso le marine o verso le trattorie con camere d'affitto di Guastalla, Este, Canneto sull'Oglio per quello scambio che dilagava nell'Italia miracolata: tu vieni a mangiare nel mio paese e io nel tuo, tu ti fai le nostre puttanelle e noi le tue, tu ti bagni nella mia piscina e noi nel tuo fiume.

Carpi era un passo avanti a Vigevano, a Carpi era già arrivata l'era dei ragionieri. Li andavano a prendere a Modena, a Reggio, anche a Bologna, li rubavano alle banche e agli istituti di previdenza, erano indispensabili per frodare il fisco e pagare meno contributi previdenziali, perché le lotte dei lavoratori sono sacrosante, ma farsi fare fessi è un'altra faccenda. Si era modernizzato anche il ristorante del centro, aveva un carrello dei bolliti gigantesco e rilucente come uno sputnik.

Pietra aveva capito molte cose di quella Italia che si rivelava, mi indicava il mondo contadino in disfacimento, il mondo operaio, e a me impaziente e un po' attore sembravano argomenti piatti, poco allegri, da scriverci che cosa? E invece aveva ragione, come la volta che mi mandò nella Lombardia dei treni operai. Andai a dormire a Palazzolo sull'Oglio, in un alberghetto gelido. Sveglia alle quattro del mattino, acqua gelida nella brocca, come uno schiaffo di freddo sulla faccia e poi fuori, a piedi, verso la stazione per vedere che è proprio vero quel che dicono i sociologi: l'alba di Milano incomincia a molti chilometri di distanza con un risveglio di massa.

Era buio pesto, Milano doveva essere da qualche parte in quel buio, le carrozze erano vecchie sgangherate e vuote. Eravamo al capolinea, i primi a partire dei duecentocinquantamila che ogni mattino lavorativo arrivavano a Milano fra le sette e le dieci. I primi a muoversi alle quattro erano stati quelli delle alte valli bergamasche, Brembana e Seriana, ora con noi di Palazzolo si muoveva tutta la cerchia lombarda da Cremona a Voghera, Mortara, Varese. «Mama che frecc!» «Dai movess madona signur!» Il capo alzava la paletta e si partiva alla velocità media di venticinque chilometri l'ora. Due ore per andare, due per tornare, il lavoro, la sosta di mezzogiorno, i percorsi in città. Tira le somme e sono quattordici ore al giorno, una settimana lavorativa di novanta ore come i tessitori del 1800.

Pochi, dicevo, alla partenza, una quindicina nelle carrozze di cinquanta anni prima che avevano portato al Piave i ragazzi del '99, le pareti color caffellatte, i sedili di legno chiaro, verniciato, nel corridoio la ruota del freno a mano, i finestrini con la cinghia di cuoio per tirarli su, le fotografie dell'Ente del turismo, le Dolomiti, Sirmione, Venezia. Ritrovavo il treno dell'età giovanile, dei viaggi per andare all'università da Cuneo a Torino: le doppie maniglie delle porte, oblique verso le targhette smaltate su cui si legge ancora un c so, quanto resta di CHIUSO. Mi portavo addosso nella memoria l'umido freddo di quei viaggi, quando ad ogni fermata guardavamo le maniglie sperando che non si muovessero con la voglia di puntarci sopra i piedi per tenerle ferme, ma già da fuori, dal buio arrivavano gli urli, i passi di coloro che venivano all'assalto, non andava mai bene, tac una tac l'altra le maniglie scattavano verso la targhetta dell'APERTO, in una folata di gelo e di vapore saliva il primo, protendendo la borsa di plastica con dentro, allora come ora «na quai bologna o un tuchell de furmagg» un po' di mortadella o un pezzetto di formaggio per integrare il poco che ti passano alla mensa, «e la custa già un trecentcinquanta franc». E dietro il primo gli altri a grappolo urlanti.

«Ciau sio, té vist el Milan che canunada.» Ma «il sio», lo zio, è uno di quelli sui cinquanta che appena seduti sul treno gli cadono le palpebre, «se me ne fa a mi, del to Milan». I giovani sono rispettosi degli anziani, spesso gli cedono il posto «tant sun stuff de sta giò», se vogliono cantare si mettono in fondo alla carrozza, fra l'ultima porta e il passaggio a soffietto per l'altra vettura dove il Michele di Grumello attacca una canzone che sembra da coscritti ma con dentro un po' di lotta di classe: «Se vai dal farmacista / lui ti riempie un bicerin / che ti purga le budella / e poi anche el burselin / se l'uva costa cara / c'è l'oste che è un furbon / lui mica che la compra / fa il vino col baston». Un Ruzzante in versione marxista lombarda. Poi la canzone si spegneva, il treno addormentava tutti anche i giovani con i suoi tonfi ritmati, i suoi cigolii. Attraverso i vetri appannati si vedevano luci gialle e violette, si sentiva la voce del capostazione urlare il nome del paese.

Mi guardavo attorno e scrivevo le mie note di viaggio: per cominciare sono treni su cui tutti salgono e nessuno scende

fino a Milano Lambrate, il capolinea metropolitano; le stazioni si riempiono all'ultimo minuto, tutti hanno calcolato
con precisione quanti minuti ci vogliono per vestirsi, far
scaldare il caffè, raggiungere a piedi la stazione; sono i treni
delle sigarette preziose, contate nel pacchetto per la giornata, dove il controllore conosce tutti, gli operai conoscono gli
studenti, dove gli innamorati possono stare abbracciati e
nessuno li disturba perché sono della compagnia, dove non
si fanno discussioni di politica perché è meglio non farne fra
gente che si ritrova ogni mattino e ogni sera, dove quasi tutti
conoscono a memoria la loro giornata milanese, minuto per
minuto, sempre la stessa. Alle sette e venti si arrivava nei su-
burbi milanesi che non erano e non sono esattamente quelli
«in cui si rigenera la vita di una nazione moderna», come dice la sociologia progressista americana, ma grigio ammasso
di case, casette, orti, canali puzzolenti, campetti di calcio,
chiese, oratori, fabbriche. A quell'ora era partita la seconda
ondata, la motorizzata che viaggia sui «pulmas», in auto, in
motoretta. Arrivavamo a Lambrate alle sette e quaranta, con
i soliti venti minuti di ritardo e una moltitudine di forsenna-
ti si lanciava giù dal treno ancora in moto, creava mischie furibonde all'imbocco dei sottopassaggi, attraversava di corsa i
binari fra gli urli dei poliziotti, si spintonava, si ingorgava
mentre il controllore a me rimasto seduto a guardare diceva: «Gli hanno pagato la mezz'ora anche oggi» per dire che
gli avrebbero tagliato la paga per il ritardo.

Non sono mai stato comunista e neppure socialista nen-
niano ma mi pareva di potere scrivere di quella gente «un
macchinario sottoposto a usure dinamiche eccessive». Passavo per uno di sinistra, ma non lo ero per niente. Soltanto
che se un ricco o un potente diceva delle coglionerie gli dicevo che erano coglionerie ed è quanto basta da noi per farti
scambiare per un sovversivo. Se lo svecchiamento dell'Italia,
la caduta dei vecchi steccati sociali erano di sinistra ebbene
lo ero. Mi andava bene che la gente cominciasse a vestirsi allo stesso modo, che uno non avesse più scritto sul suo vestito, sul suo cappello, sulle sue scarpe io sono un operaio, io
sono una cameriera, io sono un ricco, io sono un potente. Mi

piaceva che per la prima volta milioni di italiani andassero in vacanza, che vedessero per la prima volta dal vero il mare e le montagne, che le conoscessero con gli occhi, l'olfatto, il tatto e non attraverso i libri di scuola. Certo gli italiani qualsiasi non osavano ancora entrare nelle *enclaves* dei ricchi, al Savini di Milano, a Portofino, a Cortina, ma gli giravano già attorno, sapevano che le sbarre del confine di classe erano state abbattute, presto avrebbero osato, sarebbero entrati, fosse solo per vedere, di passaggio.

Ero un po' infatuato del progresso e della crescita di quella Milano che aumentava ogni anno di centomila abitanti, che in un anno costruiva quarantamila alloggi, cinquemila uffici, seimila negozi. E così anche il provinciale che ero si decise a varcare il portone della Borsa per conoscere il cuore di quel mondo frenetico e ottimista. Mi fece entrare Renato Cantoni, finanziere colto, affidandomi al giovane Ventura che oggi è il presidente degli agenti di cambio e va a Roma a trattare con il governo. Mi accompagnò vicino a una *corbeille* e mi raccomandò di non muovermi, fino alla chiusura. Stavo aggrappato alla balaustra della *corbeille* in mezzo al vortice degli ipertesi, isterici, prossimi all'infarto che si disputavano Catini e Pirellone, fra urli, imperativi o imploranti, troncati da una decisione irrevocabile: «Le do, le do», «Gino, ne prendo, ne prendo». Odori febbrili da casa da gioco, odori di ansia e di gioia, eccitanti, ma con qualcosa di malato e di sofferto, luci come su un ring, come in una sala operatoria, come sulla poltrona del dentista, luci a cono sulla faccia stravolta di una umanità avida o stremata o eccitata. Una recita corale nel frastuono, con intreccio di mimiche da sordomuti: la mano che disegna una greca per dire le Generali, una che mima l'onda del mare per dire le Ras Adriatica Assicurazioni. Operatori arrampicati sulle spalle di un collega per far arrivare il loro grido «Le do, le do» come scimmie su un albero; altri chiusi e dolenti come Antonio sul cadavere di Cesare; furori veri e simulati a ogni scarto, oscillazione, increspatura della quota mutevole sul grande quadro delle azioni punteggiato da luci bianche e scarlatte.

Ora stanno facendo un nuovo palazzo della Borsa tutto

elettronico. Peccato perché il vecchio era stupendo. Il salone delle grida un po' come la Scala, gironi di finestre come di palchi fino al velario. Finestre di vetri rosa sempre chiuse come a nascondere retroscena affaristici erotici. Dall'alto, dalle tribune del «parco buoi» del pubblico le *corbeilles* sembravano fiori mostruosi, coaguli di esseri gesticolanti che a tratti se ne dipartivano, rapidi come gocce di mercurio su un piatto. Un popolo affetto dalla megalomania che ti viene stando in mezzo a fiumi di denaro e alla lunga ti convinci che sono quasi tuoi, parli di miliardi come fossero bruscolini.

Prima di venire in Borsa gli agenti sono passati nei loro uffici funerei per leggersi con calma e applicazione i necrologi del «Corriere». Lettura importante, non evitabile. Magari il defunto è un tuo cliente e adesso gli eredi ti chiedono di retrodatare la vendita dei titoli per non pagare le tasse di successione, oppure puoi convincerli a liquidare i pacchetti azionari che puoi offrire a prezzo maggiorato a uno che tenta la scalata di una società. Puoi anche capire dai necrologi i veri organigrammi delle grandi famiglie delle grandi aziende. Toh, partecipano costernati al dolore per l'immatura scomparsa della cara Angelina Bozzi anche quelli della Edilcase. Chi l'avrebbe detto che i Bozzi avevano un piede nella Edilcase. Bisogna anche vedere se la tua partecipazione al dolore per la dipartita della Angelina Bozzi è stata pubblicata con risalto, così la gente pensa che tu sei del giro dei Bozzi.

Certe mattine alle undici suona una sirena e tutti si fermano. Se n'è andato uno di loro, quasi sempre di infarto. Un mestiere difficile, da fare con grande attenzione: stare attenti ai piccoli che sfogano nelle grida i loro complessi naneschi! Non perdere di vista quello di cui si mormora che la Commerciale gli ha chiuso il credito. Ma in comune hanno l'avidità del giocatore e la voglia di emozioni di chi rischia, presi da quel loro muoversi in una fluida corrente di soldi, sfuggente, imprevedibile come gli umori di chi è attento a cogliere tutte le voci, sempre alla ricerca di quel momento magico che ti fa ricco, in cui domini la fortuna, la fermi, consumati in questa rincorsa continua, consolati dalla mitomania e dalla megalomania. Ora nel caos incomincio a vedere un ordine militare. Accanto ai tavolini illuminati da lampade rosa degli agenti di cambio i loro procuratori stanno in piedi come comandanti di una nave sulla tolda, come se dirigessero a voce a gesto il fuoco di una batteria. Seguendo gesti e sguardi trovo in prima linea vicino alle *corbeilles* i loro agenti e portaordini che fanno la spola fra la trincea e il comando, fra le *corbeilles* e i duecentosettanta tavoli degli agenti.

Millecinquecento persone, tutti i giorni dal lunedì al venerdì, in mezzo all'incrociarsi e al sovrapporsi di indizi, favole, nevrosi, confidenze, colpi bassi, giochi d'azzardo, fissati bollati, liquidazioni, «Catini! Catini!», «Le do, le do», «Sergio ne prendo mille», «A me, a me» e segni di strombettamento per dire la Fiat, pollice e indice accostati all'orecchio per dire E, la Edison, sfregamento dei baveri della giacca per la tessile Viscosa. Arriva finalmente la chiusura ma i cronisti hanno già telefonato il loro commento che è sempre il medesimo a pendolo, o è «il denaro incerto in apertura che poi si è tonificato per l'intervento delle mani forti» o è «il denaro forte in apertura che poi si è diradato per le ben note incertezze politiche». Poi tutti assieme a prendere i cappotti scuri, tutti nei ristoranti circostanti per mandar giù un boccone, tutti di corsa negli uffici funebri per le contrattazioni del dopoborsa, sempre al telefono per scambiarsi voci, nevrosi, vaghe supposizioni.

Ero appena passato dall'«Europeo» a «Il Giorno», quando capii che il mio primo matrimonio era davvero finito. E non volevo capirlo, dicevo di no caparbiamente alla freddezza crescente, alle assenze e alle presenze che animavano quel crepuscolo come fantasmi, cercavo le confidenze, l'aiuto di coreografi e ballerine classiche che restavano come paralizzati dallo stupore scoprendo che un essere umano può essere turbato, angustiato da qualcosa che non è una *pirouette* o un *pas de bourrée*, riuscivo solo a convincerli che lei aveva perfettamente ragione, come poteva convivere con uno a cui non importava nulla di un *arabesque* o che Aurel Milloss stesse allestendo *Sei danze per Demetra*? Ma capii quel giorno che andavamo in auto a Venezia per un weekend e io le chiedevo cosa avesse, perché fosse così cambiata e lei non rispondeva, guardava avanti con quel suo bel viso bianco-rosato, finché sollevò la mano destra con l'indice e il medio tesi a V e avvicinò quella forca alla gola per dire che era soffocata, che si sentiva impiccata, senza più respiro da quel nostro matrimonio. E sentendosi ora in procinto di asfissiare, ora un po' sollevata, la tirò avanti per più di un anno finché una sera si congedò definitivamente, sul portone di casa, in via Vitruvio, lasciandomi fra le braccia Nicoletta che aveva meno di un anno. E lì cominciò la mia lunga stagione dell'orgoglio ferito e dell'autocommiserazione.

Avevo assunto come nutrice della mia bambina una friulana di nome Giovanna, alta, grigia e triste la sua parte per una vita spesa servendo gli altri. Mi sembrava di vivere con una infermiera. Voleva molto bene alla Nicoletta e pensava di far bene vestendola secondo i suoi gusti friulani. Rientravo in casa e me la vedevo comparire davanti, nella sua fragilità luminosa, nel suo amore un po' impaurito per quel padre che aveva rotto con la mamma, con delle scarpette di vernice nera e fibbia dorata e collettini di pizzo e allora l'abbracciavo stretta stretta, questa amatissima figlia che ha impiegato più di venti anni a capire che sua madre se ne era andata di sua volontà e non perché tutti gli uomini sono prepotenti e carogne, come le faceva capire la Giovanna, infelice zitella friulana. Una donna dura ma di grande dignità, quando l'ebbe allevata se ne andò al suo paese Attimis, senza chiedere riconoscenza e amore.

La vacanza ad Attimis era una grande avventura per lei e per la Nicoletta. Partivano in treno, cariche di bevande, di cibi. La Giovanna era di quelle che ogni cosa che cuociono, spinaci, rape, trippe, merluzzo, la fanno morbida e saporosa. Poi andavo a trovarle. Attimis era un campanile lungo la provinciale, tre vecchie case fra cui quella della Giovanna e una caserma degli alpini. Un maresciallo degli alpini veniva spesso a pranzo, si era affezionato alla Nicoletta e le faceva bere la grappa per addormentarla. Un anno la gracile e luminosa mi tornò con il fegato ingrossato.

E io continuavo ad autocommiserarmi, a sentirmi ferito nell'orgoglio: ogni volta che incontravo mia sorella Anna e suo marito Detto, sì il mio comandante partigiano, mi dicevo, lo so quel che pensate, lo so quel che mi dicevate: «Stai attento», «Pensaci bene». E mia madre? Un cuneese che sposa una inglese! Lei ora non diceva niente ma faceva quella faccia quadrata, a mascelle serrate dei cuneesi quando vogliono farti capire che non hanno più nulla da dire, che se hai voluto impiccarti peggio per te. Il giornalista di successo alla conquista del mondo, piantato da una ballerina! Il giornalista di cui aveva parlato bene al commendator Rizzoli il direttore del «Corriere della Sera», piantato da una ballerina della Scala! Stavo rompendo l'anima a parenti e amici, ma insistevo. Mia sorella Anna mi salutava ridendo: «Ecco lo schiavo d'amore». Una sera a casa Leydi arrivò la Ornella Vanoni nel pieno della sua bellezza e della sua simpatia. Capì che ero triste e cercò di essere affettuosa, gentile. Me ne ebbi quasi a male. Ma come, non capiva il mio dramma? Inseguivo la fuggiasca per l'Italia, una sera a Roma la trovai in casa dell'attrice Pitagora e tanto feci e dissi che andai a dormire in casa sua, su un lettino del salotto. Lei, come sempre, era cortese, educata e mi veniva voglia di strozzarla, come la volta che pazzo di gelosia e di amore corsi nella notte a Torino per vuotare il sacco dei miei dolori con mia sorella e Detto, e al ritorno a Milano alle sette del mattino lei già sveglia per la lezione alla Scala mi chiedeva, come in un racconto di Wodehouse: «Gradiresti una tazza di tè?».

Chi sa se fu questo confuso groviglio di dolore e di orgoglio, di maschilismo e di autopietà, o il lavoro massacrante che avevo fatto in quel primo anno a «Il Giorno», o l'organismo che sui quarant'anni rimescola la sua chimica, fatto sta che divenni un nevrotico allo stato acuto. Andai a farmi visitare da un amico neurologo che se la cavò con un pizzico di inglese, dicendomi che ero un *breadwinner*, uno che dava un po' i numeri ma che trasformava la nevrosi in lavoro, che si guadagnava il pane. Forse aveva ragione, forse la nevrosi serviva a quel mio giornalismo tutto impressioni, sensazioni, lampi, intuizioni, che quando lo rileggo non so se è bello o brutto, ma mi sembra comunque scritto da un altro, un po' invasato. Però soffrivo da pazzo. Mio dio, quel pomeriggio a Monza, alle prove del Gran Premio, con quei rombi che mi laceravano le budella, quella voglia di vomitare, quei brividi; oppure mi sentivo il cervello puntare in alto come un cuscinetto irto di spilli; e un giorno che ero in piscina il mio amico Valerio, marito di una Cederna, mi vide balzare in piedi e tuffarmi, in mezzo al brulicar dei bagnanti, come un pazzo e un po' lo ero. Nella mia nuova casa di via Vanvitelli, non lontano dalla vecchia Rizzoli, mi ero scelto come studio una stanzetta a mansarda, e ci passavo ore, rannicchiato come nel grembo materno. Pietra che mi osservava e che capiva le cose senza chiederle un giorno mi disse: «Mi è venuta un'idea. Dovresti prenderti un fotografo e una barca a motore, sai di quelle da pescatore, con il diesel che non si rompe mai, partire da Napoli e raccontare cosa è l'Italia fino a Reggio Calabria». Il fotografo era di Melzo, aveva sposato una svizzera e si trovava benissimo, chi sa forse le svizzere sono diverse dalle inglesi, o quelli di Melzo son diversi da quelli di Cuneo.

Sono molto grato a Pietra per avermi fatto vedere fra gli ultimi l'Italia stupenda che non c'è più. Vicino a Sorrento si era ritirato, ammalato e stanco, il vecchio Maresca, il ragioniere napoletano, alto, grosso, con due baffoni neri e occhi buonissimi che nel '45 era arrivato a Torino in cerca di fortuna e un po' l'aveva trovata, sorridendo quando c'era da piangere, trovando divertente quel lavoro duro che consisteva nel vendere fotografie a giornali che per le poche pagine non potevano pubblicarle. Ma lui passava sorridendo e se il redattore capo lo sfotteva guardava noi e faceva un gesto per dire: ma sì, è un bravuomo anche lui. E riusciva a piazzare «La prima bagnante nel mare di Alassio» o «Piazza San Carlo deserta: è ferragosto!». Poi arrotondava vendendoci le macchinette per fare le sigarette, dei tubetti metallici uniti da un pezzo di tela da cui non sono mai riuscito a cavare qualcosa di fumabile che non fosse di carta e basta, o i primi yo-yo e se gli dicevi: «Maresca, ma che cazzo di roba mi vuoi vendere?», lui faceva un sorriso per dire sì, son schifezze ma tu sei un amico. Con quel sorriso aveva convinto anche sua moglie: neh Mariuccia, lo so che a te piacerebbe di più la tua val di Lanzo, dove stanno tua zia e le tue cugine, ma fammi un favore, mi resta poco da vivere, andiamo giù a Sorrento, a casa mia.

Si era comperato una barchetta, andava a pescare, lasciava che il suo male lo divorasse, in pace anche con lui che lo stava uccidendo. Mi portò da un suo amico che aveva un aranceto a livello del mare a Massa Lubrense: il tendaggio verde ci riparava dal sole, filtrava una luce dorata, stavamo seduti davanti al mare azzurro al tavolo di pietra coperto da una tovaglia bianca, come Dei dell'Olimpo che contemplano la bellezza del mondo. Maresca moriva di mal di fegato ma chiedeva a sua moglie con quel sorriso a cui nessuno di noi aveva mai detto di no se poteva bere un bicchiere del bianco gelato che stava in caraffa: «Sì Mariuccia, lo so che mi fa male, ma ormai cosa cambia? E poi è arrivato il mio amico Giorgio, te li ricordi quegli anni a Torino?». Mariuccia diceva di sì con lo sguardo e Maresca alzava il bicchiere nel gesto sacro della elevazione che i bambini imparano in chiesa, a messa, il gesto del prete, il gesto dei contadini e dei signori, il gesto degli uomini.

Sotto Salerno le spiagge del Mezzogiorno splendevano nella loro pura solitudine; bianche di ghiaia bianca, di sabbia chiara, di conchiglie perlacee. A volte si incontravano armenti portati dai pastori alla frescura, mandrie di bufale ancora infangate dallo stagno vicino; se scendevamo a terra i pastori si nascondevano dietro le dune, noi facevamo il bagno o restavamo seduti sulla spiaggia in quell'irreale scampanio delle mandrie. Dopo Palinuro si faceva scalo in porticcioli da pescatori, si pranzava sul molo con il pesce preso strada facendo, cotto alla brace, si dormiva nei sacchi a pelo e il fotografo di Melzo prima di addormentarsi mi raccontava di come fosse precisa la sua moglie svizzera, «sai tiene lei i conti, io le do lo stipendio il ventisette del mese e pensa a tutto lei». «E le sigarette?» «Be' quelle me le compero io.» Chi sa, incominciavo a pensare, forse mi è andata bene.

L'esaurimento nervoso, come lo chiamavamo allora, se ne andò misterioso come era arrivato. Un giorno che ero da mia sorella e lei mi vide prendere una pastiglia di Librium disse: «Ma non lo sai che il Librium deprime?». Buttai via tutte le pillole che avevo nel cassetto e sentii che la camicia di Nesso mi era scivolata dalle spalle. Sì, ogni tanto la bestia sembrava risvegliarsi, quel caldo fra petto e gola, quelle fitte sotto il mento, quel tremolio del labbro, ma insomma ero fuori. Ed essendone fuori avevo anche di lei ricordi attraenti, come la capacità di riconoscersi fra nevrotici da un gesto, da un lampo negli occhi. Entravo in una casa dove c'era una festa, un ricevimento, mi guardavo attorno e subito lo trovavo, uomo o donna, con la mia stessa ansia, la mia stessa visione subacquea del mondo, il mondo visto come in una trasparenza fluida con luci e ombre agli altri invisibili; e come due pesci della stessa razza ci avvicinavamo, ci mettevamo a parlare e di che se non della nostra nevrosi? «Anche lei di notte si sveglia madido di sudore?» «Sì anch'io.» «Ma secondo lei come fanno questi a divertirsi tanto?» «Già, come fanno?»

Fuori dalle nevrosi, non più schiavo d'amore, fui preso dall'idea stupida ma irresistibile di rivivere la mia gioventù, cosa che capita ai quarantenni, abbandonati o meno dalla moglie. Ritrovare le donne dei vent'anni. Una stava a Genova, l'avevo amata perdutamente ad Arenzano dove arrivavamo da Cuneo in bicicletta per piantare le tende nella villa di un nostro amico. Lei sedicenne, bellissima, irradiava luce e grazia, ma era una ragazza genovese della media borghesia a cui i genitori avevano trovato un fidanzato armatore. Li incontrai a Cortina nel '41, appena sposati, lui non mi conosceva e tirò avanti, lei mi guardò fra la gioia e la paura, un gesto della mano passando. Adesso che la ritrovavo quarantenne aveva due figli sui vent'anni che mi osservavano con ostile curiosità e due amiche che partecipavano alla nostra rivisitazione di una adolescenza perduta prestandoci la casa a Rapallo, venendo al ristorante con noi per sentire parlare di un amore che non c'era più. Intanto avevo ritrovato a Torino Lucia, l'impiegata che andava al mare a Venezia e noi salimmo sulla sua carrozza a Vicenza dopo aver vinto la corsa del Pasubio su per le cinquantasei gallerie. Era sempre impiegata alla Toro Assicurazioni, ci incontravamo all'albergo Dock dalle parti di Porta Susa. E poi correvo a Parma per Elena, la signora che avevo conosciuto a Limone Piemonte, ancora fiorente di pelle bianca. Andavamo a Ongina di Busseto dove nella saletta da pranzo del ristorante c'è un ritratto di Verdi e l'ostessa ha la sua stessa faccia, lo stesso naso. Ma non durò molto, mi stancai di passare la mia vita correndo in auto da una città all'altra. Mi restava comunque addosso una frenesia di vivere, di rifarmi di chi sa quale vita perduta e allora mi ributtai nella mondanità.

Mariuccia Mandelli, la stilista, mi aveva arredato la casa da stilista, tavolini di bambù con piatti d'argento, lampade Secondo Impero, sofà in pelle scura, moquette nocciola, ed era come un porto di mare: invitavo architetti, urbanisti, pittori, attori, industriali, belle donne, donne depresse, donne stronze, ma non stavo lì a giudicare, mi andava bene tutto pur di avere la conferma che ce l'avevo fatta, che ero un piccolo Rastignac che aveva conquistato la sua Parigi. Giovanna la nutrice friulana disapprovava, ma cuoceva buoni cibi con grande soddisfazione dei ricchi che amano mangiar bene, ma a casa degli altri. Stava da noi anche Walter, un nipote della Giovanna che, al colmo delle feste, faceva capolino e si lasciava travolgere dalle danze. Ma se si affacciava Nicoletta subito appariva la Giovanna, dura e grigia come una contadina di Cézanne, e diceva: «Niky non è da te».

Durò poco anche la mondanità, mi riprese il gusto di conoscere la Milano delle periferie, della povera gente, come da ragazzo quando ero amico dei poveracci, come la volta che avevo dimenticato il paltò nuovo sulle tribune di piazza Regina Elena, corsi disperato nel buio a cercarlo ma non c'era più e alle dieci di sera suonarono alla porta, era «il negrito», lo storpio, figlio di una puttana di via Boves che lo aveva trovato, riconosciuto e che me lo portava. Così mi affezionai all'Idroscalo, «el mar di puverett». Barca numero 18, «Lascia stare il documento, il signor Bocca lo conosciamo» diceva l'uomo dell'imbarcadero, magro come la gente di fiume. La barca scivolava sull'acqua verde e densa come un brodo di coltura di innocui microbi ambrosiani e passavo lento davanti ai «puverett» nudi al sole con il suono delle radioline che sembrava uscirgli dalla pancia; le loro giovani mogli annoiate con il viso fra le mani, lo sguardo fisso sull'acqua.

Gli uomini abbronzati e magri stanno fermi nell'acqua fino all'inguine e rovistano fra le pietre e la sabbia con i gesti sicuri dei raccoglitori di cozze o di vongole, gli uomini del mare arrivati nel piccolo mare di Milano, nelle tiepide bagnarole, da Acitrezza, Trani, Brindisi. Le loro donne guardano l'acqua, non sollevano mai lo sguardo al cielo, ai carrozzoni volanti che arrivano e partono dalla vicinissima Linate, solo ogni tanto cambiano positura, spostano il viso da una mano all'altra: migliaia di giovani maritate, incastrate in una vita grama, fuggite, nel pomeriggio, da un alloggetto bicamera caldo come un forno l'estate. Una sposina lascia che i suoi due bambini si insozzino nella fanghiglia. Ogni tanto lungo la riva dei «puverett» passa rombando il motoscafo di quelli dell'altra riva, i ricchi che fanno lo sci d'acqua, onda possente che sbatte a riva i canottini, i secchielli, le lenze fra imprecazioni nei dialetti del Sud. Ma l'allenatore in piedi nel motoscafo ha altro a cui pensare, «Dai Maria Piera, su il sedere, prendila decisa la curva, dentro la scia, stai dentro la scia».

Le battone notturne hanno la loro spiaggia in fondo, alla punta dell'Est, dove l'acqua esce per una galleria diretta a Peschiera Borromeo. Uscite dalla lunga notte per riscaldarsi al sole per durare un'altra notte. Spelacchiate e fulve come vecchie leonesse. E il «garga», il magnaccia, lì dietro sulla sedia a sdraio che ascolta la radio e fuma le Marlboro. Noi milanesi dell'Idroscalo popolo vario: l'industrialotto che ha messo su pancia e rema per farla andar via, il metalmeccanico in attesa del turno, le magre con le gambe a cavallo largo e le lupe di mezza età ma ancora piacenti con la gamba bianca che esce dalla sottoveste nera, la casalinga che si è portata il lavoro da fare e ha attaccato il porta-aghi sul risvolto della vestaglia, e accanto la figlia diciottenne, alla vigilia di quei pochi anni, tre o quattro, in cui si brucerà la sua giovinezza: il ballo, l'amore, i Beatles, un fidanzato e poi l'alloggetto bicamera caldo come un forno l'estate, in periferia. Passando davanti all'Oscar Saloon vedo due racchiette vestite, sudate, a piedi nudi sul cemento caldo che mangiano un panino al formaggio mentre il juke-box canta «Come eravamo felici, felici, felici».

Con i pescatori devo stare attento: se nuoto nella loro acqua anche a cento metri dalla loro lenza gridano, protestano. Hanno pagato duemila lire il permesso municipale per pescare tinche che sanno di fango, ma sono attrezzati come se fossero in un fiume canadese, come il Mattei, il presidente dell'Eni che salta sul suo jet, il jet della società, e va a pescare nei paesi iperborei. E un giorno il Pesenti della Italcementi gli ha fatto sapere: «Se quel suo Bocca si occupa ancora delle mie faccende i miei giornali si occuperanno delle sue pesche in Norvegia». E Italo Pietra me lo spiega puntando il pollice sulla scrivania: «Puoi andare fin qui, non oltre. Hai capito?». Sì, certo, avevo capito.

La notte era tiepida, il profumo degli eucalipti dava un po'
di capogiro, nella luce dei fari del taxi, guardavo la terra
promessa. Ci fermammo a far benzina, la pompa era primitiva, un pilastrino, come nelle terre di frontiera, e stava sotto
un grande cartellone in cui si vedeva Sansone sollevare la
mascella d'asino per far strage dei Filistei. Si era nel 1956 ed
era la mia prima volta in Israele, un viaggio per le memorie
e le grandi favole dell'Antico e del Nuovo Testamento. Noi
del vecchio mondo siamo abituati a vederlo, a sentirlo il
mondo attraverso la storia e la letteratura, attraverso la mitologia e le religioni, i viaggi nei paesi senza storia per noi
sono come viaggi lunari. Pieno che fosse di cose vere o false,
di storia o di leggenda, quel viaggio per le memorie era stupendo: mi indicavano un albero nel Negev ed era il tameri-
sco di Abramo, vicino a Eilat in una gola selvaggia prendevo
fra le dita i resti di fusione delle miniere di re Salomone,
camminavo per i campi bruciati di Sodoma e Gomorra, mi
sedevo sotto gli ulivi dell'orto di Getsemani, salivo al Golgo-
ta, mi fermavo nella sala dell'ultima cena e i problemi politici e militari di Israele, le sue grandi anomalie si appannava-
no in quei miei sentimenti e commozioni di provinciale che
ritrovava le Vie Crucis delle sue povere chiese alpine, i pal-
mizi, i turbanti, i cammelli arrivati con la fede nelle nostre
valli.

Israele era appena uscita dalle battaglie furibonde per la
fondazione, sulla strada fra Tel Aviv e Gerusalemme si vedevano ancora carcasse di autoblindo, di camion e il nostro
modo di viaggiare in taxi come su un autobus, i primi sei

della coda che salgono sullo stesso taxi senza conoscersi, sembrava un viaggiar militare, di reclute che raggiungono i reparti. Nei campi della Giudea c'erano le trincee come sul Pasubio o sull'altipiano di Asiago, nella striscia di Gaza i campi profughi mescolavano il loro odio all'odore acre del latte in polvere e della farina di pesce che marcivano al sole, doni non graditi delle Nazioni Unite. Eppure nel paese, nella gente c'era come un senso di pace dopo la tempesta, il sentimento di aver messo radice, di aver compattato la nazione.

Nelle città e nei kibbutz incontravo ebrei appena arrivati dall'Italia con cui si parlava di comuni amici, i Momigliano, i Levi di Torino; al ministero degli Esteri avevo incontrato un Segre che aveva diviso con me per qualche giorno il gelido alloggio della indomabile Emma Sacerdote, a Torino, via Legnano, inverno del '46. Ebbi un breve amore con una hostess della El Al. Non era bella, soffriva di asma e mi portava in alberghi che a lei dovevano sembrare bellissimi, alberghi di lusso per ebrei americani con candelabri a sette braccia dovunque, in sala da pranzo, nelle stanze, nei corridoi. Sale da pranzo piene di turisti che fingevano di essere di stretta osservanza, con la calotta nera in testa e il cibo rigorosamente *kasher*, appena arrivati dagli hamburger sanguinolenti di Manhattan.

Il rimorso dell'Europa per il genocidio era talmente vivo che le ragioni e i torti di Israele non venivano neppure messi in discussione, gli arabi esistevano solo come testarda retriva presenza che ostacolava la buona opera riparatrice dell'Occidente. Viaggiavamo per quella Israele come per il paese modello, della vera democrazia, del vero socialismo, dell'elezione millenaria, delle grandi favole religiose arrivate fin nei tabernacoli delle nostre Alpi. Ogni incontro era familiare ed esemplare, loro si sentivano magnanimi concedendoci il loro perdono e noi mondi di colpe, di nuovo fratelli. Così mi colpì come una frustata quel barista di Gerusalemme che mi chiedeva: «Di dove sei tu, francese?». «No, italiano.» «Beato te, voglio venire anche io presto in Italia, fuori da questo paese di merda.»

In Israele sono tornato nel '61 e ci sono stato tre mesi per il processo Eichmann, l'Obergruppenführer Adolf Eichmann, l'ufficiale nazista che agli ordini di Heydrich aveva organizzato e fatto eseguire la «soluzione finale» decisa in una riunione a Wannsee, lo sterminio di milioni di ebrei. Lo avevano catturato in un sobborgo di Buenos Aires, portato in Israele in aereo e ora lo processavano nella sala della Beit Haan circondata da filo spinato e da fortini, come se fosse possibile, immaginabile un assalto per liberarlo. Lo facevano entrare in una gabbia di vetro antiproiettile, sembrava che su quel palcoscenico stesse per cominciare uno spettacolo di alta prestidigitazione, un drappo scuro sulla gabbia e zac Eichmann sarebbe scomparso. Ma in pochi giorni la gabbia dell'uccello-diavolo si trasformò in un lindo, efficiente ufficio dell'RSHA 4 l'ufficio centrale di sicurezza del Reich con cui il grande burocrate della morte aveva eseguito l'operazione, tutto in ordine, la cuffia per ascoltare, i tre microfoni per parlare, i blocchetti di carta, le matite appuntite, i quaderni, le cartelle e appena il pubblico accusatore o un testimone o il presidente facevano un nome le sue dita magre correvano sicure a una delle cartelle scritte in nero, numerate in rosso, catalogate in blu.

Era un signore di mezza età con radi capelli di un biondo sbiadito, viso magro, occhiali a lenti spesse. Indossava un abito grigio ferro con cravatta dello stesso colore, chissà le visite del sarto per le misure nel carcere di grande sicurezza, chissà la toilette del mattino, lui che si sbarbava con il rasoio, elettrico, si intende, che si metteva in ordine per una rappresentazione che sarebbe finita nella morte. Eichmann era un mostro nel senso che era il prodotto perfetto fino alla mostruosità di una burocrazia partita per la tangente del non ritorno, della disumanità, meccanismo di alta precisione dietro un'idea folle, la rigenerazione razzistica del mondo. Ma processarlo per una mostruosità collettiva, una degenerazione della cultura romantica, una oscura intuizione di futuri conflitti per la sopravvivenza fra le razze era come chiedere ad Attila, a lui solo, di rispondere delle invasioni mongoliche, a Napoleone, a lui solo, di rispondere delle guerre europee dopo la rivoluzione francese.

Per Israele il processo *monstre*, seguito da cinquecento giornalisti, andava fatto per tante ragioni più o meno nobili: rinserrare l'unità degli ebrei arrivati da molte contrade, anche da quelle in cui non c'era stata persecuzione, per fargli capire che l'Olocausto era la loro storia comune e farglielo capire ogni giorno con le voci del processo che arrivavano per radio in ogni casa, dal medico che curava un paziente, dal bottegaio nel suo negozio, dai contadini dei kibbutz, dagli impiegati per coinvolgerli tutti nel ricordo e nella maledizione. Ma anche usarlo in politica estera, per rafforzare il rimorso dell'Europa, ottenere aiuti dall'America e dalla nuova Germania cui non si chiedeva il prezzo totale, non quantificabile, del genocidio, ma indennità utili al giovane Stato. Era un processo carico di tutto il sangue e la violenza del mondo, ma anche artificioso e per certi aspetti assurdo. Leggi, procedure, liturgie venivano calate in una materia magmatica: si proteggeva con ogni cura la vita di un imputato già condannato a morte sicura, già penzolante dalla forca segreta nella tunica rossa dei condannati a morte.

Gli venivano fatte domande di cui tutti conoscevano le risposte a cui lui dava precise dettagliate conferme, perché su una cosa tutti, giudici, testimoni, imputati, pubblico erano d'accordo, il genocidio c'era stato, di quelle spaventose dimensioni, e Adolf Eichmann ne era stato il capostazione, il suo potente ricchissimo dipartimento dalla sigla a formula chimica RSHA 4 aveva proprio usato le tecniche, la logistica, il segreto di cui tutti ora sapevano. In una sola cosa lui non era d'accordo con gli altri: non si riteneva colpevole, credeva di aver semplicemente obbedito. Al massimo ammetteva di aver appartenuto, anima e corpo, alla inappellabile gerarchia della morte. Un giorno disse: «Sono stato educato fin dai più teneri anni a una obbedienza cadaverica». «Cadaverica?» fece il presidente. «Cosa vuol dire?» «È una espressione tedesca, signor presidente, per dire fino alla morte. A quei tempi se mi avessero detto che mio padre era un traditore e che dovevo ucciderlo lo avrei fatto senza esitare. Potrei considerarmi colpevole se tutti coloro che agirono con me e come me non vivessero in libertà.» E a dargli ragione, su questo punto almeno, erano proprio i più accaniti accusatori, i testimoni, i sopravvissuti che chiudevano quasi sempre gridando al suo indirizzo: «Lui e gli ottanta milioni dei suoi accoliti», la Germania che aveva fatto finta di non sapere, di non vedere. I giudici, gli avvocati israeliani erano persone colte ma di una cultura ambigua, in parte laica, in parte religiosa. Sapevano, lo si capiva da certi interventi, che non era possibile processare in un uomo l'irrazionale della storia, ma i cinquemila anni di religione e di elezione che avevano alle spalle gli impedivano di accettare la casualità e la irresponsabilità della storia; gli imponevano di credere, ad un tempo, che questo come gli altri olocausti era stato una punizione divina, una espiazione, e che però andava punito secondo la giustizia rigorosa, implacabile, impietosa del dente per dente. E si trovavano di fronte alla contraddizione di dover processare e condannare l'Eichmann «strumento di Dio».

Si dica poi che il processo era così lungo che non era possibile ogni giorno riflettere su queste contraddizioni di fondo, si tirava avanti episodio per episodio, ma era come ridurre il diluvio universale a una serie di bufere, di rastrellamenti, di deportazioni che il meticoloso Eichmann tendeva a ridurre a memoria amministrativa: «Sì, quella volta mi trovai in grande difficoltà perché la Wermacht mi aveva requisito i carri ferroviari», «No, degli ebrei romani non me ne sono occupato personalmente, provvide il colonnello Kappler». Così preciso, così formale che sembrava esser tornato indietro negli anni, al vecchio ufficio emigrazione che favoriva l'espatrio degli ebrei, prima che Hitler cambiasse idea; davvero un estimatore del sionismo, lo aveva studiato a fondo, era stato anche a Gerusalemme, così collaboratore e gentile, allora, il dottor Eichmann, prima che il Führer cambiasse idea. Come non bastasse la suggestione oscura di questo uomo robotico gli avevano dato come avvocato difensore un tedesco di nome Servatius, *nomen omen*, che ogni tanto faceva delle domandine innocue a cui da ogni parte si rispondeva con fastidio e sprezzo. Ma lui, ogni volta, si inchinava ringraziando.

Con il passare dei giorni un processo che nelle prime udienze ci aveva colmato di terrore e di orrore divenne una routine a cui si adeguavano giudici, giornalisti, telefonisti, guardie e ospiti, gli scrittori, i politici, gli imprenditori in visita d'affari o turistica o di lavoro a cui procuravamo gli ingressi come a Milano nei palchi alla Scala. Capitò anche Alberto Sordi che stava girando nel Negev con David Niven *I due nemici*. Per scherzo magari un po' pesante a tavola mi misi a fare il difensore di Eichmann e lui da plebeo romano che non vuol finire nei guai taceva o usciva in qualche «ammazzete» che poteva voler dire tutto e niente. Poi per cavarsela fece una imitazione perfetta di Eichmann e diceva: «Lo vedi il tremolio del sopracciglio? Ma se facessi la sua parte in un film direbbero che carico».

Usavo gli intervalli per andarmi a misurare l'azotemia da un medico e apprendevo con sollievo, paese che vai usanze che trovi, che una azotemia alta a Milano è normale a Gerusalemme. Il pomeriggio il tribunale riposava e noi prendevamo il sole nella piscina del King David o si andava a passeggio per le solitudini pietrose e luminose della Giudea, dove il cielo, come nei luoghi sacri, come a Roma, è basso che ti sembra di toccarlo con mano, specie nelle notti stellate. C'era il tempo per tante cose in quel lungo processo: farsi dare un aumento da «Il Giorno» dicendo di essere stato chiamato dal «Corriere della Sera», cosa mezza vera e mezza inventata, tentare amori difficili con israeliane gentili e sfuggenti. Veniva a trovarci all'hotel, forse per vedere la piscina e la gente forestiera, una fanciulla da Cantico dei Cantici, sui sedici anni, bellissima, pura, radiosa, salvo il sabato perché abitava lontano, un impreciso lontano, e non poteva prendere l'autobus, fermo a Gerusalemme il sabato secondo la legge. Chiacchierava con noi per ore, ascoltava le nostre iperboli amorose divertendosi, ma come chi sfiora il proibito. Un'altra alloggiava al nostro piano, era una studentessa ricca in vacanza, ora gioiosa ora contegnosa, ma si aveva l'impressione che al dunque ci fosse in noi qualcosa di straniero, di *goy* che le fermasse. E magari erano solo fisime nostre, chi arriva in una società religiosa e razziale come Israele passa in continuazione dal pregiudizio alla vere o false conferme del pregiudizio, e mentre riconosce l'eguaglianza dell'ebreo gli par di cogliere la sua diversità.

Il fascino di Israele, il solvente delle sue ferocie e arroganze e astuzie è questa sua umanità antica e un po' esaltata, questo essere fortemente tutti i vizi e tutte le virtù dell'uomo, fortemente sessuali, fortemente casti, fortemente logici, fortemente religiosi, usciti da un genocidio e spesso tentati di commetterne uno con gli arabi. Noah, il padrone del ristorante La gondola, aveva sposato una italiana di Treviso che faceva una cucina veneta ma con profumi e aromi mediorientali – quell'odore dolce acre di Israele di eucaliptus e di benzina, di fiori e di bruciato –. Da giovane era stato nell'Irgun di Begin, le formazioni terroristiche che avevano fatto saltare il King David quando ci stava dentro il comando inglese, durante il protettorato. Faceva anche l'autista, mi portava in giro per Israele, non parlava del suo passato né di politica, anzi per chiudere in partenza ogni discorso faceva con la mano destra il gesto di chi sgozza e diceva soltanto: «Arabo io così». Quando pensò che fossimo davvero amici ci portò a casa di sua madre, una ebrea spagnola, ci aveva preparato le uova cotte per due giorni, color violaceo. Buone, però.

Sono tornato in Israele nel gennaio del '64 al seguito di un prete bresciano, introverso, triste, diventato papa come Paolo VI. In una compagnia scombinata e divertente: Dino Buzzati, lo scrittore dei misteri, elegante e signore in qualsiasi turpe intreccio della vita, un cervello geometrico nella fantasia, una vocazione militare nella più totale libertà, un amico prezioso perché in superficie freddo, un confidente unico perché quasi sofferente per le tue confidenze, un uomo stupendo. Poi c'era Eugenio Montale, il poeta e prossimo premio Nobel, tutto nevrosi e paura di vivere e ancor più di morire, intelligenza dissimulata alla ligure, viltà illuminata dal genio, Alberto Cavallari, un giornalista attore, tutto vibrazioni mimiche, lampi intelligenti, ironie piacentine, la Camilla Cederna, gran donna, e don Pisoni, prete di corte, prete della borghesia ricca, di quelli che non capisci mai bene se sono davvero preti o recitino la parte del prete e non è poi una cosa strana, tutti nella vita un po' sono un po' ci fanno. E lui ci faceva a Roma, quando in attesa dell'aereo ci portava in visita a un suo istituto dei mutilatini per farci vedere il presepe con gli specchietti per fare i laghi e il muschio per fare i prati.

Il gioco del prete e del peccato, dell'ecclesiastico e della tentazione è irresistibile quanto più è volgare e magari stupido. La prima sera a Beirut Cavallari ed io guidiamo la scombinata compagnia nel quartiere della vita notturna, in un night-club semideserto e triste. Don Pisoni indossa il clergyman e fa il disinvolto come i preti in imbarazzo, sorride alle entraîneuse appollaiate sui loro sgabelli come uccelli tropicali dai colori violenti. D'improvviso una delle peccatrici, vestita di rosso splendente con una chioma altissima biondo platino, con forme straripanti, va a sedersi vicino a lui e gli parla a voce bassa, certamente per chiedergli di offrirle da bere, che è il suo mestiere, ma noi seguiamo il colloquio con tutti i retropensieri su preti e perpetue amanti, monache di Monza, frati del *Decameron*, e «quante volte?» al confessionale.

Il viaggio del papa nelle terre degli infedeli, ma anche terre del Cristo, fu un susseguirsi di stupendo e di ridicolo. Paolo VI arriva ad Amman alle ore 13.15 del 4 gennaio: un vento gelido scende dalle colline – c'è la neve, la sorpresa della neve sulle montagne verso Petra – e sul mar Morto il cielo si oscura per una tempesta di sabbia, già i soldati della legione beduina, guardia fedele del re, si sono coperti la bocca con la djellabia bianca e rossa, già le monache dell'ospedale cattolico si sono strette il velo nero sul soggolo. Tutti fermi nel gelo, in file concentriche. Ma appena il papa scende dall'aereo in mantello bianco e cappello rosso le file si rompono, si mescolano, è un arrembaggio di preti, soldati, dignitari, vescovi copti, sacerdoti di tutte le religioni con mantelli neri, viola, verde marcio, rosa, con rami d'olivo, bandierine, turiboli. Un confuso corteo parte scortato dai circassi a cavallo della guardia reale in giubba rossa verso la polverosa confusione di Amman, montagna traforata dalle grotte come i sassi di Matera, il termitaio cencioso della periferia, la folla variopinta del *suk*, le palazzine del quartiere diplomatico ma nelle strade bidoni abbandonati, cani, ferrivecchi, stracci stesi ad asciugare; per un attimo la visione del teatro romano scavato nella montagna e via fra suoni di clacson, urli di poliziotti, grida in milanese dei pellegrini lombardi fino a imboccare la strada che scende al mar Morto. E dal grande cafarnao si passa al silenzio del deserto, scendiamo verso la profondità del mar Morto dove l'antica crosta del mondo appare come nei giorni della creazione.

Sulle dune che fiancheggiano la strada, ogni cinquecento metri, figure nitide nel cielo i legionari giordani. Gli israeliani ci aspettano al passo di Tanach, nella notte i soldati hanno tolto i reticolati, ci guardano passare in silenzio. Il presidente di Israele Schasar è a Megiddo, le colline su cui hanno combattuto i re di Giuda e i faraoni, i crociati e gli ittiti, proprio da quel pianoro calavano a valle i carri falcati del re Salomone. Ed eccoci a Gerusalemme, all'evento atteso da due millenni: un papa di Roma entra nella città in cui è nato il cristianesimo, si avvicina alle mura della città che nelle generazioni ha significato sogno e speranza, «sale» a Gerusalemme anche lui come nella preghiera degli ebrei della diaspora, nelle luci grigie e d'oro del tramonto è sotto la porta di Damasco, mura gremite come nel momento culminante di un assalto crociato ma la gente non impugna falci o spade, ma foglie di palma, bandiere, pellegrini italiani in mezzo alle tuniche bianche degli arabi, festoni di lampade accese, i flash dei fotografi come i lampi di un temporale estivo e nella calca il povero don Macchi, segretario del papa, perde gli occhiali e li ritrova calpestati, sbriciolati.

Quel viaggio in Terrasanta era finger di esser padroni in casa d'altri, neppure ben disposti. Gli israeliani ospitavano Paolo VI con freddezza glaciale, non amavano il papa di Roma in genere e meno che mai questo che aveva simpatizzato più volte con i palestinesi e non aveva riconosciuto Israele. La visita era oggettivamente imbarazzante per i padroni di casa, avrebbero dovuto fingere interesse, commozione per la rivisitazione di luoghi cristiani che per essi hanno scarso interesse, tutt'al più turistico. Luoghi come Betlemme, come Nazareth, come la stessa Gerusalemme che nella storia dei padroni di casa erano cristiani quasi incidentalmente, per uno dei cento, dei mille profeti che qui avevan predicato. Si erano aggregate al nostro corteo giornalistico due belle e ricche signore milanesi che si divertivano un mondo in quel bailamme; meno le volte in cui per un repentino inseguimento al papa venivano abbandonate in riva al Giordano o sul lago di Tiberiade, ma non c'era da preoccuparsene, erano giovani e belle, qualcuno che ce le riportava lo trovavano sempre. Fu un viaggio in cui fede e miscredenza camminavano assieme.

L'evento c'era, carico di grandi suggestioni, guardavamo il papa di Brescia e pensavamo che lui come noi stava confrontando i luoghi, i cieli, i colori della grande favola cristiana con quelli reali. Ma i luoghi reali avevano rispondenze alterne, a volte sembravano combaciare esattamente con la grande favola, a volte ne restavano lontani, e come in una dura smentita, Nazareth e la casa del Cristo per esempio, bastava dare un'occhiata per capire che il villaggio era stato rifatto cinque o sei volte, che la casa del Cristo era un posto inventato per venderci mediagliette e santini. Ci fermammo sulla strada di Nazareth in un convento di suore, e Paolo VI, pallido, magro, triste, sempre più afflitto per la gelida accoglienza, non degna di un'occhiata la mensa e si ritira in camera. Le suore amano il papa ma sono disperate, hanno preparato gli agnolotti per lui e per il seguito e un cristiano gli agnolotti non li butta via. Ma che si fa? Si può banchettare senza di lui? No, le mense vengono tolte, ma una suorina ci dice di passar dietro la casa dove c'è la porta della cucina, ci passano i piatti di agnolotti fumanti. Lui in camera ha bevuto una tazza di brodo e poi si è raccolto in preghiera.

Durante la visita al Santo Sepolcro il ritmo frenetico, grottesco con al centro quel viso scavato e triste di Paolo VI, ebbe momenti irresistibili come in un film di Buster Keaton. Il Santo Sepolcro sta nel sottosuolo di un tempio equamente diviso fra le varie chiese cristiane: cattolica, copta, maronita, ortodossa. Quando il papa si affacciò alla porta, e noi ad attenderlo dietro un altare, un prete copto che stava officiando incominciò a urlare e a cantare come un pazzo, a lanciare in aria tutto quel che gli capitava sotto mano, cucchiaini, ostie, pissidi, libri con tale frastuono che gli uomini del servizio di sicurezza israeliano, che badano al sodo e non si perdono in consultazioni, ti afferrano il pontefice per le ascelle e sollevatolo di pochi centimetri gli fanno percorrere come a volo radente, come i ballerini russi di Moiseev nella danza dei mantelli, i trenta metri per arrivare all'ingresso del Santo Sepolcro. Balziamo fuori dal nostro riparo e ci inabissiamo, prima che un poliziotto ci fermi, nella cappella del Sepolcro. Mentre il papa si genuflette in adorazione ci guardiamo attorno: ci sono i due dei servizi segreti che guardano con occhio professionale tre frati cappuccini custodi della tomba, poi Cavallari ed io che passiamo per poliziotti in borghese visto che nessuno ci chiede chi siamo. E proprio mentre Paolo VI è in una sofferta preghiera, il più alto dei frati, un gigante, si abbatte al suolo come una quercia colpita dal fulmine, il colpo del suo cranio sulla pietra rimbomba nella caverna, ma già incomincia a contorcersi, a spumare dalla bocca, a sbarrare gli occhi; a uno dei servizi che cerca di bloccarlo cade la rivoltella che rotola fino al papa genuflesso che al rumore si volta, dà un'occhiata triste, avvilita, come a dire non una mi va bene in questo viaggio, poi si rimette a pregare. Arrivano i rinforzi, il gigante epilettico viene estratto dalla grotta, portato nel vicino convento. Anche il prete copto è stato fermamente persuaso dagli israeliani a sgomberare il campo, può uscire anche il papa bresciano, terreo in volto.

Nel corteo giornalistico c'erano cristiani di ogni chiesa, anche predicatori protestanti americani. Una bellissima americana, sorella in Cristo, predicatrice di una chiesa del Minnesota, amava pranzare con noi che la corteggiavamo, e guardavamo la scollatura, le gambe senza che se ne risentisse e quando sul finire della cena e delle bottiglie sembrava quasi recuperata all'eros, con le gote infiammate dal buon vino di Askalon, gli occhi brillanti, si alzava, e con il seno proteso alle gioie del mondo ci chiamava a partecipare all'amore per il Cristo, alla gioia infinita di unirci nell'amore puro del Cristo, e la ciucca aveva su di lei un effetto edificante misticheggiante, solo che non riusciva con le sue polpe ben nutrite a levitare come le sante medievali, dovevano accompagnarla alla sua stanza, da cui giungevano, prima che la colpisse la botta di sonno, canti al divin amore.

Il sommo poeta Montale conosciuto da tutti noi per un anziano valetudinario con scarsa vista e una gamba zoppicante, visto così le mille volte mentre arrancava in via Solferino o si muoveva nella penombra di via Bigli dove stava di casa, in Israele fu smascherato, anche se poi per un impegno tacito di affetto e di rispetto nessuno di noi rivelò mai la cosa. Una sera avevamo fatto tardi a mandare per telex i nostri servizi dall'ufficio israeliano di Gerusalemme, il solo che funzionasse; ma dovevamo tornare al nostro albergo nella zona giordana e il coprifuoco stava per scattare proprio quando ci affacciavamo alla terra di nessuno. Le guardie giordane si misero a gridare per farci fretta e noi giovani, con l'egoismo dei giovani, partimmo di corsa e solo dopo cinquanta metri ci ricordammo del povero vate claudicante, ci voltammo e lo vedemmo che correva a lunghe falcate.

Vengo di nuovo in Israele nel '67 per la fulminea guerra dei sei giorni. Strana guerra per noi giornalisti, Moshe Dayan e Sharon pensavano solo alla guerra lampo, noi eravamo una presenza trascurabile, di cui occuparsi a cose fatte. Andavamo al fronte partendo dall'hotel Dan come si va a una fiera contadina o, in America, a un rodeo. Ero su un'auto da noleggio con due colleghi francesi e un autista, Josef, magro con occhi nerissimi e un pistolone alla cintura. La strada per Gaza era un pandemonio, sembrava la strada di una confusa ritirata, non di una avanzata fulminea ma così fulminea da costringere i riservisti richiamati alle armi a raggiungere i loro reparti come potevano, su autobus, motociclette, auto. E sul ciglio della strada erano fermi in attesa di un passaggio altri uomini usciti in armi dai kibbutz, dalle case, e sorridevano se li tiravamo su. Solo a una piccola mescita di gazose un soldato venne ad annusarci, ma dovevamo avere un puzzo affidabile perché non insistette.

Fummo fermati a pochi chilometri da Gaza già occupata e superata dai reparti corazzati, ancora proibita a noi per i campi minati. Ma quelli di «Paris Match» dovevano arrivare a Gaza in giornata per far avere per primi alle lettrici di Châlon-sur-Saône o di Montpellier le fotografie della prima città conquistata da Israele. Non vedemmo la fiammata, sentimmo l'esplosione che arrivava da dietro una duna di sabbia. Già, si può morire per una fotografia, la morte coglie tutte le occasioni, anche quelle che non c'erano quando cominciò il suo lavoro.

Le prime sere in due ore d'auto si tornava all'hotel Dan a Tel Aviv e la guerra era lontanissima come su un altro pianeta. Dalla mia stanza sentivo il ticchettio delle macchine da scrivere dei colleghi di ogni paese che raccontavano la guerra che non avevano visto, salvo che per qualche fiammata o rombo lontano; la moquette era morbida, il frigo bar ben servito, ci si trovava a pranzo nella sala luminosa con i candelabri a sette braccia. Quando Moshe Dayan e il suo braccio destro Sharon furono arrivati al canale di Suez, in cinque giorni, l'ufficio stampa di Tsahal, dell'esercito israeliano, si fece vivo, ci caricò sui camion militari e ci portò a visitare i campi di battaglia del Sinai. Nel deserto, nella sabbia le guerre sono pulitissime, quasi asettiche, il sole e il vento fanno sparire i cadaveri, le carcasse dei carri armati sembrano lì da sempre, grandi insetti di acciaio usciti da qualche fenditura della terra. C'erano invece, nella sabbia, centinaia di scarpe a collo alto e non si capiva perché gli egiziani in fuga se le fossero tolte, forse erano contadini abituati a camminare a piedi nudi. Circolava già l'atroce storiella dell'*intelligence* israeliana che aveva intercettato le comunicazioni radio dei consiglieri militari sovietici di Nasser, che al cominciare della rotta egiziana si informavano: «I negri scappano».

Nel deserto del Sinai e lungo il canale ci appariva un volto nuovo di Israele, il volto di Davide. Per la prima volta gli uomini di Tsahal ostentavano modi rudi e quasi arroganti come volessero farci capire: ecco cosa siamo noi, i *sabra* di

Israele, non gli umili prudenti sfuggenti ebrei della diaspora, non gli ebrei timorosi conosciuti a Milano a Parigi a Vienna con cui parlate solo di libri e di musica, ma dei soldati, dei combattenti. Dei veri soldati avevano la rudezza, sul canale ci fecero dormire all'aperto sulla sabbia, faceva un freddo cane e lo facevano apposta per farci capire che non ci corteggiavano, che dovevamo partecipare all'ammirazione del mondo intero. All'alba eravamo già in piedi per il freddo, ma non ci passarono neppure una tazza di caffè, dovevamo capire che la guerra è una cosa dura. E ogni generazione che fa la sua guerra è convinta che gli altri la guerra non sappiano cosa sia.

Il mattino era splendido, si vedevano sull'altra riva del canale le postazioni egiziane silenziose nella tregua; una nave era affondata nel canale, ma non si vedeva l'acqua da dove eravamo, sembrava affondata nella sabbia. Poi ci portarono al comando di armata per una conferenza stampa che era una celebrazione della gloria militare di Israele. Sotto la grande tenda erano già seduti nelle prime file degli ebrei americani, uomini e donne, orgogliosi del loro popolo guerriero. Il generale Sharon sembrava MacArthur dopo la battaglia delle Midway, parlava con lentezza sicura, ripercorreva su una carta con una cannetta le linee dell'avanzata, gli ebrei americani pendevano dalle sue labbra, i loro petti erano gonfi di orgoglio dopo tanta sopportazione e prudenza, quando Sharon finì ci fu un grande applauso.

In quella festa militare c'era però qualcosa di rimosso, di non detto: sembrava che gli israeliani non si ponessero il problema politico di occupare territori arabi, di amministrare municipi arabi, di cercare una pace stabile con il mondo arabo, con i cento milioni di arabi, sembrava che tutti questi problemi fossero dati per risolti e di certo chiunque tentava di dissotterrarli veniva guardato come uno ostile a Israele. Eppure era facile capire cosa sarebbe accaduto nei territori occupati, molto facile per uno come me passato per una guerra partigiana: il silenzio della gente, le porte chiuse al nostro passaggio, i bambini che ti dicono con gli occhi: andatevene via, questa è casa nostra. Scrissi queste cose e due giorni dopo ricevetti uno strano telex da Pietra: «Servizio ottimo ma adesso è meglio che rientri». Non capivo, lo chiamai al telefono, gli dissi che non potevo piantare il servizio a metà, che c'erano cose interessanti da scrivere. «Se vuoi» disse lui titubante. Capii il perché solo al ritorno in Italia. La signora Ravenna del centro di documentazione ebraico aveva iniziato la sua campagna di ricatto e di intimidazione verso i giornalisti, aveva trovato negli archivi una mia recensione ai *Savi di Sion*, una denuncia dell'imperialismo sionista, apparsa su «La Sentinella delle Alpi» giornaletto cuneese nel 1939, che era un sunto nudo e crudo del testo che non sapevo apocrifo e che comunque non mi importava che lo fosse, dato che era una recensione chiestami dal federale per uno dei soliti ordini giunti da Roma. L'avevo completamente rimossa, ero stato vicino agli ebrei di Cuneo durante la persecuzione, vicino durante la guerra partigiana, amico dopo, mi sembrava che quel ritaglio fosse saltato fuori dal cilindro di un prestigiatore. Ma c'era e la Ravenna mi perseguitò per anni. Andò subito a mostrarlo a Pietra quando nelle mie corrispondenze incominciai a scrivere dei territori occupati, e poi per anni a qualsiasi dibattito andassi li vedevo seduti in prima fila, lei o un suo incaricato, con nelle mani i volantini che riproducevano la recensione, e finalmente imparai a liberarmene dicendo così, subito: «Vedo in prima fila la signora Ravenna del centro di documentazione ebraico che è qui per rivelarvi che sono stato nel Guf e che ho scritto una recensione ai *Savi di Sion*». Ci scherzavo anche con gli amici ebrei di Milano e di Courmayeur ma coglievo sul loro viso come un riflesso condizionato: va be' non parliamone, ma l'hai scritta.

Le guerre degli altri sono come un abito che indossi e smetti quando ti fa comodo. La differenza fra te e coloro che ci son dentro fino al collo sta in un piccolo libretto con su scritto «Passaporto», dipende da lui se puoi prendere il primo aereo in partenza e uscirne. A volte sorvolando il Sud-est asiatico pensavo ai confini casuali quasi incomprensibili delle guerre: ecco, ora sotto di me c'è il Vietnam dove la vita di un uomo non vale un centesimo, dove si tortura, si stupra, si macella, e fra pochi minuti sarò sul Laos dove c'è pace e dopo sulla Thailandia con fiumi di turisti nella Bangkok dei piaceri: stesse foreste, stessa gente, stessa economia ma condizioni umane lontanissime, come se un dio capriccioso avesse scelto per gli uni la vita per gli altri la morte. È negli aeroporti che vedi la disperazione e l'attesa di quelli che vogliono fuggire e non possono o non sanno ancora se potranno e attendono, premono, con le loro valigie, tutto ciò che gli resta di una vita. Così per il mio mestiere passavo per le guerre e le sciagure altrui spostandomi, come fosse cosa normale, dai luoghi della vita e del piacere a quelli della morte e della sofferenza.

Nell'agosto del '64 ero a Tokyo per le Olimpiadi. A forza di viaggiare per il grande e sconosciuto mondo si finisce per usarlo per le proprie piccole faccende. L'Estremo Oriente a me serviva per due cose personali: fare una cura dimagrante e scrivere i miei libri di storia. A Tokyo andavo di corsa dal mio albergo allo stadio olimpico, mangiavo mele, scrivevo la *Storia dell'Italia partigiana* e passavo la sera in camera a guardare film sui samurai e sui rumori celesti delle fontane nei giardini nipponici. Detestavo il Giappone, il suo cibo, le sue scolaresche con bandierine del Sol levante e i suoi grand hotel dove un whisky costava come un mensile di un bancario e, potevi giurarci, quelli che lo ordinavano erano a spese della ditta. Detestavo le folle che ai miei occhi occidentali sembravano composte di clonati, di tutti eguali e per confermare la mia impressione tutti vestivano lo stesso abito grigio, avevano la stessa valigetta nera, la stessa frenesia. Che cosa ci fosse dietro questa corsa frenetica lo avevo intravisto all'«Asahi Shimbun», il più grande quotidiano del mondo. Dovevo incontrare il redattore capo e mi fecero attendere nella sala lettura dei pensionati, redattori capi e capi servizio che entravano in abitucci lisi e si accomodavano come in una mesta collegiata, grati all'azienda che li aveva spediti a casa senza liquidazione e con una magra pensione.

Detestavo il Giappone, la cameriera vestita da geisha con kimono a fiori ricamati e zoccoletti da focomelica che per portarmi una tazza di tè la tirava in lungo per dieci minuti con inchini, gorgheggi e movimenti stilizzati del suo bel capino da ceramica del quarto secolo. E perciò guardavo con lombarda simpatia il mio amico milanese Bolchi che non avendo trovato biglietti per lo stadio passava i controlli mostrando la tessera del tram e siccome era altissimo, di colore olivastro, con un viso da imperatore berbero, i piccoli giapponesi facevan largo, lo salutavano rispettosamente, fino alla tribuna imperiale. Ma adesso il Bolchi ha venduto la sua officina, non va più alle Olimpiadi e i giapponesi sciamano per le vie di Milano e non fanno più saluti cortesi, ordinano e comperano.

L'imperatore Hirohito c'era il giorno della cerimonia inaugurale e faceva un certo effetto ai sopravvissuti della guerra mondiale veder sfilare davanti a lui con le bandiere abbassate i vincitori, gli americani, i francesi, gli inglesi, i russi, gli stessi che avevano impiccato a Norimberga i capi nazisti colpevoli della strage né più né meno del grazioso vecchietto che stava sul palco come un ninnolo di altri tempi e che anche nei giorni del più feroce massacro non si era distolto dalla cura dei suoi fiori. E avendolo scritto su «Il Giorno» ricevevo subito lunghe telefonate in giapponese di cui non capivo un accidente, e poi delegazioni di vecchi militari dell'Associazione del Drago nero che, seguendo l'etichetta, mi chiedevano se ero disposto a farmi squartare in un duello riparatore, seguiti dai burocrati italiani del Coni che mi imploravano di fare pubbliche scuse e li mandavo a farsi benedire, loro e la loro ipocrita fratellanza sportiva. Così ricevetti quasi come una liberazione l'ordine di andare nel Vietnam dove le cose stavano mettendosi male per gli americani. Atterrai a Saigon la sera stessa in cui i vietcong avevano attaccato la base di Bien Hoa secondo la tecnica dei *sapper*, i guastatori scesi dal Vietnam del Nord.

Credo non ci sia mai stata guerra così fraintesa, così immaginata, deformata dalla passione politica. Era una guerra fra eserciti regolari, prevalentemente fra regolari, e in tutto il resto del mondo veniva vissuta in modo romantico, come una guerra di contadini scalzi, di guerriglieri improvvisati che mettevano alle corde l'esercito superarmato della potente, ricca, orgogliosa America. I reparti regolari scesi dal Nord rappresentavano il settanta per cento delle forze vietcong, erano armati dalla Russia e dalla Cina con armi modernissime, ma su tutta la stampa occidentale, anche la conservatrice, anche l'atlantica, si scriveva solo delle loro armi di bambù, delle loro trappole da cacciatori di tigri, delle loro mosse scimmiesche nella giungla. Emilio Salgari ritornava in molte corrispondenze di guerra. Ma erano tutt'altro che volontari e dilettanti quelli che avevano attaccato Bien Hoa. Reparti di arditi si erano portati strisciando sino ai reticolati, avevano aspettato che i mortai sovietici da 125 aprissero il fuoco sulle piste e approfittando della confusione erano penetrati nella base e aperto il fuoco con i bazooka, i lanciarazzi, contro gli aerei distruggendone una decina. Per me era come la guerra partigiana dei sogni, delle fantasie, la guerra di corsa che avremmo voluto fare, ma che non avevamo i mezzi per fare. I *sapper* indocinesi si ritirarono senza la minima perdita, come in molte altre azioni, ma i corrispondenti di guerra avrebbero continuato a scrivere dei vietcong suicidi, pronti a morire per colpire il gigante americano con la loro fionda.

Era una guerra impari, ma non come si credeva nel resto del mondo a favore degli americani. L'America aveva mandato nel Vietnam un esercito che non sapeva perché la faceva e che non voleva combatterla; e che l'avrebbe combattuta solo là dove il nemico lo avesse morso ai polpacci e costretto al dolore e alla vendetta. Ci aveva mandato i cittadini meno legati alla patria americana e ai suoi interessi imperiali, i negri soldati per fame e gli americani poveri obbligati dal richiamo. E sapendo che quell'esercito non aveva voglia di combattere l'America pensava di sopperire con l'abbondanza, con la montagna di mezzi che dava a quei soldati, non la voglia di vincere ma di durare fino all'arrivo di altri soldati, in una guerra senza fine, e mentre li aspettavano costruivano immani trinceramenti e fumavano oppio per dimenticare. Da ciò che vidi subito a Bien Hoa si capiva sin troppo bene che tipo di guerra fosse: per collegare Bien Hoa a Saigon gli americani avevano spianato la foresta, avevano aperto una strada, una pista nella terra rossa, larga più di un chilometro. I deliri militareschi si assomigliano, la strada di Bien Hoa era come le autostrade fiume che Hitler progettava di aprire nella Russia conquistata.

Dopo quattro giorni che si era a Saigon ci si era già abituati a quella guerra imprendibile e insinuante che entrava come strisciando nel tuo albergo, nei tuoi pasti, nei tuoi sonni. Pranzavi sul terrazzo del Grand Hotel e vedevi nella nuvolaglia viola lontani lampi rossi, lontani rombi, lontane bombe lanciate dagli elicotteri a ogni muover di fronda. Prendevi un drink al bar e attaccavi discorso con il maggiore Petroselli, un italo-americano appena tornato da una ispezione ai villaggi fortificati. Pranzavi con lui e sentivi che si lamentava un po' dei vietcong un po' del *filet mignon* troppo cotto. Stasera, dopo che i camerieri avranno sparecchiato, arriveranno i genieri con i loro strumenti per vedere se qualcuno ha nascosto una bomba nei vasi da fiori. Una notte, un po' sbronzo, mi alzo per scendere nella hall per farmi dare un bicchiere di acqua minerale e non prendo il vecchio ascensore con griglie floreali, scendo a piedi per le scale. Al pianerottolo del primo piano sento un fruscio alle spalle, faccio per girarmi ma ho già un mitra puntato nella schiena, un soldato americano, un ragazzo, mi guarda con occhi pieni di terrore. Ma non sono il vietcong della sua vita e della sua morte, sono un giornalista italiano un po' sbronzo, e gli vado bene, per il sollievo mi appoggia fraterno una mano sulla spalla.

Saigon è immensa e putrescente, un immenso bordello, un'immensa retrovia coloniale affollata di soldati che non vogliono pensare all'ora in cui torneranno al fronte e di gente senza cibo e senza pudore che ti offre in continuazione *massage, taxi, joli restaurant*. Davanti alla porta del Grand Hotel c'era un posto di guardia protetto da sacchetti di sabbia, soldati in armi, una mitraglia piazzata. E il portiere di notte che aveva fatto amicizia con me non dimenticava mai il consiglio «lascia in stanza tuoi dollari». Ma non lo ascoltavo e venivo regolarmente bruciato, quelle piccole leggiadre vietnamite con le loro vite strette e le testoline da formiche sapevano rubare con una destrezza e una levità incredibili, una ti abbracciava e l'altra con la mano leggera aveva fatto cadere i tuoi pantaloni ai piedi del letto e con le dita prensili del piede stava sfilando il portafogli. No non te lo avrebbe rubato, sarebbe andata in bagno a toglierne i soldi, lo avresti ritrovato nei pantaloni.

Lungo il Mekong c'erano ammassi sordidi di capanne, di barche, di umanità affamata e sporca. L'alcool dà un coraggio cretino ma esaltante, il risciò mi portava correndo nel buio, incuranti del coprifuoco. «Tu vuoi giovane vergine?» Si fermava davanti a un tugurio, dentro c'era una vecchia sdentata che stava friggendo del pesce. Si alzava, andava in una stanza e tornava tenendo per mano una bambina di dieci anni. «Cosa c'è?» diceva il risciò. «Non buona?» «Non buona» dicevo e si ripartiva con il fruscio morbido dei suoi piedi nudi sull'asfalto nei profumi dolciastri della notte, fra suoni di radio americane, tonfi lontani di artiglieria, chi sa contro chi sparavano di notte, forse per tenersi su il morale. Ci si abituava in quella sporca e inutile tragedia alla convivenza fra il dolore e l'indifferenza, fra la morte e i commerci più poveri o sordidi o ingegnosi, e già allora, non con la scienza di poi, già camminando per quella città decomposta, per quelle campagne poverissime, veniva di pensare alla assurda pretesa dei contendenti, dei comunisti come degli americani, di cambiare, con caterve di morti, di feriti e di mutilati, un paese destinato ad altri secoli di povertà, sovrappopolazione, miseria, corruzione. Nazisti, stalinisti, americani, tutti presi dall'idea folle di rigenerare il mondo seminandolo di morti.

Nella nostra ambasciata c'erano dei diplomatici stanchi e un ambasciatore mitomane che si era convinto di poter fare da mediatore fra gli Stati Uniti e il Vietnam del Nord e mandava al sindaco di Firenze La Pira progetti di tregua o di trattative segrete. Mi riceveva nel suo ufficio mentre arrivavano sulla città, a poca distanza, i colpi di mortaio di un commando vietcong e mi confidava in gran segreto che la sera prima l'ambasciatore americano lo aveva preso in disparte per dirgli che aveva trasmesso a Washington, con esito molto positivo, alcune delle sue proposte. L'unica cosa seria che si faceva nella segreteria dell'ambasciata era di cambiare i dollari per acquistare antichità da spedire in Italia con la valigia diplomatica.

La guerra vista da vicino è molto rara nel mestiere del giornalista, anche quando ti portano al fronte ti portano in luoghi abbastanza sicuri, gli uffici stampa non sono fatti per far ammazzare la stampa. E quando la vedi per davvero o è molto meglio o è molto peggio di come la immaginavi, se capiti dove c'è il peggio è difficile che poi tu possa raccontarla, se arrivi dove c'è il meglio quasi non te ne accorgi o ti sembra insignificante. Un mattino dico a un autista che mi porta sovente sulla sua Renault a pezzi: «Ti do quel che vuoi ma portami dove ci sono i vietcong». «Possiamo provare a Wung Tao,» dice lui «l'altra settimana mi hanno fermato.» Un po' come mi capita nei casinò, faccio una puntata e mentre la faccio son già pentito di averla fatta. Comunque andiamo a rischiare la pelle perché nella redazione de «Il Giorno» quelli a cui sto sui coglioni dicano: «Questa di sicuro se la è inventata». Io parto con l'eccitazione, l'autocompiacimento, l'autocommiserazione di chi va a rischiare la pelle e lui, l'autista, sembra di ottimo umore, fischietta e racconta nel suo francese incomprensibile storie che non sto ad ascoltare, gli occhi fissi alla foresta da cui da un momento all'altro potrebbero balzar fuori i viet in pigiama nero con la benda nera e la stella rossa sulla fronte. Ma a Wung Tao capisco che l'amico voleva solo andare a trovare un suo cugino che ha una trattoria in riva al mare. Si abbracciarono in un turbinio di parole sconosciute, ogni tanto mi guardavano, ridevano e facevano gesti di saluto, poi ci sedemmo a un tavolo, arrivarono i piatti di ananas con la salsa di paprika, i gamberetti, il riso, le birre e andò avanti così per due ore, chiacchieravano fitto e sorridevano. Lì vicino c'era una spiaggia dei marines, il bagnino aveva alzato la bandiera rossa perché il mare si era ingrossato e non sta bene morire annegati su una spiaggia protetta dai reticolati e dai bunker. Due ragazzine, forse le figlie del padrone, erano uscite dalla cucina con un cesto pieno di lumachine e di crostacei che lavavano e preparavano per la cena e finalmente il mio autista guarda l'orologio e dice: «Ouh très tard, tout de suite Saigon». Nel ritorno ogni tanto ridacchiava e mi diceva: «Pas vietcong aujourd'hui, dommage».

Il peggio della guerra lo vidi a Tai Nin vicino alla frontiera con la Cambogia: la montagna dei vietcong nera e incombente, Tai Nin come Fort Apache, si entrava per un varco nei reticolati, i soldati americani stavano alle mitragliere in tenuta da guerra, anche loro bende colorate sulla fronte. Passando vicino alle prigioni si sentivano urla atroci, nel cortile della caserma dei *rangers* vietnamiti c'erano delle gabbie di bambù con dentro i prigionieri.

Non era facile fare l'inviato nel Vietnam stando in un giornale della sinistra democratica come «Il Giorno»: la mitizzazione dei vietcong e la demonizzazione degli americani erano arrivate a livelli parossistici, il mito del buon selvaggio, del paradiso perduto dominava la società grassa dei consumatori di cibi, di benzina e di gadget. A sinistra poi il Vietnam era la rivoluzione esotica, il sogno. Quella sinistra non mi perdonò mai una corrispondenza sui villaggi fortificati che militarmente furono un fallimento, ma che misero in atroce luce gli aspetti staliniani, terroristici della guerra dei viet. Saigon e gli americani avevano fatto i villaggi fortificati per recuperare il controllo del territorio, per creare una rete di capisaldi sicuri. La risposta di Hanoi e dei viet era stata un terrorismo spietato, certo efficiente ma orrendo, chiunque accettasse una minima funzione pubblica, sindaco, maestro di scuola, messo comunale, impiegato alle poste o al telegrafo veniva ucciso. I contadini poveri stavano dalla parte dei viet che però, se occorreva, li uccidevano senza pietà. E questo ai lettori della nostra sinistra democratica non lo si poteva dire.

Di ritorno da Tai Nin, sempre sulla Renault a pezzi del mio amico autista a cui avevo perdonato la gita a vuoto, attraversiamo la campagna deserta e i piccoli villaggi e vedo la gente per cui la più grande potenza del mondo capitalista e le due grandi potenze comuniste sono scese in guerra: dei contadini stracciati che stanno in riva agli stagni delle risaie a pescar rane o tinche, le capanne con qualche vaso di coccio. Poi incontriamo una lunga colonna di vietnamiti, forse di un villaggio abbandonato, che stanno traslocando con le loro povere cose su tricicli, motorette, camioncini, carretti, dietro due autoblindo americane. Passare non si può e mentre sono lì a pazientare, a sacramentare, schiocca nell'aria come una frustata, è un cecchino vietcong che ci spara addosso da qualche punto della risaia. Ta-pum, qualche minuto di silenzio e di nuovo ta-pum su noi, gettati ventre nel fango, io con il mio bel vestito fatto in una notte dai sarti di Hong Kong. E dopo un po' arriva la risposta del Golia cieco, cinque cacciabombardieri riempiono la risaia di bombe e di fuoco, e quando sono passati ta-pum, fa di nuovo il cecchino.

Tornai altre quattro volte nel Vietnam e nel '68 fui invitato a un dibattito alla Statale di Milano. C'erano al tavolo degli oratori il poeta e letterato Franco Fortini, le politologhe Enrica Collotti Pischel e la Edoarda Masi e i leader studenteschi Capanna e Toscano. Nessuno di loro era mai stato nel Vietnam, nessuno aveva la più pallida idea di cosa fosse quella guerra. Ma inveivano, sospiravano, gemevano. Fortini si mise a declamare una sua composizione lirica messianica, biblica, marxista in cui si raccontavano i vietnamiti come gli agnelli sacrificali di questo mondo perverso, i martiri che salvavano questa putrida società; e l'assemblea giovanile mandava muggiti di commozione e di odio che erano poi autoflagellazione, poiché riconoscevo dai volti che eran tutti o quasi figli della buona borghesia partecipe del sistema che l'Amerika «nemica del genere umano», come diceva Fortini, dirigeva e proteggeva. Era lo spettacolo suggestivo ma anche un po' immondo dei pentimenti collettivi, i peccatori di ieri e di oggi che saranno i peccatori di domani, e lo sanno, si stracciano le vesti, si battono il petto e si rigirano nei rimorsi, come in quei brutti risvegli dopo una sbornia in cui ti disprezzi, ti addolori, ti senti umiliato per la tua debolezza e un'ora dopo, risvegliato, sbarbato, lavato riparti tranquillo verso nuovi piaceri e nuovi peccati.

Parlavo a bassa voce, cercavo di raccontare la guerra come l'avevo vista: con quegli americani che non volevano combatterla, con quella potenza che poteva distruggere il mondo ma non veniva usata, con quella democrazia che per corrotta e confusa che fosse metteva sotto processo se stessa mentre i suoi figli morivano in guerra e «fumavano» per dimenticare la paura, ma anche per i nodi irrisolti di una guerra non voluta, non combattuta. Raccontavo le armi elettroniche che permettevano agli americani di vedere nel buio della notte, di fotografare da cinquemila metri di altezza uno in bicicletta, come fosse lì a due passi, dicevo di una guerra ricca, autotrasportata, aerotrasportata, specie con gli elicotteri, ecco perché nei grandi alberghi, convalescenziari di Bangkok quasi tutti i piloti erano feriti alle gambe o alle natiche. Ma dicevo anche che la guerra di liberazione nazionale condotta da liberi partiti era una menzogna, che il Comitato di Liberazione composto da esponenti dei vari partiti era uno specchietto per allodole come i nostri La Pira ed Enriques Agnoletti, o per ingenui o vanitosi che non si accorgevano della dura dittatura comunista. E qui l'assemblea incominciava a rumoreggiare, a fischiare, e io guardavo le due Giulietti, in prima fila, fra le più accese e stravolte, bellissime fanciulle arrampicatrici che eran pronte a far soldi falsi pur di essere ricevute in casa Crespi o Pirelli, che già si eran ritagliate posticini nei giornali, ma che ora mi avrebbero pestato, sputacchiato. Dovette intervenire in modo protettivo Capanna. Oggi che il comunismo si sta spaccando, sfaldando in ogni parte del mondo, resta il ricordo di tutte le mediocri ma irresistibili voglie di appenderci sopra le attese di carriera, di privilegio, di una media e piccola borghesia sempre pronta a galleggiare sui rivolgimenti sociali, a gettarsi nei ricambi del potere. Il Vietnam per cui muggivano di commozione gli studenti milanesi era già, nei territori liberati dai viet, contesi dai viet, una dittatura burocratica; c'erano già, alle spalle dei poveri cristi che si facevano ammazzare, i commissari politici, gli ufficiali, i poliziotti che sulla montagna dei cadaveri avrebbero costruito le loro dacie, le loro Zil nere, le loro prigioni, le loro rieducazioni, il loro esercito rosso pronto a invadere il Laos e la Cambogia. Gli americani uscivano da quella guerra umiliati e diffamati, ma la generazione che in tutto il mondo li aveva esecrati, finita la guerra, voltava il capo da un'altra parte, non le interessava più minimamente sapere che cosa accadeva nelle terre del buon selvaggio, del martire, del capro espiatorio, non le importava assolutamente niente che dalla Corea del Nord alla Cambogia si fossero instaurati i regimi del terrore e della penuria da cui «il popolo delle barche» fuggiva come dall'inferno, a costo della vita.

Nelle guerre e nelle rivoluzioni degli altri passi sempre come spettatore, parteggi per i tuoi affini o alleati ma sapendo che puoi sempre tirartene fuori, e quelli che ci stanno dentro lo sanno, sanno che se cambia il vento tu prendi il primo aereo, il primo treno, e loro restano. Andò proprio così nella primavera di Praga del 1968. La città, la stupenda città era irriconoscibile. Scomparsi i poliziotti con stivali, cappottoni marrone e mitra puntati attorno al castello, spariti i grigi burocrati, il sospetto, la paura. Praga rideva e cantava, gli alberghi eran pieni di gente arrivata dall'Occidente per veder morire il comunismo dal volto disumano, curiosi di vedere quello dal volto umano.

Dividevo la stanza con due colleghi, Pierino Novelli de «La Gazzetta del Popolo» e Gianfranco Piazzesi de «La Nazione». Novelli in stanza non c'era mai, passava le sue giornate al bar o nella hall, arrampicato su un trespolo, rincantucciato in una poltrona, lui piccolo e ricciuto in mezzo a giunoni bionde, poppute, che se lo coccolavano ridendo. Lui non parlava la loro lingua e neppure l'inglese. Non si capivano, ma ridevano, ridevano. Ogni tanto il portiere, un professore di letteratura francese epurato dal regime, lo avvisava che lo chiamavano da Torino e non so che cosa potesse telefonare Pierino che non aveva preso un appunto, scritto una riga, messo il naso in città eppure parlava, parlava e si faceva pure delle risate con gli stenografi. Piazzesi invece non si muoveva dalla stanza, era arrivato da Firenze con la sua portatile e una busta piena di ritagli e non sentiva bisogno di altro. Appena sveglio, in pigiama, si sedeva a un tavolino, si accendeva una sigaretta e mi chiedeva nel suo fiorentino tagliente: «O come si chiama quel coso, che ieri ha cosato nella conferenza stampa?». «Bilack, mi pare.» «Che bischero!» diceva lui. Poi come un topino giudizioso zampettava un po' fra i ritagli e, come rosicchiando, si metteva a scrivere senza interrompersi mai. Quando andava in bagno davo un'occhiata a ciò che aveva scritto. Qualunque fosse l'argomento c'era sempre una cartella abbondante su Jan Masaryk, il figlio del grande Masaryk, defenestrato dai comunisti. Masaryk come il dado Liebig per fare un brodo passabile per «La Nazione».

Corrispondente dell'Ansa da Praga era Benettazzo, il gigante buono, un veneto austroungarico alto, paterno e imperturbabile come Cecco Beppe, con un'amica cecoslovacca che ci faceva conoscere gli amici suoi, tutti un po' soldato Švejk, il mitteleuropeo duttile, morbido, antieroico. Alcuni di loro avevano conosciuto le prigioni comuniste, i laboratori per fare i cuscini con le piume d'oca che si sminuzzano nell'aria, peli e aghi invisibili che ti entrano nei polmoni e ti fanno morire di asma, ma non mostravano odio o rabbia, usciti di galera si erano morbidamente adattati a una morbida fronda di regime, uno aveva imparato a rubare icone nei musei e libri rari nelle biblioteche, sapendo che quei beni non avevano alcuna importanza agli occhi della polizia, altri si erano sistemati come traduttori, come impiegati delle agenzie di viaggio, e come ne *Il maestro e Margherita* non mancava mai nelle loro case una tazza di tè o un pasticcio di melanzane alla turca. Emersi senza strepiti e furori con la primavera di Praga e con Dubček, si sarebbero immersi all'arrivo dei carri sovietici. Il presidente di oggi, Havel, era uno di loro: non è tornato dall'esilio, è stato un po' in prigione e in po' si è adattato continuando a scrivere, a bere tazze di tè, ad andare in casa degli amici per dividere un pasticcio di melanzane alla turca. In quella Praga liberata era arrivato anche Arrigo Benedetti, ex direttore fondatore de «L'Espresso». Passavamo per le magiche stradette della Malá Strana, la Praga degli alchimisti e dei negromanti, il cuore antico e misterioso dell'Europa, e lui si fermava, guardava e diceva: «Mi par proprio d'essere a Lucca. Hai in mente Lucca al crepuscolo? Identica».

Non vidi l'invasione russa della Cecoslovacchia, mi dirottarono a Bucarest in Romania. Volli andarci in auto, ho sempre preferito la libertà dell'automobile alle compagnie dei treni e degli aerei. Era una piacevole avventura, branchi di oche in mezzo alla strada, villaggi addormentati nel tempo e nella solitudine e uccelli, milioni di uccelli, grandi voli di uccelli a cui non ero più abituato, nell'azzurro della sera. Noi giornalisti alloggiavamo tutti all'Athené Palace e facevamo quel che avevamo fatto a Tel Aviv o a Saigon. Quelli della Rai, come a Saigon, come a Tel Aviv, erano sempre in giro per chiese, non importa di quale religione, cattoliche, confuciane, ebraiche, ortodosse pur di fare un servizio sulla gente in preghiera che non guastava mai nella nostra pia televisione. Nessuno dei cento giornalisti parcheggiati all'Athené Palace sapeva cosa scrivere, salvo il vecchio Nicholson, corrispondente del «Manchester Guardian», che era già brillo alla mattina alle dieci quando faceva colazione al bar con un gin tonic e cotto la sera quando si addormentava in poltrona, ma la notizia l'aveva sempre, il pezzo lo telefonava sempre. Mi sono ricordato di lui di recente quando ho letto che il capo del personale di Canale 5 ha minacciato sanzioni ai giornalisti che alzano il gomito, ignaro che tutto il giornalismo anglosassone sarebbe da licenziare. Non so da chi Nicholson ricavasse le sue notizie sui movimenti e le intenzioni dei russi perché non sapevano niente neppure i rumeni. Andavamo al ministero degli Esteri, Alfredo Pieroni del «Corriere», Sandro Viola de «La Stampa» ed io. Loro due si vestono da Caraceni e comperano le cravatte a Londra. L'usciere si inchinava al loro passaggio e sussurrava indicandomi: «L'autista può aspettare nell'atrio». Ma anche il ministro degli Esteri e i suoi funzionari facevano su per giù quel che facevamo noi che ci svegliavamo nel cuor della notte, andavamo alla finestra per vedere se i russi erano arrivati e tornavamo a dormire.

Si stava mica male all'Athené Palace. C'eravamo noi giornalisti, i poliziotti travestiti da camerieri o da telefonisti e poi la «ginecologa di Braşov» o la «turista di Timişoara», vale a dire le puttane a doppio servizio, nostro e della polizia che le usava non perché fossimo pericolosi ma per spartire un po' dei nostri dollari. Incominciavamo a prendere le coordinate della Repubblica popolare socialista di Romania del *conducator* Ceausescu. Nella hall c'erano delle cabine telefoniche sempre occupate da mercanti di bestiame italiani, li sentivamo urlare: «I vitelli sono duemila al chilo prendere o lasciare», «Se volete dei manzi posso riprovarci, ma stanno alzando i prezzi». Ma fuori dall'Athené Palace era tutta una povertà, mai visto né in Africa né in Asia un paese così desolatamente povero come la Romania comunista, così inospitale. Presto tutti fummo ossessionati dal tanfo di montone andato a male degli spiedini o delle polpettine immancabili nei ristoranti. Ogni tanto un diplomatico di passaggio, un ingegnere della Italstat in viaggio di affari spargeva la voce che nei Carpazi c'erano dei buoni ristoranti. Partivamo, facevamo duecento chilometri, risalivamo le foreste, arrivavamo a uno chalêt di tipo austriaco, vedevamo felici i tavoli apparecchiati con gusto, ma in quella si apriva la porta della cucina e il tanfo dei *mititei*, i maledetti spiedini, ci appestava, si attaccava agli abiti.

Mi aveva raggiunto la mia seconda moglie Silvia che si disinteressava di noi giornalisti, dei russi, delle ginecologhe di Braşov, dei poliziotti. Aveva fatto amicizia nel *déhor* dell'Athené Palace con il principe Casanova, che forse era anche lui un informatore della polizia ma con grande stile e discrezione anche perché aveva ottantacinque anni. Il principe era principesco, alto, bello, imperturbabile. Doveva aver impressionato anche i comunisti perché gli avevano lasciato una stanza del suo palazzo. Era stato critico d'arte e Silvia non chiedeva di meglio che di essere guidata ai tesori locali. Il principe arrivava, si inchinava a mia moglie, le dava il braccio e partivano per le visite ai musei e ai quartieri antichi. Da Vienna Enzo Bettiza del «Corriere» continuava a telefonare a Pieroni che l'invasione era imminente, anzi che era già in corso e Pieroni correva ad avvisarmi nel cuor della notte e io lo mandavo a farsi benedire, finché fu chiaro a tutti che i russi non sarebbero mai arrivati e che era l'ora di tornare a casa.

Mi si era rotto il cambio della Fiat 125, funzionavano solo la prima e la terza ma non fu possibile avere un pezzo di ricambio neppure con la valigia diplomatica. Così decidemmo di partire lo stesso e di passare per la Transilvania perché Silvia voleva vedere Tîrgu Jiu, la città di Brancusi, grande scultore. C'era un solo albergo turchesco con le stanze che davano su un grande cortile: niente bagno, niente lavabo, un cesso lurido per cento clienti e al ristorante solo *mititei*, i maledetti *mititei*. «Avete vino?» «No.» «Birra?» «No.» «Ma come non avete birra, ma in quale paese del mondo manca la birra?» Avevano solo *slika*, la grappa che sa di prugne cotte nel piscio. Mi prendeva un odio per la Repubblica popolare di Romania del *conducator* Ceausescu che avrei dato alle fiamme l'intera Tîrgu Jiu. Il viaggio continuò con la paura che si rompesse anche la terza marcia e si dovesse rimanere chi sa per quanto in quel paese delle oche e dei *mititei*. Sui fiumi minori, nelle strade secondarie i ponti non c'erano. Mi fermavo, guardavo i pastori d'oche che passavano a guado, l'acqua fino alle caviglie anche più in su e finalmente mi decidevo a passare fra due spruzzi terribili con il cuore in gola.

Belgrado era come Parigi. C'erano i pezzi di ricambio, nei ristoranti servivano *tournedos* alla Rossini, nei bicchieri brillava il rosso del dalmata, non c'era più puzza di *mititei*.

VII
IL SESSANTOTTO

Il provinciale attento alle opportunità, la formica che ha accumulato cultura e professione vede nel Sessantotto un'onda anomala che lo sorprende, lo sballotta, qualcosa che ribalta i valori, confonde le procedure, scompagina le gerarchie. E finché può lo rimuove come un urlar di ubriachi che, prima o poi, si spegnerà nella notte. La rabbia e lo sconforto del provinciale sorpreso fanno velo al lucido, realistico modo di guardarsi attorno a cui ha affidato la sua scalata. Il Sessantotto non gli sembra evento accettabile, storia accettabile perché è confuso, irrazionale, rischioso per la democrazia, per la società civile. Ma che c'entra la saggezza con i movimenti allo stato nascente? Con la storia? È stato saggio nell'Ottocento il Quarantotto? Che vantaggi sono venuti all'Europa da quel moto borghese, nazionalistico? Ne sono venute guerre spaventose e i fascismi. No, la saggezza non c'entra con la storia, il provinciale dovrebbe capire che anche il Sessantotto arriva per tante ragioni che con la saggezza hanno poco da spartire, dalla crisi dei linguaggi, dei valori, dei costumi. Inevitabile. Non lo ha detto anche Marx che la forza della società borghese sta nel tirar fuori ciò che la guasta dentro? Già, a parole tutto è facile, ma quando si è nella mischia!

Ero a «Il Giorno» da otto anni, avevo girato l'Italia in lungo e in largo, studiati il prato basso e alto della produzione, conosciuto i ricchi e i poveri, i potenti e gli umili, ma lasciai che il Sessantotto mi venisse addosso con il suo vivere in branco, la sua violenza, la sua impazienza, il capovolgimento delle parti per cui chi ha sempre avuto paura improvvisamente incute paura, chi è sempre stato confuso si sente sicuro. Forse mi lasciai sorprendere perché la scuola e le sue faccende nel mio giornalismo erano sempre state in ombra, come la cultura cattolica, come l'argomento droga, tre di quelle idiosincrasie di cui non ti chiedi il perché, come di un cibo che non ti va. E sì che la mia scuola era cominciata bene al liceo ginnasio Silvio Pellico di Cuneo e avrei dovuto capire sin da allora che ero nato conservatore. Mi piaceva che fosse una scuola di élite con pochi alunni e ottimi professori e mi piaceva che fosse classica, su fondamenta culturali eterne, con le ricche miniere linguistiche del greco e del latino – che perfezione grafica il greco, che ricchezza di suono e quanta forza, quanta autorità nel latino – e subito la grande scelta esistenziale fra gli archetipi umani, fra Ettore e Achille, fra il casto onesto difensore della sua famiglia e della sua città e l'eroe dionisiaco, ambisessuale, il feroce semidio Achille. In quella scuola i percorsi linguistici e letterari sembravano perfetti, tracciati per sempre, come la via Romea o l'Emilia; per Cesare e Tacito si arrivava a san Francesco, Dante, Petrarca e poi su all'*Orlando furioso* con gli *omissis* erotici «e dentro vi piantò l'asta di botto» cercati nelle edizioni integrali, e su ancora fino al Manzoni e ai suoi adelchiani squilli di tromba e poi a Pascoli, Carducci, d'Annunzio che bastavano e avanzavano alla cultura del buon borghese.

Una prima delusione era arrivata nell'ultimo anno di liceo con la riforma marxisteggiante di Bottai, lo studio accoppiato al lavoro manuale, incomprensibile per noi piccolo-borghesi che avevamo imparato fin dalla nascita a distinguere nell'umanità quelli dei lavori sporchi e quelli dei lavori puliti, fra le mani callose e le mani bianche. Per fortuna, come è solito nelle riforme italiane, nulla era pronto per applicarla, non c'erano i laboratori, non c'erano gli istruttori e tutto il mondo scolastico era contrario. Ma il peggio era arrivato all'università, con quei suoi professori modesti e presuntuosi, indifferenti ai problemi veri della vita e vili. Noi che andavamo agli esami in camicia nera per prendere il diciotto di guerra eravamo dei servi che ci illudevamo di aver trovato le scorciatoie per la vita facile, ma loro che stavano alla farsa erano dei poveretti. Provavo un vero ribrezzo per Mario Allara, professore di diritto civile, piccolo, un po' gobbo, una gran testa, un colorito giallognolo che durante tutto il corso celebrava una sua rivoluzionaria, illuminante, copernicana definizione della proprietà in negativo, «tutto ciò che non rientra nei diritti altrui», come dire che il dolce è ciò che non è amaro e che se questo terreno non è di un altro è tuo. L'inflessibile rigorosissimo professor Mario Allara, ma quando arrivò a dare l'esame Gianni Agnelli accompagnato dal precettore e dall'autista come si ingentiliva la sua voce, sembrava il gatto quando miagola dolce.

Un Sessantotto avremmo dovuto farlo già noi in quella università che non si preoccupava minimamente di prepararci alla vita, ma noi preferimmo voltarle le spalle, erano anni di guerra, si doveva pensare a sopravvivere e quando la guerra finì a me non interessava più diventare dottore, mi mancavano tre esami ma lasciai perdere con grande dolore di mia madre, sicché anche ora nel dormiveglia mi ritrovo nel rimorso e nelle promesse: vedrai che quest'anno li do quei tre esami. Ma nel giornalismo la laurea serviva a niente e avevo imparato più cose nei primi due mesi della guerra partigiana che in quattro anni di università. E ora cosa volevano questi ventenni che da un giorno all'altro si sentivano massa, organizzazione e volevano tutto, chiedevano tutto?

Come padre il rifiuto generazionale lo capivo, i padri stanno sempre sui coglioni ai figli e poi il nostro antifascismo era tronfio, presuntuoso, la nostra democrazia fondata sulla Resistenza era più fumo che arrosto. Però mi dava un fastidio enorme l'automaticità della faccenda, il fatto che si dovesse arrivare a una contestazione, a un capovolgimento dei valori e delle gerarchie solo perché loro erano di venti o trenta anni più giovani, il fatto che ogni generazione o quasi debba tradurre i suoi istinti forti, la sua giovane vitalità, i suoi sani appetiti, il suo sangue caldo in ideologie pretestuose, in richieste radicali di cambiamento, in letture fantastiche dei fatti del mondo, per esempio della guerra nel Vietnam e del disimpegno americano visto come «la superiorità delle libere associazioni dei contadini vietnamiti sulla tecnologia capitalistica», cazzate monumentali a cui neanche la verde gioventù dava diritto. Non glielo dava, ma se lo prendevano e anche lì il mio ragionar lucido latitava, anche lì dimenticavo ciò che sapevo da sempre, che ci sono cento, mille rappresentazioni della vita, della storia e dietro ognuna c'è un opportunismo individuale o di gruppo.

Insomma quando alla fine del '67 e nei primi mesi del '68 gli studenti universitari cominciarono ad occupare le università, a manifestare, a lanciare uova alla prima della Scala, a pubblicare i loro programmi, a farci sapere che non desideravano essere intervistati dai vecchi arnesi dell'informazione padronale non ce la feci a capire, anzi non volli proprio capire che comunque quei pivelli presuntuosi segnavano la fine, temporanea si intende, di eterno non c'è mai nulla, ma la fine di un costume autoritario, di un apparato autoritario che l'antifascismo aveva ereditato dal fascismo. Quando Guido Viale, un leaderino torinese del movimento, mi fece sapere da un suo portaborse, neppure lui di persona, che non gli interessava incontrarmi non volevo crederci. Sorpreso dalla loro strafottenza e violenza mi sorprendevo a chiedermi: ma chi sono? Ma come si permettono? Gli abbiamo dato la libertà e il benessere, che cosa vogliono ancora? Mi restava abbastanza sangue freddo per non prenderli di petto. Mi facevan girare i coglioni, ma non al punto che perdessi totalmente la prudenza e la scaltrezza di chi ha deciso di fare una marcia longa. Stavo giornalisticamente alla finestra, facevo delle cronache ma evitando i giudizi, ma quando il mare sociale è in tempesta non è facile trovare acque chete e a maggio ci caddi dentro volente o nolente.

Ero a Parigi con mia moglie Silvia per seguire la conferenza russo-americana e degli studenti che occupavano l'università di Nanterre e che sfilavano in corteo sugli Champs Élysées non mi importava niente. Silvia non capiva. «Ma come,» diceva «sei l'inviato di punta del "Giorno", ti trovi al centro di un avvenimento storico e non mandi un servizio?» Allora insegnava nelle scuole medie e la rivolta studentesca le sembrava la cosa più importante del mondo. Tiravo fuori delle scuse: «Sai qui abbiamo un corrispondente fisso che si occupa degli studenti da un mese. Non posso portargli via l'argomento tanto più che devo seguire la conferenza». Ma lei era giovane, bella e presa dalla rivolta e così dovetti seguirla alla Sorbona occupata.

Come gioco il Sessantotto francese non sembrava male: la vecchia università e l'intero Quartiere Latino erano presi da un continuo, colorito, trascinante happening, il cuore di Parigi sembrava a disposizione di chiunque volesse immaginare, stupefare, inventare, su tutte le statue degli immortali avevano messo cappelli, cartelli, bandiere, la folla era quella composita delle grandi feste popolari, giovani e vecchi, operai che arrivavano dalla cintura rossa e ricchi borghesi del Faubourg Saint-Honoré, repubblicani e monarchici per assistere alla recita del gran disordine, uno spettacolo che la Francia conosce di rado ma grande, intero.

Passare per i corridoi della Sorbona era come passare per una esposizione universale delle utopie e delle scienze politiche, in ogni aula erano in corso assemblee o corsi studenteschi, alcune alla presenza dei *maîtres à penser* come Sartre o Simone de Beauvoir subito accorsi. Sembrava un pluricinema con tante visioni diverse contemporanee in tante sale. Si coglieva un piacere generale del revival storico, l'eccitazione di rivedere dopo più di un secolo folle in tumulto e in raduni costituenti negli stessi luoghi della grande rivoluzione e delle gloriose battaglie civili. Ma queste del maggio francese sembravano arcaiche, con rituali antichi, confronti simbolici. Eccoci per esempio nel Quai d'Orsay vicino al ministero degli Esteri: i gendarmi in uniforme blu scura, con gli elmetti di plastica e i grandi scudi neri, sembrano la coorte catafratta del re di Francia chiamata a domare una rivolta di contadini borgognoni. La coorte sta ferma in attesa che i suoi trombettieri diano l'ordine della carica. E gli studenti, in abito borghese, con bastoni e pietre sembrano villani rivoltosi, usciti dai campi e dalle officine per lottare contro una tassa sul macinato. Nello sfondo i palazzi grigi, gotici dell'Île de la Cité. Come di prammatica nelle battaglie antiche la pugna si fa attendere; prima vengono le concioni e gli insulti e le sfide urlate. Lo scontro è rapido e confuso, alle prime bombe fumogene della polizia lo schieramento dei villani in rivolta arretra, si rompe ed è la fuga generale. Noi che assistiamo dalla finestra di una camera d'albergo non riusciamo proprio a vedere il capitano dei gendarmi di cui si leggerà in una cronaca di «France Soir»: «Piangeva in silenzio mentre suo figlio nella prima fila degli studenti gli gridava: porco, porco». Nella storia sacra dei movimenti c'è sempre il poliziotto feroce, da uccidere, come da noi il commissario Calabresi, e il poliziotto buono progressista che piange perché sta dalla parte sbagliata, come il poliziotto di Mario Capanna, il leader sessantottino: «Quando dico dei braccianti di Avola, che lì magari c'era tuo padre o tuo fratello, vedo un agente rigido sull'attenti con le lacrime che gli scendono. Lo abbraccio forte».

I francesi, che di rivoluzioni vere ne hanno fatta una e gli è bastata per il resto della loro storia, dopo qualche mese di un happening cui si erano uniti in una sorta di follia o di vacanza collettive impiegati delle assicurazioni e parrucchieri, camerieri d'albergo e architetti, tutti che occupavano le loro aziende e i loro negozi, tutti che chiedevano il contrario di ciò che gli assicurava il benessere, tutti a scaletta contro l'autoritarismo del superiore mentre ignoravano quello verso gli inferiori, misero fine alla rivoluzione. Per qualche mese si sarebbe potuto dire di loro ciò che Hermann Hesse aveva detto del Wilhelm Meister goethiano: «Trattasi di persona la cui buona origine e la educazione borghese, il patrimonio e il carattere farebbero senz'altro un buon cittadino: il quale però spinto da un arcano anelito, inseguendo stelle e comete è costretto a inventarsi una sua vita difficile». In Francia però, con giudizio, tutti buoni a casa quando il generale De Gaulle gli dice che «la ricreazione è finita». Da noi invece, a mano a mano allargata a contestazione generale e violenta, durerà più di dieci anni.

Il Sessantotto come spallata, come repulisti di quanto vi era di morto, di ipocrita nella Repubblica antifascista, lo capivo, ma il Sessantotto come rivoluzione no. Se era, come pareva nei primi mesi, un movimento riformistico, si desse da fare con la borghesia dei produttori per trovare, nei suoi giornali, nei suoi soldi un alleato, qualcuno che condivideva la necessità di una scuola più moderna ed efficiente; ma se era, come dopo pochi mesi pretendeva di essere, l'inizio di una rivoluzione sociale di modulo socialista, allora eravamo veramente al grande inganno, allo spreco del tempo e dei soldi. Andai a vedere i *sit in* davanti alla Cattolica di Milano, seguii alcune assemblee, ma non ero il solo a non capire. Non capivano neppure Mario Moretti e Giorgio Semeria, i futuri brigatisti rossi spettatori di quelle assemblee, a cui pareva, come a me, che far politica, preparare rivoluzioni in assemblee confuse, isteriche fosse una presa in giro di una seria volontà rivoluzionaria. A un provinciale uscito dalla guerra partigiana che era stata fatta con la selezione dei migliori, la disciplina dei militanti, queste chiacchiere in libertà, questo ondeggiar marino delle masse, questo attivismo frenetico parevano fine a se stessi.

Mi provai a conoscere i leader del Movimento: c'era un giovane di nome Salvatore Toscano che si prendeva maledettamente sul serio: stava sempre un po' in disparte e taciturno come un Bruto cui spettasse di uccidere Cesare. Un altro era il professor Luca Cafiero. Indossava dei cappotti di ottima stoffa a spalle quadrate, cappotti da ufficiale del Kgb ma fatti da un buon sarto. Era uno snob a cui del proletariato non importava un fico secco. La rivoluzione sì gli interessava, come scorciatoia emozionante. Ci stemmo subito reciprocamente sui coglioni e queste antipatie a prima vista sono una grande e benefica semplificazione, non si perde tempo, non ci si affanna a capire, si chiude in partenza. Il migliore era Mario Capanna. Era arrivato dalla provincia mite di Città di Castello e conservava in quel gran casino, spesso vile e cattivo, una visione francescana, fraterna del mondo. Lo osservavo nelle assemblee: non mancava di dare una mano a chi veniva fischiato, insolentito, picchiato. Rispettava il prossimo mentre i più desideravano fortemente svillaneggiarlo, impaurirlo. Era molto pedagogico: una sera, durante una manifestazione contro la repressione che nessuno sapeva bene cosa fosse dato che tutti occupavano, manifestavano, requisivano, insultavano, prendevano a sassate i poliziotti, gli gridavano «PS-SS», prese la nostra delegazione di giornalisti e ci portò in testa al corteo proprio dietro il primo striscione, a pochi metri dalla polizia in assetto di guerra, con elmetti e scudi. Ciò che mi restava della esperienza partigiana mi consigliò di guardarmi attorno, notai la porticina aperta di una casa vicina, quando suonò la carica della polizia schizzai nel rifugio abbandonando alle manganellate la Cederna, la Rusconi e il povero Risè che ne ebbe un occhio nero. Mario Capanna, quando lo rividi, era molto soddisfatto: «Hai visto Giorgino cosa è la repressione? Ci vuole la scuola della piazza per capirlo».

Il Movimento studentesco passato dal riformismo alla rivoluzione, dalle assemblee caotiche a un centralismo staliniano, non spaventava minimamente la buona borghesia milanese. Intanto perché c'erano dentro i figli e gli amici suoi e poi perché la borghesia ha un suo sesto senso, pratico, il senso degli affari. Aveva capito che quei finti rivoluzionari avrebbero fatto un gran baccano, cantato *L'Internazionale*, usato il centro cittadino per i loro scontri ma non avrebbero disturbato le sue professioni e i suoi commerci. Il movimento si prendeva ben guardia di attaccare i santuari borghesi, le banche, gli uffici, i quartieri residenziali. La Borsa non venne mai disturbata, i simboli della ricchezza, salvo la chiassata all'inaugurazione della Scala, rispettati. La contestazione degli studenti mordeva le gambe ad alcuni professori, impensieriva questori e prefetti, obbligava i poliziotti a far la parte dei cattivi nelle sacre rappresentazioni a cui la borghesia compradora e fabricadora assisteva dalle finestre di casa o dell'ufficio. Una volta sfilammo in corteo per via Manzoni, Scalfari ed io piuttosto imbarazzati, mentre i giovanotti del Movimento urlavano all'indirizzo della gente alla finestra: «Fascisti, borghesi, ancora pochi mesi» e guardando in su riconoscevo vecchi amici, molto borghesi, per niente fascisti.

I destini del paese erano stati decisi a Yalta, la difesa del paese era affidata all'ombrello atomico americano, il partito comunista non aveva la minima intenzione di tentare una rivoluzione già fallita nel luglio del '48. E allora perché spaventarsi? Perché non permettere uno sfogo, a sinistra, che alla fin fine poteva tornar utile nella partita degli opposti estremismi? Serpeggiava nella buona borghesia milanese anche il gusto antico di sfiorare il proletariato, di immergersi, ma per poco, nella folla, di andare a cena nell'osteria della mala, di guardare da vicino i diversi, nella bella certezza di ritrovarsi l'indomani fra gente ordinata, per bene.

Ero a Bari per un servizio quando arrivò per i lunedì letterari Herbert Marcuse, un filosofo tedesco passato all'Università della California, comunista da Università della California, un pensatore elegante che aveva scritto un saggio famoso sull'uomo a una dimensione cui il capitalismo e il consumismo avevano tolto ogni spessore umano, ogni vera libertà. Insomma le cose che si scrivono stando in un paese libero con un buon stipendio, qualcosa di vero in mezzo a un sacco di baggianate colte. Lui fece la sua conferenza, disse ai baresi, alla torva borghesia barese che ha le labbra affilate, la bocca affilata per l'avidità e la paura di perdere una lira, le sue cose eversive e poetiche, le cose vere e le baggianate di tutti i filosofi e si ebbe un sacco di applausi, infinite richieste di autografi e poi finì per la cena nella casa dell'avvocato Paolo Laterza, il fratello del mio editore. Conoscevo Paolo perché mi aveva fatto assolvere dalla querela di un fascista da me citato nella *Storia dell'Italia partigiana*. A Milano mi avrebbero condannato, ma Paolo giocava a bridge e frequentava il circolo della vela con il giudice. Lì il vecchio Herbert e la moglie, canuta e un po' stramba, furono abbandonati in una saletta: la commedia sinistrese era finita, ora il «Tout Bari» pensava alle faccende sue, imprenditori, avvocati, questore, prefetto, colonnello dei carabinieri, commercianti, il commendator Di Cagno, proprietario di hotel, garage, terreni con cognato direttore della Cassa del Mezzogiorno discutevano fitto e intenso degli affari loro, molto della variante ferroviaria che avrebbe liberato terreni al centro, molto della zona industriale, molto dell'onorevole Aldo Moro nume tutelare della città. Restammo con il vecchio Herbert solo mia moglie ed io. A parte le baggianate filosofiche il vecchio Herbert era un uomo delizioso, gustava le orecchiette con le cime di rapa e le melanzane al forno e ci confidava: «Voi italiani non vi capisco. A Torino mi ha invitato mister Fiat, a Milano mister Pirelli, qui sono stato festeggiato da prefetti, colonnelli, miliardari. Ma davvero ai ricchi italiani piacciono tanto i comunisti?». «Eh l'Italia, signor Marcuse» dicevamo. Non ci sembrava garbato dirgli: signor Marcuse, questi borghesi che ha visto non hanno più paura dei comunisti che tenevano le mitragliatrici e i fucili nascosti per la rivoluzione, e vuole che abbiano paura di un professore tedesco che ora insegna in una università americana e che si diverte a passare per comunista?

Una borghesia come la nostra credo non ci sia in nessuna altra parte del mondo. Arlecchinesca, impudica. Incontravo ogni giorno al garage il gioielliere che ha fatto fortuna grande perché è molto bravo nel suo mestiere e perché ha la fiducia delle grandi famiglie dove c'è sempre qualcuno che vende per bisogno di liquido. Ogni tanto andavo a trovarlo nella sua villa principesca nell'Oltrepò pavese dove trovavo sempre sul tavolino del salotto «Lotta continua» e «il manifesto» da quando suo figlio stava nel Movimento, fra i picchiatori del servizio d'ordine. Andavamo a spasso nel parco e diceva: «Non se ne può più di questa repressione, di questi fascisti, incomincio a pensare che Stalin avesse ragione». «Finché lo pensi, male non ti fa» gli dicevo, ma non raccoglieva l'ironia.

Chi abita come me in via Bagutta o altra via del centro sta in quegli anni come sull'orlo di un vulcano che ogni sabato sera entra in eruzione. Da corso Monforte arrivano in San Babila i fascisti e si attestano vicino alla stazione dei taxi, i rossi invece arrivano in piazza del Duomo da via Torino, via Dante, corso Italia, belli da vedere con le bandiere rosse ad asta lunga alla cinese, la rivoluzione da fotografare delle bandiere fluttuanti nella luce forte del crepuscolo. I turisti stranieri guardano interessati, divertiti, dai portici del Motta e della Rinascente, scattano fotografie. Allora dagli atelier di Mila Schön, dal garage Traversi, dai grandi magazzini Standa, dall'ottico Viganò escono le commesse con i grembiuli bianchi a filo di culetto proletario, trasparenti, assieme a garagisti e commessi. Sanno già cosa fare, tiran giù le serrande e fanno anche loro da spettatori alla sacra rappresentazione della politica di piazza.

I figli della borghesia che recitano la rivoluzione riconoscono gli avversari politici che recitano la restaurazione da come sono vestiti. I fascisti di Milano, i sanbabilini li riconoscono dagli occhiali affumicati Ray-ban, dalle scarpe a punta, dalle camicie con il collo alto. E i fascisti riconoscono i rossi dalle barbe, dagli eskimo, dalle camicie a scacchi fuori dai blue-jeans. È un costume antico, antichissimo, nelle loro guerre civili gli italiani devono sempre indossare una uniforme, sempre fuori ordinanza, ma riconoscibile. Non fu una delle prime preoccupazioni di noi partigiani quella di essere riconoscibili dal vestire in una guerra in cui avremmo dovuto preoccuparci di non essere riconosciuti? La storia delle nostre guerre civili è piena di camicie rosse nere azzurre, di distintivi, fiamme, cravatte socialiste alla Lavallier, capelli all'Umberto dei conservatori.

Nel Sessantotto le divise politiche dei giovani non simbolizzano la classe di appartenenza ma la camuffano. Gli studenti di sinistra a stragrande maggioranza borghesi vanno in giro conciati in indumenti ruvidi, sdruciti, con grande abbondanza di barbe, di capelli. E da parte fascista anche i figli degli operai, dei tramvieri tendono a uno snobismo un po' edoardiano, da borghesi con aspirazioni aristocratiche. L'aspetto più triste della faccenda è che gli anziani, i parenti sono disposti a riconoscere la recita come reale conflitto di classe, le forme come reali differenze ideologiche, le rivalità da totem come rivalità politiche. C'è un sacco di gente in questa Italia postindustriale che va abituandosi a una politica di piazza come disfida di Barletta, tredici marcantoni da una parte e tredici dall'altra, e chi vince dovrebbe vincere anche per le classi che dice di rappresentare. Un bel modo per rifiutare di capire, di vedere quanto autoritarismo ognuno di noi si porta dentro, per non vedere quanta voglia di ordine autoritario, violento si è diffusa in un paese che si dice democratico e antifascista.

La buona borghesia del centro ha imparato a convivere con la destra violenta e con la finta rivoluzione che piace tanto ai suoi ragazzi che stanno nel servizio d'ordine del Movimento studentesco e si allenano alle arti guerriere in una sala della Camera del Lavoro messa a loro disposizione dai sindacati. Perché come fa una sinistra che per anni ha riempito le sue case e i suoi uffici di fotografie del Che Guevara o di gagliardetti dei vietcong, che per anni ha ospitato rivoluzionari e terroristi algerini, spagnoli, uruguaiani, argentini, che ha inviato aiuti a tutte le rivoluzioni del pianeta, come fa a non dare una mano ai rivoluzionari di casa nostra anche se nessuno sa quale rivoluzione vogliano fare? Rivoluzionari proprio non sono, il paese in cui vivono non è proprio una dittatura fascista, la contestazione è forte in alcune città ma quasi sconosciuta nella provincia, ma un ceto politico sornione e vile rimanda lo scontro frontale, preferisce le lunghe sopportazioni, le lunghe digestioni.

In questa Italia tutto sembra sopportabile, come se a tutti fosse venuta una di quelle febbriciattole che non finiscono mai, che non sai come curare, che un giorno o l'altro dovrebbe passare e invece tirano avanti per anni ed anni. Siamo il paese della repressione in cui qualsiasi raduno di persone in numero superiore a dieci è autorizzato a insolentire, sbeffeggiare e malmenare il prossimo. Un venticinque aprile la professoressa Oliva, madre di un mio caro amico, mi chiede se le faccio un grosso piacere, se vado a parlare ai ragazzi della scuola media di cui è preside, alla Barona, un quartiere del sud Milano che non è lontano da piazza del Duomo ma che è come un suburbio africano. La commemorazione si tiene in un cinematografo, le scolaresche sono già entrate, il lancio delle bucce di mandarini, di castagne secche, di cartacce sembra sopportabile, una sopportabile ouverture giovanile. I ragazzi della Barona sono quasi tutti figli di immigrati dal Sud, non hanno mai sentito parlare della Resistenza e comunque non gliene importa niente, sopportano per qualche minuto, poi si alzano, urlano, lanciano quel che gli capita sottomano, gridano «Vaffanculo nonno», finché in un pandemonio di inferno la signora Oliva che conserva il suo buonumore sempre mi dice allegra: «Forse è meglio che ce ne andiamo».

La signora Oliva non è contrariata o imbarazzata, ha l'aria di dire che è già andata bene così. Già, bisogna stare al gioco: quando passo per corso Monforte in auto per tornare alla mia casa di via Bagutta i fascisti riconoscibili dagli occhiali scuri e dalle scarpe appuntite mi cacciano fra le mani imperiosamente i loro manifestini, ma non suono il clacson, non protesto neppure se uno si siede sul cofano. Confortato dal pensiero «Buoni ragazzi, che prima o poi finite in galera».

L'intolleranza si diffonde, chi non è intollerante passa per uno senza princìpi, per uno che tira a campare. Un giovane storico di Rimini, di sinistra, che ha avuto da una casa editrice di sinistra, progressista, il compito di curare un'antologia della cultura di destra mi fa vedere il suo lavoro, in bozze, una raccolta di volgarità e asinerie chiosate in modo ironico. «Ma questa» gli dico «non è la cultura di destra, è una sua caricatura. La cultura di destra, se per essa intendi una cultura non marxista, non ottimista, non sicura delle magnifiche sorti e progressive è la cultura di Freud, di Skinner, di ciò che va pubblicando l'Adelphi, il meglio della cultura europea fra le due guerre mondiali.» Si offende. Vado a un dibattito alla libreria Kalusca, la libreria milanese degli estremisti, ci sono due intellettualini spelacchiati ma perfidi che si alternano al microfono per dire che Luciano Foa, l'editore dell'Adelphi, è un fascista, stipendiato dalla Cia. Mi alzo per dire: «Guardate che Luciano Foa è stato per molti anni comunista, è uno del gruppo Einaudi, è un amico che conosco da anni, la Cia non l'ha mai vista». Mi compatiscono. Sembra tornata la sindrome fascista tipica di masse insicure ed eccitate: l'avversario politico non va discusso ma cancellato, ammazzato o almeno insozzato. Un innocuo democristiano di destra come l'avvocato milanese Massimo De Carolis e noi, i giornalisti borghesi, siamo merda, il «vai a cagare» è il dileggio più ripetuto, parente stretto dell'olio di ricino delle squadre fasciste o del «cagoia» inventato da d'Annunzio per Saverio Nitti. L'avversario non deve ragionare, non bisogna lasciarlo ragionare se no può mettere in crisi i credenti. Di fronte a questa gioventù che ha i doni naturali della sua età, la gioia di vivere, l'ottimismo dei vent'anni e che invece si inventa inimicizie e sofferenze il provinciale che ha conosciuto l'Italia povera non capisce più, ha l'impressione che il mondo stia andando alla rovescia.

Poi, come spesso accade, da quella confusa commedia si finisce nel tragico la sera del 12 dicembre 1969, la sera di piazza Fontana, della bomba nella Banca dell'Agricoltura. Di quella sera ricordo subito la caligine, da palude stigia, da malebolge. Casa mia è in linea d'aria a quattrocento metri dalla banca, ma il mio studio sta all'interno, dà su un giardino e non sento l'esplosione. Arriva una telefonata di Pietra, il direttore de «Il Giorno». I direttori non si chiedono mai se un giornalista sappia, abbia visto, sentito, loro ordinano: «Vai a vedere e poi vieni a scrivere il pezzo al giornale». Entrare nella sala terrena della banca dove una bomba aveva fatto strage non era possibile, ma bastava guardare alla luce dei fari delle autoambulanze e delle autopompe lo scempio dei corpi che arrivavano sulle barelle. A forza di giocare con il fuoco il fuoco era divampato, a forza di giocare alla guerra la guerra era arrivata sorprendendo anche la burocrazia di Stato furba e sorniona. Un servizio segreto la stava mettendo davanti al misfatto compiuto e non ci voleva molto a capirlo.

Scrissi che la strage di piazza Fontana era una strage di Stato per dire fatta da apparati statali, sia pure segreti. Pietra lesse il mio pezzo e domandò: «Ma secondo te le bombe qui a Milano e a Roma chi le ha messe?». «I carabinieri» risposi. Volevo dire la polizia dei servizi segreti, non quella dei poveretti che vanno a farsi pestare in piazza. «Tu dici? Il prefetto Mazza è convinto che siano stati gli anarchici.» Ma chiamò il fattorino e mandò il pezzo in tipografia. Aveva un sorriso strano fra la cautela e l'intesa. Si diceva di lui che fosse stato nel Sim, il servizio segreto dell'esercito; durante la guerra partigiana non aveva mai portato armi e comandava una divisione garibaldina essendo anticomunista. Il 25 aprile, quando fu deciso dal comando generale partigiano di mandare una squadra a fucilare Mussolini a Dongo, tirò per la giacca Paolo Murialdi che si era mosso per farne parte. Ma non era un uomo doppio, era soltanto uno che sapeva come vanno le cose di questo mondo.

Io invece la lezione della vita non l'avevo ancora imparata e così dopo piazza Fontana mi ributtai nella mischia, come se uscissi di colpo da un sonno politico di quindici anni. E mi ritrovai uomo di parte, sicuro di stare dalla parte giusta. Le buone ragioni non mancavano, non era credibile che i quattro gatti dei circoli anarchici avessero potuto preparare ed eseguire gli attentati simultanei in due banche milanesi, in una romana e all'Altare della Patria, e che nei mesi precedenti avessero mosso l'orchestra del terrore. E di certo qualcuno nel governo o alle spalle del governo assecondava la politica degli opposti estremismi, lasciava mano libera sia allo squadrismo rosso che ai fascisti. C'era la contestazione studentesca e c'era la crescente rabbia operaia ma la risposta del terrore appariva sproporzionata, era qualcosa che si poneva fuori dagli strumenti abituali per la composizione dei conflitti sociali, ci faceva pensare a una decisione rozza, violenta, decisa dall'apparato militare poliziesco dell'alleanza atlantica, un intervento simile a quelli dell'opposto apparato del patto di Varsavia. Non avevamo alcuna prova che le bombe fossero state messe dai servizi segreti, ma vedevamo che si correva a cancellare le possibili prove, qualcuno aveva fatto brillare la bomba non esplosa della Banca Commerciale, la polizia era stata mandata sulla falsa pista degli anarchici, sospetti, accuse arrivavano non si sa da chi contro l'editore Feltrinelli e non si capiva chi nel governo fosse ignaro e chi complice.

La politica diventava misterica, sfuggente, incomprensibile. Un governo moderato votato dai benpensanti, dalla maggioranza silenziosa, si piegava a coprire le trame dei servizi segreti, lasciava che gli scontri di classe fossero condizionati dalle bombe; e l'opposto rivoluzionarismo giovanile invece di risolvere il misterioso intreccio lo annodava, diffondeva la psicosi di un imminente colpo di stato fascista, di destra, che era fuori da ogni logica. Da piazza Fontana, da quei poveri morti si spandeva un fumo denso di voci, sospetti, false notizie, indiscrezioni pilotate, umori e furori faziosi per cui ogni parte era in grado di smentire l'altra e rendere più aspra e confusa la mischia. E meno facevamo correttamente il nostro mestiere di informatori più eravamo convinti di farlo benissimo, e senza accorgercene passavamo dai grandi sdegni alle polemiche capziose su una modalità poliziesca, su una formalità questurina. Ci trovammo dentro, come nei giorni dello scandalo Montesi, alle «notizie del diavolo», le notizie che i servizi segreti o i gabinetti ministeriali o le fazioni facevano circolare, passavano ai giornali contando sul loro appetito. Un inganno tanto più facile in quanto nei lunghi anni di pace sociale si era stabilito un *do ut des* fra giornalisti, poliziotti e burocrati, un rapporto fiduciario che ora consentiva facili inganni.

Cercavamo la verità avventurandoci nel sottobosco poliziesco, raccoglievamo indizi convincenti sulla cospirazione e li distruggevamo con altrettante ipotesi o affermazioni inventate, forzate. Il sottobosco dei misteri richiamava irresistibilmente i mitomani, i maniaci; assumevano figura di esperto indiscutibile giornalisti fanatici o mediocri, che vedendo crescere il loro imprevisto e immeritato prestigio inventavano vieppiù o ingigantivano. Navigavamo, senza riuscire ad uscirne, nelle acque sporche della disinformazione poliziesca e a volte le davamo dignità di informazione. Pubblicammo un giornale di controinformazione che univa notizie serie a ombre scambiate per notizie, e un saggio che ebbe grande successo, *La strage di Stato*, inzeppato di soffiate che arrivavano dagli uffici di un nostro servizio segreto. La faziosità toglieva il senno. Molti di noi giuravano sul Pinelli «suicidato», sull'anarchico buttato da una finestra della questura anche se la cosa non aveva senso. Un grande giornalista come Indro Montanelli, che è anche persona di grande cortesia, perdeva il ben dell'intelletto accusando la Camilla Cederna e la Giulia Maria Crespi di trame politiche erotiche con Mario Capanna e veniva preso sul serio dai carabinieri che facevano perquisizioni nelle ville e nel palazzo della padrona del «Corriere della Sera». E scambiare una

Crespi per una sovversiva era davvero il segno massimo della confusione.

Era molto difficile raccapezzarsi in una rivoluzione finta affrontata da uno Stato subalterno a potentati stranieri. Noi de «Il Giorno» sentivamo questa difficoltà in modo particolare. La nostra redazione era composta per metà da partigiani e per metà da ex fascisti repubblichini che preferivano il buon giornalismo alle discussioni sul passato. Tutti increduli, sbalorditi di fronte al fatto, non smentibile, che il signor prefetto, il signor questore, il capo della squadra politica, il procuratore della Repubblica avevano mentito per difendere coloro che tiravano le fila dietro di loro. Fu in quei giorni che l'aggettivo democratico assunse un significato particolare, il significato di testimone della verità, di critico sulle versioni ufficiali. L'isteria e la faziosità erano arrivate anche sul colle del Quirinale. Pochi giorni prima di piazza Fontana una camionetta della polizia che caricava a Milano un corteo di sinistra aveva urtato in una impalcatura metallica e un palo aveva ucciso il poliziotto Annarumma. Subito, senza aspettare l'esito delle indagini, senza interpellare la magistratura, il presidente della Repubblica Giuseppe Saragat aveva spedito al prefetto di Milano un telegramma in cui accusava di assassinio la sinistra rivoluzionaria, telegramma che scatenava i fascisti nella caccia all'uomo, la caccia al povero Capanna, e si teneva una veglia funebre con i labari neri e la ricomparsa in pubblico del colonnello Spadoni, comandante della Muti, feroce compagnia di ventura della Repubblica di Salò.

Giorno dopo giorno questa isteria e inaffidabilità e faziosità consumavano quel filo continuo della solidarietà nazionale che neppure il fascismo e la guerra civile avevano interrotto. Nel disegno mussoliniano di emarginare il partito per ricostruire lo Stato gli italiani avevano visto, certo, l'instaurazione di una dittatura personale ma anche una continuità del patto sociale, anche il fatto che prefetti, questori, generali, poliziotti erano garanti di una legalità statuale e che era impensabile che uno di essi potesse far mettere delle bombe in una banca o coprire una trama straniera. Persino nei giorni della guerra civile, persino nei venti mesi in cui il fascismo moribondo era stato al servizio dell'occupante nazista si pensava che ciò che era rimasto dello Stato stava dalla parte degli italiani, cercava di salvare il salvabile. Ora invece, con piazza Fontana, per la prima volta gli italiani avevano l'impressione di essere stati ingannati, traditi dal loro Stato. Ricordo le esequie solenni, la messa funebre celebrata nel Duomo dall'arcivescovo Colombo, la sua requisitoria «così non si può andare avanti» e le facce dei notabili democristiani, di Rumor, Colombo, Andreotti, Moro, in ognuna delle quali potevi sospettare il complice, il complottista.

Sapevamo molto bene che la nostra era una democrazia a sovranità limitata, che eravamo una provincia dell'impero, ma questo non bastava a farci ingoiare la violazione aperta del patto sociale su cui era nata la Repubblica. Ci dicevamo: bene o male siamo una democrazia, in questi venti anni faticosamente abbiamo cancellato i lasciti del fascismo, il costume autoritario, la retorica; i nostri rapporti si sono fatti civili, rispettosi del prossimo, le elezioni sono libere, una libertà di stampa esiste, il Parlamento bene o male funziona. E allora come è possibile che questa democrazia consolidata, appoggiata dal consenso dei cittadini venga ingannata, tradita proprio dai suoi dirigenti e che lo sia per una trama terroristica estranea al conflitto sociale, sproporzionata?

Piazza Fontana ebbe poi un altro effetto perverso: tolse lucidità alla sinistra, la imprigionò nei suoi sospetti e nelle sue ire, le velò gli occhi di fronte al cambiamento del paese. Quegli anni non furono «formidabili» come dice Mario Capanna, furono anni di reciproci inganni, anni sprecati. Nelle fabbriche a tecnologia avanzata si stavano già producendo le trasferte elettroniche, le macchine intelligenti che avrebbero spezzato il controllo operaio della produzione, si stava già in concreto passando a una società non più di classe e nelle scuole, nelle fabbriche, la sinistra, prigioniera delle sue paure e dei suoi sogni, annaspava fra cento velleità, chiedeva una cosa e il suo contrario, meno lavoro e più salario, parità salariale e più benessere. In questa sinistra vaneggiante ognuno poteva immaginarsi come il contrario di sé, i figli della buona borghesia si identificavano – o fingevano di identificarsi, che era peggio – con i proletari affamati dell'Estremo Oriente e del Sudamerica. «Le nostre gambe» poteva scrivere Mario Capanna «camminano assieme a quelle del contadino vietnamita o cinese, dell'operaio della Pirelli, dello studente americano, francese, tedesco, giapponese. Siamo la parte di un tutto. E sentiamo di esserlo. Questa è la novità, la grande novità.» Ma come si potevano dire stupidità così smaccate?

Si poteva, il Sessantotto era come una sbornia generale, nelle fabbriche e nelle scuole tutti potevano predicare l'impossibile. Nel desiderio rivoluzionario di cancellare il passato, di rifiutare la lezione dei padri, di ricominciare da capo, venivano accolte e magnificate forme primordiali di magia e di cultura, il miracolo del Verbo, il libretto rosso di Mao, un povero breviario comunista in uso presso i soldati dell'armata rossa, letto, toccato come un testo taumaturgico, come lo scrigno delle alte verità. Tutti potevano chiedere il contraddittorio, l'assurdo. Un giorno quelli di Lotta continua mi fecero leggere la loro proposta di riforma carceraria. Era niente altro che una richiesta di abolizione del carcere. Ai comitati carcerari si dava facoltà di chiedere: il diritto di assemblea, commissioni di controllo su tutta l'attività del carcere, diritto ai rapporti sessuali, abolizione della carcerazione preventiva, commissioni esterne di controllo sui direttori e sui magistrati «fascisti». Fascisti! Ecco la parola magica che nel Sessantotto divide i buoni dai perfidi, i democratici dai reazionari.

Anni formidabili? Ma no, anni sprecati. Certo a rimestare il brodo della pentola sociale qualcosa si trovava, si cambiava, qualche stupido privilegio, qualche fastidiosa supponenza dei padri venivano corretti, ma a quale prezzo? In situazioni simili i peggiori delitti contro la cultura e contro la democrazia possono essere scambiati per rinnovamento e apertura. I danni fatti alla cultura politica italiana da case editrici come la Feltrinelli, la Editori Riuniti e anche la Einaudi sono stati pesanti: un profluvio di libelli mal tradotti, senza la minima guida critica alla diversità delle esperienze rivoluzionarie o terroristiche, una cattiva scuola fatta di nominalismo e demagogia.

I più feriti da questa marea velleitaria e fideista erano i laici di stampo azionista che avevano fatto l'antifascismo e la Resistenza, proposto al paese un liberal-socialismo pragmatico senza sol dell'avvenire e uomo nuovo, senza città futura e centralità della classe operaia, senza dittatura del proletariato, eguaglianza salariale o altra chimera, e si ritrovavano in mezzo a figli irriconoscibili, di nuovo in cerca di scorciatoie e di fedi consolatrici. Alcuni come Franco Venturi e Aldo Garosci, offesi, si ritirarono negli studi storici come in una trappa, altri come Norberto Bobbio tennero duro per la curiosità di capire, di vedere, anche se c'era poco da vedere e da capire. A me sembrava che neppure la caduta del fascismo e la guerra civile fossero state così laceranti. La fine del fascismo era stata graduale, la lenta sconfitta militare ci aveva dato il tempo di pensare al dopo e la guerra civile era stata una scuola non breve di venti mesi. Qui invece, negli anni Sessantotto e seguenti, si capiva benissimo che qualcosa si era rotto, che qualcosa stava cambiando, ma quel moto di massa fra rivoluzione e reazione impediva di vedere il nuovo paesaggio, quei giovani che volevano cambiare il mondo partecipavano in realtà al revival di un mondo defunto o moribondo, la società di classe, l'operaismo, le rivoluzioni ottocentesche.

A chi aveva come noi conosciuto la feroce ma efficace pratica della guerra, la simulazione della guerra fatta dai sessantottini, i servizi d'ordine, i cortei, le bandiere usate come mazze apparivano come un gioco stupido. Dietro le finte e un po' indecenti solidarietà fra studenti e operai, si intravedeva la società «a isole di vita» che poi è venuta, non più di classe, scomposta in gruppi e corporazioni professionali e spesso familista, non più nazionale ma localistica, però di un localismo sorvolato, condizionato dalle tecniche e dal mercato internazionali. Per capirla meglio sarebbero occorsi studi e attenzioni serie e invece nelle masse giovanili ribolliva il vogliamo tutto e subito.

Lo spettacolo degli intellettuali e degli artisti era, secondo tradizione italica, inverecondo. Si vedevano baroni universitari fra i più arroganti fare l'autocritica in pubblico, accettare gli esami di gruppo, la pubblica discussione del voto. Per alcuni anni Architettura a Milano fu una proterva buffonata dove docenti improvvisati o pronti ad ogni commedia addestravano a una urbanistica pseudorivoluzionaria allievi che sapevano niente di costruzioni, di mercato immobiliare. Bisognava esser pronti a tutto, anche ad essere spernacchiati. Moravia e Feltrinelli, andati all'università per confessare i loro peccati borghesi, venivano fischiati mentre altri grandi borghesi trovavano divertente che i figli si prendessero gioco dei padri come facevano «gli uccelli», un gruppo romano di figli di giornalisti illustri e di noti scrittori che arrivavano nelle case di amici e parenti e poi le imbrattavano con i loro disegni e motti. La cosa mi faceva impazzire, avevo appena messo su casa, avevo appena sculacciata, prima e unica volta, mia figlia Nicoletta per i graffiti in camera sua e l'idea che arrivassero quattro fessi di buona famiglia a farmi i loro scherzi mi ossessionava.

Un fantasma girava per l'Italia del Sessantotto: la repressione, la cosa che c'era e non c'era. Poteva presentarsi con il volto orrendo di piazza Fontana, poteva creare la psicosi del golpe fascista, ma negli stessi giorni lasciava passare con pochissime opposizioni lo Statuto dei lavoratori, largamente evasivo e permissivo sui doveri dei lavoratori, spesso punitivo e restrittivo su quelli degli imprenditori, in cui ci si era persino dimenticati di ribadire il diritto alla libera intrapresa contemplato dalla Costituzione. Una repressione così inconsistente, artificiosa e intimidita che con tutti i suoi opposti estremismi, e bombe, e timer dava via libera con l'autunno caldo del '69 a un sindacalismo irresponsabile, trascinato a corsa folle dai gruppi e gruppuscoli rivoluzionari, che arrivava a teorizzare la compatibilità fra gli incompatibili, cioè salari più alti con produzione e profitti più bassi.

Ma la repressione serviva per ogni libera uscita, era una occasione da non perdere per demagoghi e presenzialisti. Attori famosi come Gassman che avevano guadagnato miliardi con filmetti commerciali scioperavano contro la repressione nemica delle arti. Repressione di chi? Contro chi? Non si sapeva bene, non si spiegava, ma c'era. Oscuri pittori di nome Perilli o Boile annunciavano drammaticamente di aver tolto i loro quadri dalla Galleria d'arte moderna perché repressiva, tutti i vecchi arnesi dell'arte sussidiata da ministeri e banche ritrovavano una loro giovinezza barricadera. Si manifesta anche contro la Triennale di Milano, è repressiva anche lei che ha reso famoso nel mondo il design italiano. L'unico che ci rimetta qualcosa del suo è Italo Calvino che rinuncia a un premio letterario. Attori di successo come Volontè o Castel si azzuffano con poliziotti che non guadagnano la centesima parte di quel che guadagnano loro, i repressi; registi come Petri producono di fretta film in cui poliziotti malvagi e golpisti tramano con direttori di giornali venduti al capitale contro gli onesti proletari.

Nel giornalismo il caos supera ogni limite di decenza. Mi chiamano a presiedere un'assemblea al Club Turati. Ci sono appena state le elezioni del nostro sindacato e si è rivelata una spaccatura fra i «conservatori» che fanno capo al «Corriere della Sera» di Spadolini e i «democratici» che fanno capo a «Il Giorno» di Pietra. Dato che si annuncia una lotta sindacale per il nuovo contratto propongo di cercare una via mediana, riformatrice, senza svolazzi sovversivi. Vengo sommerso da improperi. La Luciana Castellina, comunista de «il manifesto» si mette a urlare: «Il giornale dei pochi privilegiati è finito, ogni cittadino deve avere il suo giornale, facciamo diecimila giornali». «Chi li paga?» chiedo incautamente. Ma come, dove vivo, con chi parlo, non so che i contestatori hanno proposto la costituzione di centri stampa finanziati dallo Stato in cui ognuno può gratuitamente stampare il suo giornale? È una rivoluzione da Bengodi, dove tutti possono avere tutto. Fra i più esagitati vedo un giovane collega che è stato cacciato da un settimanale per speculazioni in Borsa e aggiotaggio e un corrispondente da New York arrivato a quel posto solo per la sua amicizia con il ministro Colombo. Ma la festa continua: un musicista «pompiere» del Pci come Luigi Nono impedisce l'inaugurazione della

Biennale di Venezia, i quadri restano imballati per settimane in un magazzino. Un corteo di studenti arriva fin davanti alla tipografia de «Il Giorno» per chiedere la mia testa di cronista sgradito, reazionario, ma la classe operaia dei tipografi è di tipo particolare, fa sapere agli studenti che se non se ne vanno li pesta.

VIII
VIAGGIO PER IL COMUNISMO

Avevo scritto per Laterza la storia della guerra fascista e della guerra partigiana. Mi mancava però la faccia nascosta, quei comunisti rispuntati l'8 settembre come da una cantina segreta della casa comune. Palmiro Togliatti «il migliore» era morto da dieci anni, si poteva tentare di scrivere con la sua biografia la storia del partito e dell'internazionale comunista, non solo su libri e documenti, ma andando a interrogare chi aveva vissuto con lui i giorni dell'«Ordine nuovo» e poi la scissione di Livorno, la clandestinità, lo stalinismo, la guerra di Spagna, il glorioso ambiguo ritorno, il regno.

Uomini di ferro nella sopportazione del carcere, delle torture, della vita grama, ma nudi, indifesi di fronte al partito. Diversi dagli altri per questa doppia dimensione umana, vedevano in essa un segno della loro elezione a salvatori del mondo. Erano dei materialisti con tutta la corporalità, la concretezza, il peso della materia, ma fissi a qualcosa privo di verifica, il futuro, l'uomo nuovo, a ciascuno secondo il suo bisogno, idealismo puro, utopia. Tenaci, implacabili organizzatori capaci di cogliere tutte le difficoltà reali della lotta, ma al tempo stesso idealisti ciechi che si rifiutavano di vedere il comunismo reale e se lo vedevano lo negavano a se stessi e agli altri. Li avvicinavo con un misto di simpatia e di repulsione, per metà stimabili per metà infidi, per metà chiari, per metà alienati. Abitavano quasi tutti in case modestissime, con quattro poveri mobili scombinati, si capiva che non avevano mai avuto il tempo o la voglia di farsi una casa accogliente, nelle loro case erano sempre stati di passaggio, la loro vera casa era il partito. Molti stavano dalle parti del Testaccio a Roma negli alloggi costruiti da una cooperativa del partito. L'alloggio gratis, una pensione di trecentomila lire, qualche articolo rievocativo per «l'Unità» o «Rinascita» era tutto ciò che il partito gli dava dopo milizie di trenta e più anni, ma il valore marginale di quel poco era per essi altissimo, fuori dalle elemosine del partito c'era il vuoto, la rinuncia al passato, la perdita di ogni identità. Il loro rifiuto degli altri partiti, delle altre ideologie era stato di tipo ecclesiastico, dentro o fuori dalla verità, cambiare significava vivere come preti spretati fra il disprezzo degli uni e la diffidenza degli altri, il vuoto, l'angoscia.

Pietro Secchia era uno dei privilegiati: il partito lo aveva messo in disparte ma era legato a Giangiacomo Feltrinelli, aveva lavorato con lui a raccogliere libri e documenti per l'Istituto storico sul Movimento operaio, curava una raccolta per gli *Annali*. Abitava dalle parti di Forte Bravetta, periferia romana di una certa pretesa. Ci incontravo a volte un tipo grassoccio, unto, che spariva appena arrivavo; sapevo che nel partito circolavano voci sulla omosessualità del comunista «dalle mani callose», ma circolavano solo da quando era caduto in disgrazia. Il rancore, l'ambizione frustrata, la lunga punizione avevano ridotto il suo viso a una maschera sofferente e ghignante. Ghignava con i suoi dentoni marci, i suoi occhi ancor vivi e vendicativi. Poi si chiudeva in sé, nella sua disperazione. Usava come librerie dei confessionali; seduto fra quei neri mobili da chiesa sembrava un Torquemada, senza più fede o artigli. Un vecchio emarginato, impotente ma ancora carico di passioni non dome, non risolte. Odiava Togliatti con la feroce prudenza di un gesuita, di uno che la vita nel comunismo staliniano aveva educato alle menzogne, alle allusioni caute. E questa sapienza staliniana conservata intatta dopo anni di pace e di imborghesimento del partito sembrava un istinto più che un ragionamento, un vecchio istinto di conservazione. Non accusava mai Togliatti di errori, viltà, tradimenti, opportunismi, si limitava a tirar fuori dalla sua forte memoria dei segni, delle indicazioni, degli incastri, lasciava che fossi io a trarne le conseguenze e poi ghignava senza dire né sì né no, ma il ghigno voleva dire sì.

La ricerca era appassionante come una indagine poliziesca. Avevo la parte del giudice istruttore, dalla confessione parziale di un testimone ottenevo quella più ampia di un altro. Erano dei vecchi di ferro con le avversità e la modestia della vita, ma con la vanità delle memorie, bastava avere molta pazienza, molta comprensione e prima o poi tiravano fuori i loro segreti. «Ma allora è stato Togliatti, per ordine di Mosca, ad affrettare la resa della Repubblica spagnola? È stata sua moglie, la Rita Montagnana, a portargli a Valencia le ultime direttive: chiudere la piccola guerra di Spagna, prepararsi alla guerra grossa contro Hitler?»

Pietro Secchia, il comunista «dalle mani callose», ghignava. Per anni era stato l'uomo a cui avevano guardato gli operai, quelli del partito duro e forte che avevano in gran dispetto i professorini di buona famiglia di cui si era circondato Togliatti. Ma in verità non aveva le mani callose, non era mai stato operaio, come non lo erano mai stati gli altri dirigenti del Pci: Togliatti, Terracini, Longo, Scoccimarro, Amendola, Pajetta, la Ravera, Gramsci. Erano l'eterna avanguardia borghese, l'eterna élite di piccoli borghesi che si autonomina interprete degli oppressi e degli umili e li usa per ottenere il potere, per sottrarsi alla mediocre vita dei ceti intermedi. E anche per il resto, si intende, anche per la voglia di fare, di cambiare, di sognare, di essere generosi e protagonisti, di mettersi alla testa della corsa verso un nuovo mondo. Magari *obtorto collo*, come il Togliatti che alle prime dure repressioni fasciste nel '23 si era rifugiato in casa di un'amica e dovettero snidarlo pubblicando sull'«Avanti!» l'invito a tornare al partito, con tanto di nome e cognome, come a dire se non torni ti denunciamo.

C'era un solo ricordo in cui Secchia sembrava ripagarsi di tutte le amarezze, in cui la sua maschera sofferente, ghignante si distendeva, si illuminava di forza radiosa: il suo incontro con Stalin del '47. Allora era il numero tre del partito dopo Togliatti e Longo e non aveva mai incontrato Stalin, come un vescovo che non avesse mai incontrato il papa. Togliatti al momento della partenza gli aveva detto con bonaria perfidia: «Vedrai, è un uomo molto alla mano, parlagli schiettamente». Ma fin lì Secchia ci arrivava, conosceva anche lui la fine che avevano fatto coloro che avevano parlato con Stalin in modo schietto. Che perfida carogna «il migliore»! Lo aveva avuto in antipatia sempre, ma dal ritorno in Italia lo odiava. Stalin lo aveva ricevuto al Cremlino nel suo studio monacale, una cella bianca, il tavolo senza carte, solo il blocco dei foglietti bianchi su cui scriveva a mano i suoi ordini inappellabili, le sue condanne definitive. Secchia sapeva ciò che sarebbe piaciuto a Stalin: una relazione precisa sulla organizzazione paramilitare del partito sommerso, il partito «dei dieci», dei comunisti duri pronti a prendere il comando delle sezioni nell'ora X. Questo era il linguaggio, l'argomento che a Stalin interessava e quel compagno italiano pragmatico, preciso che andava diritto ai problemi della conquista del potere gli era piaciuto. Certo, anche per continuare con Togliatti il suo vecchio gioco nell'Internazionale, mettere i dirigenti uno contro l'altro, uno in sospetto dell'altro, un gioco da gatto con il topo, lasciar andare i proconsoli e poi rimettergli sopra la zampa, incoraggiarli alla politica del doppio binario in modo da avere sempre la possibilità di accusarli o di massimalismo rivoluzionario o di tatticismo borghese.

«Cosa ti disse Stalin?» gli chiedevo. Socchiudeva gli occhi come a riassaporare quegli attimi splendidi e irripetibili. «Mi disse proprio così: "Spero compagno Secchia che tu vorrai occuparti sempre più seriamente dell'organizzazione".» Ripeteva la parola «spero», capite, quello «spero» detto da Stalin come una comunicazione divina. Ancor pieno di ammirazione per l'ironia sovrana, solipsistica di quel dio onnipotente che aveva detto «spero». E anche adesso negli anni Settanta, nella sua grigia emarginazione, quello «spero» tornava come una luce arcana. Povero Secchia. Il suo mito resisteva nel partito operaista alla sua sconfitta politica, c'erano dei comunisti duri e delatori, forti e viscidi con gli infedeli che aspettavano ancora il suo ritorno, il suo nome tornava ancora nei raduni partigiani, lo invitavano ancora nel Sudamerica, quando morì per una infezione intestinale si disse che era stato avvelenato dalla Cia che non sapeva neppure se fosse ancora vivo.

Un prete spretato, ma pronto a tutto per evitare la scomunica dalla sua chiesa. Quando uscì la mia biografia di Togliatti, Pajetta e altri della direzione lo chiamarono a discolparsi di un peccato mortale per un comunista: aver parlato delle faccende segrete del partito con un non comunista senza il permesso della direzione. Pajetta, come dirò, aveva le sue ragioni personali per essere furibondo. Disse a Secchia che doveva scrivere un'autocritica e lui terrorizzato dall'idea di essere espulso mandò una lettera alla direzione dicendo di essere stato ingannato dalle mie subdole armi borghesi e aggiunse che non sapeva «che ero stato nella Repubblica di Salò». Me la fece leggere in copia Spriano, lui che poteva accedere ai segreti dell'Istituto Feltrinelli. E commentava: «Sai cosa mi diceva Pajetta? Che sarebbe spiacevole pubblicarla». Io lo guardavo fermo negli occhi, da vecchio amico, e «Pillo» che non era un eroe, ma un uomo intelligente, diceva: «Sai come è Pajetta, ogni tanto dà fuori da matto. Lo sappiamo tutti che sei salito in montagna l'8 settembre del '43». «Secondo te» gli chiedevo «perché ha scritto questa lettera?» «Ma lo sai, per loro il partito è tutto, nel bene e nel male. Fuori dal partito che poteva fare uno come Secchia? Si sarebbe nascosto a tutti come un cane rognoso.»

Non era facile capire questa specie umana anomala cresciuta nelle serre del terrore, delle prigioni, della clandestinità. Era un misto di generosità e di orrore, di altruismo e di faziosità. Una sera arrivai a Roma e Livio Zanetti, il direttore de «L'Espresso», mi telefonò in albergo: «Vuoi venire alle nove in via Nomentana, numero tale? C'è la prima di un film di Maselli sui comunisti della cospirazione». Il film era *Il sospetto* con Gian Maria Volontè nei panni di un comunista torinese che ha dato l'anima per il partito, ma che nel clima staliniano dei sospetti reciproci viene messo sotto sorveglianza, spiato, morso dalla paura che i compagni per liberarsi di lui stiano denunciandolo alla polizia fascista. Un gomitolo pieno di aculei, annodato con il peggio che l'anima umana e le faziose congreghe possano produrre. Da ringraziare il cielo di esserne rimasti fuori. Avevo davanti a me Pajetta e Amendola. Non stavano fermi sulla sedia per l'entusiasmo e la partecipazione, continuavano a dirsi: «Era proprio così! Quello sembra Berti quando ci interrogava tenendo una pistola sul tavolo. Ma quello è Negarville. Sì, era proprio così!». E ancora uscendo dalla sala si accaloravano, si crogiolavano in quella rimpatriata nella «cosa», l'incubo stalinista cui erano sopravvissuti.

Giancarlo Pajetta, «il ragazzo rosso», era un uomo intelligente e fazioso, cui il partito aveva concesso licenza di trasformare in politica le sue isterie, le sue antipatie, le sue improvvisazioni, il suo umorismo tagliente. La sua posizione dentro la chiesa rossa era unica: era un vescovo che non sarebbe mai diventato papa, un battitore libero a cui venivano affidati compiti importanti come la stampa e propaganda e gli esteri, ma in nessun caso l'ufficio quadri. Con me era come con i suoi fratelli e parenti: sfottente, permaloso, irascibile, divertente. Sempre capace di capire tutto del comunismo mondiale e di quello italiano e sempre capace di negarlo agli altri e soprattutto a se stesso.

Quando uscì il libro su Togliatti glielo mandai con una dedica amichevole, partigiana. Non mi ricordavo o non annettevo importanza alla testimonianza di Antonio Giolitti che mi aveva parlato di suo fratello Giuliano come di «un uomo di Mosca», uno come Matteo Secchia, il fratello di Pietro che era alle dirette dipendenze della polizia politica staliniana. Tutti, non solo Giolitti, lo sapevano nel partito o almeno a Botteghe Oscure, sapevano che la sera stessa di un comitato centrale o di una direzione questi compagni andavano all'ambasciata sovietica a riferire e, del resto, fino al 1956 tutte le carte importanti e segrete del partito, il suo vero archivio, stavano a Praga a disposizione dell'Internazionale e di Stalin. Di questi legami nessuno nella direzione faceva mistero, era notorio che in Spagna il compagno D'Onofrio aveva tenuto aggiornate le biografie dei compagni mettendoci anche ciò che sarebbe bastato per farli sparire in qualche lager siberiano, come se fosse un dovere comunista fornire al dittatore prove o pretesti per il suo terrore. E qualcosa aveva messo anche nella biografia del leggendario compagno Carlos, il triestino Vittorio Vidali, quanto bastava perché la Blagoreva, la segretaria di Stalin, gli facesse sapere che a Mosca non era più aria per lui. Sì, tutti sapevano ma vederlo scritto da uno storico borghese faceva un altro effetto; quei compagni, Matteo Secchia, Giuliano Pajetta, Edoardo D'Onofrio, compagni gloriosi, riveriti e festeggiati nei congressi, nei raduni dei reduci, nei festival dell'Unità, si rivelavano per quello che erano stati, dei monatti dello stalinismo, autorizzati a salire incolumi sulle carrette dei suoi cadaveri.

Le associazioni culturali del partito mi avevano già invitato a presentare il libro in una trentina di città quando su «Tempo illustrato» esce un'intervista di Giancarlo Pajetta tipica del Pajetta peggiore: mi dà del bugiardo, del fascista o quasi, del pessimo storico. Poi dal suo ufficio della stampa e della propaganda arriva in tutte le federazioni l'ordine di boicottare il libro, nel giro di poche ore tutti gli inviti vengono disdetti, spettacolo penoso, scuse ridicole, il solo a non tirarsi indietro è Diego Novelli, il torinese, il vecchio amico. Poi esce su «Rinascita» la scomunica ufficiale a firma di Luciano Gruppi, un intellettuale organico pronto alla bassa bisogna di stroncare un libro che non essendo stroncabile nelle notizie, negli argomenti, viene per sei colonne spulciato sulle cose minime, una data, il nome di un compagno. Ma la libreria dove la biografia è più venduta è la libreria Rinascita che sta nel palazzo delle Botteghe Oscure, sono i dirigenti comunisti che vogliono conoscere la loro storia.

Pajetta ha sbagliato con il suo intervento censorio, la storia sacra del partito ha fatto il suo tempo, gli uomini di ferro e di palta del periodo staliniano devono uscire dalle loro nicchie, mostrarsi per ciò che sono stati. Il più dostoevskiano di questi comunisti è il compagno Berti. Nel partito è un pensionato di lusso, gli hanno dato la presidenza dell'Associazione Italia-Urss e lavora come storico dell'Internazionale all'Istituto Feltrinelli, ma i quarantenni che sono alla guida del partito lo ignorano, il suo è un sepolcro che non va scoperchiato. È un bell'uomo Giuseppe Berti, somiglia un po' al bell'accusatore staliniano Viscinski che ha mandato migliaia di comunisti davanti al plotone di esecuzione. Berti ha avuto un altro compito da Togliatti: quello del provocatore, dell'accusatore dei suoi avversari. E Berti lo ha sempre eseguito con zelo e metodo. Togliatti gli ha chiesto di accusare Longo e Secchia, «i giovani» che lo rimproverano di attendismo verso il fascismo, e Berti lo ha fatto; poi alla scuola di partito di Mosca ha preso nota di chi minimamente dissente dalla linea stalinista, tornato a Parigi alla vigilia della guerra ha decisamente assunto la parte del custode dell'ortodossia, esamina i dossier sui compagni, li interroga tenendo una rivoltella sul tavolo. Ma allo scoppio della guerra questo comunista rigoroso, questo implacabile nemico del capitalismo invece di riparare a Mosca ha ritenuto più conveniente andarsene negli Stati Uniti. In memoria dei suoi bassi servigi il magnanimo Togliatti del regno lo ha riaccolto nel partito!

Incontravo Berti nella sua bella casa romana. Lui non stava negli alloggetti del Testaccio, aveva sposato Baldina Di Vittorio, la figlia del segretario della Cgil, e mi riceveva in uno studio con una ricca biblioteca e una lampada a luce soffusa che faceva splendere i suoi capelli d'argento. Aveva un sorriso sfuggente, un modo di parlare sfuggente. Cercavo di metterlo in un angolo e sguisciava. «Ma perché lei è andato a New York, invece che a Mosca?» «Lo chieda a Pietro Secchia» diceva. «No, me lo dica lei.» «Aspetti che chiamo mia moglie.» Arrivava la Baldina, Berti le spiegava e lei diceva: «Ma sì, è stato Togliatti a dirci di andare a New York, ci ha mandato un biglietto dal carcere di Fresnes». Allora tornavo da Secchia su nella casa vicina al Forte Bravetta e gli chiedevo: «Puoi dirmi come è andata veramente la storia di Berti?». «È andata che al suo ritorno in Italia le parti si erano invertite, non era più lui a interrogare me ma io lui. Dirigevo la commissione di inchiesta sul comportamento dei compagni durante la guerra. Gli chiesi perché era andato negli Stati Uniti e lui mi rispose che aveva avuto l'ordine dall'Internazionale. Dovetti fare una faccia incredula perché con il suo sorriso da vipera aggiunse: "In confidenza, è stato Togliatti ad autorizzarmi". "Aspettami" gli dissi "torno subito." Andai da Togliatti che negò recisamente. Tornai da Berti: "Mi spiace, ma il compagno Togliatti nega di averti dato l'autorizzazione."»

Il Berti che incontravo a Roma aveva compiuto, morto Togliatti, la sua vendetta sul partito ingrato, ma quanti ne erano a conoscenza? Forse cento, centocinquanta persone, quelle che si erano letti gli *Annali* curati da Berti per l'Istituto Feltrinelli, la vendetta consumata in quella bella casa romana, a quella scrivania, sotto la luce diffusa della lampada: la pubblicazione del Fondo Tasca con spiegazioni e commenti di Giuseppe Berti, da cui esce la storia del partito alle sue origini sempre nascosta e negata dal compagno Togliatti. Tasca che aveva capito per primo e per primo denunciato l'orrore della persecuzione dei kulaki, Tasca che aveva denunciato il servilismo di Togliatti, il suo tradimento di Bucharin, Tasca che aveva previsto il terrore.

Incontravo compagni bastonati, calunniati dal partito, felici di esserci tornati. Alfonso Leonetti, uno dei malfamatissimi «tre»: Leonetti, Tresso e Ravazzoli. L'infame Leonetti che nel 1930 in una riunione a Liegi aveva gridato indicando il Togliatti-Ercoli: «Tutti nell'Internazionale hanno conosciuto chi è Ercoli: un opportunista, un parassita politico». E io me lo ritrovavo questo Leonetti nella stanza di un ospedale romano dove era stato ricoverato per una polmonite: un ometto in camicia da notte che si sollevava sulle braccia magre, mi pregava di aggiustargli il cuscino e si metteva a gridare con quanto fiato gli restava in corpo le stesse cose dette nel '30 a Liegi o a Colonia, dove si era fermata la sua vita, uno della «congiura dei tre» poi diffamati in tutte le storie sacre del partito riviste e approvate da Togliatti. Ma anche lui l'espulso, il diffamato, il quasi fascista aveva chiesto a guerra finita, a partito non più clandestino, anche lui aveva chiesto all'odiato Togliatti di essere riammesso nel partito.

Prima di incontrare Luigi Longo che è presidente del partito ne parlo con Leo Valiani, che è l'unico ex comunista che io conosco privo di ogni complesso clericale. Valiani è un ebreo triestino che ha della storia e degli uomini una visione così realistica, così pessimistica che ne ricava un suo permanente ottimismo; in fondo, ha l'aria di pensare, va già meglio di quanto dovrebbe andare. Mai conosciuto uno come lui capace di ridurre le tragedie, i tradimenti, le infamie a scontata ordinaria amministrazione. Gli chiedo di Longo in Spagna mentre andiamo in auto a Torino per un dibattito: si mette a raccontare una storia di ordinaria follia. Sbarcano in Spagna con un carico di armi per la brigata internazionale, arrivano a Barcellona, prendono alloggio in una locanda e gli anarchici tentano di fargli la pelle. La voce di Valiani è un po' stridula con un po' di accento triestino, ma senza il minimo trasalimento mentre racconta di coltellate, spari, bottiglie infrante nella notte catalana. Valiani se n'è andato dal partito dopo l'accordo fra Hitler e Stalin per la spartizione della Polonia, è passato al Partito d'Azione, ma ha sempre conservato per i comunisti una disponibilità diciamo tattica, li sa pronti a tutto perciò anche possibili compagni di strada.

Luigi Longo, quando lo incontro, non è in salute, ha la bocca e un braccio segnati da una paralisi, ma è ancora un uomo forte. Mi parla di Togliatti con una bonomia monferrina: era una carogna, ma così va il mondo. «È vero» gli chiedo «che ti ha fatto processare nel '33?» «Sì, eravamo a gennaio. Lui era molto abile. Ogni volta che qualcuno dei nostri cadeva in Italia lui diceva: "Sì, abbiamo sbagliato ma ora troveremo il modo di evitare nuovi arresti". Così dava ragione alle critiche di Mosca e convinceva altri compagni a partire per l'Italia. Poi fece intervenire Berti e la discussione divenne assurda. Berti citava in continuazione Marx ed Engels, Lenin e Martov, parlava per ore su cosa si dovesse intendere per "membro del partito" se lo fosse ogni militante o solo quello arrivato a un certo grado di bolscevizzazione, e a poco a poco da quella spuma teorica veniva fuori il rospo togliattiano, che cioè io ero il responsabile di tutti i mali del partito. Senza fare mai il mio nome, beninteso. Ascoltavo le sue filippiche con un sorriso interno (ah, quanto monferrino questo sorriso!) che aumentava il suo furore. Lui a un certo punto perse le staffe, fece il mio nome e mi ingiunse di fare l'autocritica. Allora intervenne mellifluo Togliatti: "Ma no compagno Berti, l'autocritica è implicita nella discussione". Mi porgeva una mano per spingermi nel vuoto. A un certo punto ne ebbi abbastanza e dissi: "Va bene, cambiamo, fate voi il lavoro in Italia. Mi occuperò degli immigrati in Francia, è una esperienza che mi manca".» A Togliatti va bene, lui ha un suo metodo, chi sale nel partito e diventa un concorrente temibile viene allontanato dalla direzione ma non dal gruppo dirigente, è la tecnica dei compartimenti stagni, quel che accade nel gruppo dirigente non deve uscirne, i compagni umili e devoti non devono «fare pettegolezzi» come si chiamano nel partito le questioni serie, i conflitti di potere.

Luigi Longo da Fubine, grande pensionato del partito, mi racconta di sé e di Togliatti senza rancore e senza amore. Ripete spesso una frase: «Sai com'è, le rivoluzioni sono come un fiume, lasciano sulla riva anche i detriti». Sì, per Luigi Longo il comunismo aveva lasciato sulla riva anche quel suo segretario astuto e infido che metteva i giovani contro gli anziani, moderava gli ardori e gli appetiti dei primi con la presenza sacrale dei secondi, ma ricordandogli ogni giorno che non erano più all'altezza della situazione, andavano bene negli anni duri della clandestinità, non ora, gli mancava la cultura, conoscevano poco l'Italia.

Il testimone più onesto, più pulito è però Teresa Noce, la prima moglie di Longo, una operaia torinese di simpatica bruttezza. Togliatti che coltivava la perfidia affettuosa le aveva dato in Spagna il nome di battaglia «Estella». Longo l'aveva piantata con regolare divorzio a San Marino per passare a una moglie più borghese, il partito l'aveva emarginata, viveva a Milano, in un alloggetto dalle parti di Lambrate, anche lei con una pensione da fame e quattro mobilucci, dopo una vita di militanza rischiosa. Ma Teresa resta donna di battaglia, resiste alle miserie e alle ingiustizie della vita ringhiandoci contro, con i suoi dentoni. Lei è una gran donna che non si perde a parlar male di chi l'ha abbandonata, lei racconta le cose come sono andate. «No, guarda che quei soldi scomparsi sul metrò Togliatti li aveva persi sul serio o glieli avevano rubati. L'ho visto disperato. E poi vivevamo assieme, ci controllavamo ora per ora. Vuoi sapere se in Spagna abbiamo fucilato degli anarchici? Sì, ma credevamo giu-

sto farlo, non si poteva durare con un esercito dove un soldato poteva dire: "Oggi non mi va di combattere, vado a casa e torno fra una settimana".» Li cercavo per tutta l'Italia
quei testimoni, guidato da Colombino, come tutti chiamavano Cesare Colombo, l'archivista dell'Istituto Gramsci che mi
invitava a casa sua, era davvero un amico, ma giocava anche
lui un po' a mosca cieca con qualche indicazione, «freddo
freddo, caldo caldo», mentre andavo a tentoni per la storia
segreta del partito.

Due dei testimoni mi parvero di una statura diversa, di
una diversa umanità: Ignazio Silone e Giorgio Amendola.
Silone abitava dalle parti di via Nomentana a Roma, in un
quartiere liberty; aveva i polmoni a pezzi, un respiro roco,
parlava a fatica, ogni tanto doveva riposare. Era un intellettuale lucido che sapeva darmi le spiegazioni intellettuali dei
rapporti nel gruppo dirigente. «Vedi, non ho mai letto in ciò
che si è scritto sul partito, neppure da parte dei suoi avversari, quali erano i veri rapporti fra i fondatori dell'«Ordine nuovo»: Gramsci, Togliatti, Terracini, Tasca. Erano rapporti fra intellettuali, di affinità e di competizione. Il resto
del partito, i militanti, li interessavano modestamente; il vero riferimento, la pietra di paragone erano loro. Ecco perché nel partito è rimasto quel loro segno: no ai rapporti ami-
chevoli, confronto delle intelligenze, teso, impietoso, dissimulato disprezzo per i compagnucci.» Già, il disprezzo di
Togliatti che nei corridoi della Camera cessa di parlare se si
è avvicinato curioso un deputato qualsiasi, un compagno
qualsiasi, e lo guarda freddamente finché si allontana. Silone ignorava il rancore, non gli importava niente di essere
stato diffamato fra «i sei che hanno tradito» dal peggior Togliatti. Aveva riacquistato la libertà il 30 dicembre del 1930:
«Ero a Zurigo nella clinica del Soccorso rosso dove ero con-
valescente. Togliatti venne a trovarmi e mi propose di tornare nell'ufficio politico. "No" gli risposi io "non me la sento,
destinatemi alle edizioni del partito, magari a correggere le
bozze." Lui sorrise e mi disse: "Sì, ma anche per questo, mio
caro, occorre una tua dichiarazione di disciplina e di solidarietà con il partito contro i tre calunniatori Leonetti, Tresso

e Ravazzoli". "È un genere letterario che mi piace poco" feci. Ma lui mettendosi alla macchina da scrivere aggiungeva: "Il valore di queste dichiarazioni sta proprio nella loro falsità, nel fatto che rappresentano una devozione al partito a cui si sacrifica la verità". Ma non basta, mi sottopongono a una commissione di inchiesta, mi parlano con tono inquisitorio e allora decido di farla finita una volta per tutte».

Giorgio Amendola lo conoscevo da tempo, l'avevo incontrato per il giornale e mi aveva colpito perché i molti anni di scuola comunista e stalinista non avevano lasciato su di lui il minimo segno, sembrava di parlare con quello che era stato, un intellettuale cresciuto in una famiglia liberale. Non gli avevano minimamente tolto il senso dell'umorismo. «Eravamo a Parigi nel '38, Berti mi convoca in gran segreto. "Tu abiti con Pertini, no?" chiede. "Sì, mi ha ceduto una stanza del suo alloggio." "E allora studia bene le sue abitudini, pensa a come potresti agire se ti chiedessimo di eliminarlo. È un socialfascista, può diventare pericoloso." Tornavo a casa e trovavo Pertini che canterellava in cucina preparandoci gli spaghetti e la cotoletta alla milanese e mi veniva da ridere. "Giorgione, ti va bene la vita?" diceva lui.»

La Camilla Ravera la trovo al quinto piano di una casa romana, umbertina, con ascensore monumentale e stanze a volta alta. La maestrina dalla penna rossa da vecchia doveva essere così, con il suo lindore gozzaniano, la sua certezza del dovere compiuto. Raccontava le cose del passato in modo preciso e fuori da ogni possibile contestazione, lo stesso tono dei parenti torinesi di Togliatti, le cose erano andate così e basta, non era proprio il caso di discuterne. Ma era proprio vero che nel partito staliniano il dissenso era impossibile? La Camilla Ravera e il senatore Umberto Terracini dicevano tranquillamente che no, che era possibile, con qualche pena. In carcere i compagni li avevano isolati, come eretici, alla Ravera non perdonavano di avere ottenuto un trattamento migliore facendo amicizia con le suore del carcere. Fra i due c'era stato un epistolario su cartine da sigaretta, calligrafie precise, minute di entrambi, ritrovandole negli archivi davano un senso di forza, di grande tenuta, di cosa vuol dire una buona educazione.

Il viaggio per la storia comunista, il ritorno a interessi politici mi fecero anche riscoprire, intatta, immutabile nelle sue ambizioni e nelle sue scaltrezze, la specie dei politici. Per cominciare tutti coloro che si giocavano la direzione del partito, da Berlinguer a Ingrao, cortesemente rifiutavano di testimoniare perché sarebbe rientrato nella politica in cui operavano, nel potere a cui ambivano o che volevano conservare. Perché prender dei rischi per la storia, questa cosa sfuggente che nei partiti comunisti ogni uomo di potere aveva manipolato a proprio uso? E perché prenderli per un borghese anticomunista? Loro li capivo, in quella storia avevano tutti qualcosa da nascondere, da correggere. Ma la cautela, la prudenza, l'omertà degli altri, dei non comunisti, dei grandi notabili della democrazia, da Ugo La Malfa a Pietro Nenni, mi sembravano quasi patologiche, una deformazione professionale. Pietro Nenni era vicino agli ottanta, si muoveva di rado dalla sua bella casa romana dietro il Palazzo di Giustizia ma non aveva ancora deposto le grandi ambizioni, sperava di essere eletto presidente della Repubblica, come La Malfa, del resto, come Pertini. Se c'era un politico italiano che avrebbe potuto raccontarmi di Togliatti per conoscenza diretta e conflittuale era proprio lui, il vecchio mussoliniano passato al socialismo, compagno di strada disprezzato, usato, ricattato dai comunisti, lui che aveva vissuto, fatto politica, combattuto in Spagna e in Francia assieme a Togliatti. Lo avevano trattato come un traditore, un socialfascista, lo avevano ricattato nel dopoguerra riducendo il socialismo operaio alla subalternità, lo avevano bollato come un infame quando finalmente aveva deciso di emanciparsi con il centrosinistra. Poteva finalmente dire la sua, ridisegnare la sua figura politica. Ma sperava nel voto dei comunisti per diventare presidente e non ci fu verso, fingeva di non ricordare, smussava, storicizzava. «Ma non fu Togliatti a coprire in Spagna la repressione contro gli anarchici?» «Vedi mio caro, bisogna ricalarsi in quei tempi. Le necessità della guerra...» «Però vi accusavano di socialfascismo, mi sono ripassato la collezione de «l'Unità» clandestina, ho letto attacchi feroci.» «Sì, mio caro, ci furono delle violente polemiche, degli eccessi ma tutto sommato i rapporti furono buoni.»

«*Tu quoque*» avrei voluto dire a Ugo La Malfa. Mi guardava dietro le sue lenti spesse, torceva un po' il collo da tartaruga e mentiva: «No, Togliatti non fu un uomo fazioso, io ebbi sempre con lui dei rapporti, come dire, di correttezza intellettuale. Eravamo avversari politicamente, ma ci stimavamo». Persino Ferruccio Parri, l'ingenuo Maurizio, l'integerrimo Parri dai capelli d'argento aveva perso la memoria, non ricordava più che Palmiro Togliatti usava definirlo «quel coglione». Come prendevano le distanze i vecchioni dell'antifascismo aspiranti alla presidenza della Repubblica!

L'unico fra gli aspiranti a non tirarsi indietro era Antonio Giolitti, l'ex comunista, ma lui sapeva che comunque il partito non gliela aveva perdonata. Si defilavano anche gli intellettuali comunisti più aperti, per molti mesi dopo l'uscita del libro o non avevano ancora trovato il tempo per leggerlo o si ripromettevano di parlarmene, con calma. Ci misero dieci anni a trovare il momento opportuno, solo dopo dieci anni arrivarono a dire in pubblico che il mio *Togliatti* li aveva aiutati a rompere le ultime resistenze conformiste del partito. Campa cavallo che l'erba del riconoscimento tardivo prima o poi cresce.

All'uscita del *Togliatti* girai per quasi due anni l'Italia facendo presentazioni e dibattiti, mai organizzati dai comunisti, sempre controllati dai comunisti. L'interesse era forte, per i socialisti emancipati era un'occasione di rivalsa, di sfogo, dopo i lunghi anni delle umiliazioni. Finii con il perdere la voce, arrivato a Bari al teatro Petruzzelli dovetti far parlare per me mia moglie Silvia che conosceva benissimo l'opera per aver lavorato con me nella ricerca e nella analisi delle fonti. Gli interventi preordinati dal partito erano umilianti, per il partito, non per noi: gli storici che avevano una coda di paglia lunga un chilometro stavano zitti e buoni, facevano parlare compagni dell'apparato che si prestavano ad essere storicamente malmenati. Gli avevano dato una imbeccata su questo o quell'episodio, ma non avevano altre frecce, incassavano e tornavano a sedersi. Non mancava mai l'intervento canonico dell'operaio «dalle mani callose» che ancora negli anni Settanta era inevitabile nella nostra commedia umana. Lo riconoscevo immediatamente: indossava un giubbotto di pelle e un maglione a collo alto. Si alzava dalle ultime file, chiedeva la parola e avanzava verso il tavolo degli oratori, verso il microfono, in un silenzio teso perché tutti avevano già riconosciuto in lui il proletario martire, l'artefice della storia, l'operaio. Esordiva secondo la liturgia operaista: «Antonio Ferrero, operaio alle presse di Mirafiori». Silenzio, attesa, che cosa dirà l'operaio delle presse? «Compagno Bocca, scusami se ti chiamo compagno che magari a te non piace, ma io che lavoro alle presse vorrei chiederti solo una cosa. Come mai tutti noi operai eravamo pronti a rischiare la pelle per il compagno Togliatti se era davvero quel tipo che tu racconti?» Applauso forte, liberatorio dai settori della sala compattamente occupati dai comunisti. Silenzio rispettoso degli altri mentre il compagno Ferrero tornava al suo posto in fondo alla sala certo che nessuno si sarebbe mai occupato di sapere che lui alle presse non ci lavorava da dieci anni, essendo passato agli uffici del sindacato.

Quel libro mi faceva conoscere meglio i patriottici vizi dei compagni, per esempio il compiacimento con cui parlavano della loro intolleranza. Ero amico di un comunista torinese, un giornalista sportivo di nome Placido, lo incontravo a pranzo in casa di mia sorella Anna e di Detto. E dopo il *Togliatti*, prendendo il caffè corretto con grappa mi diceva, bonario e compiaciuto: «Giorgio stai attento, tu sai come è il nostro partito, una o due te le passa, ma quando cala la serranda è per sempre». Era una bravissima persona Placido, ma si compiaceva molto di quella avvolgente intolleranza. Presentavo il libro a Ferrara e andavo a pranzo da Luigi, il ristorante sulla piazza del castello e al tavolo accanto erano seduti quattro funzionari del Pci che non mi conoscevano e parlavano della presentazione del libro che sarebbe avvenuta in serata. «Tu ci vai stasera alla presentazione del *Togliatti*?» «Se posso. Il Gruppi su "Rinascita", lo ha demolito. Eppure mi dicono che il Bocca sia un antifascista viscerale.» «Be', sai come sono questi di Giustizia e Libertà, come anti comunisti non li batte nessuno. Su andiamo che ci aspettano a Este per il festival dell'Unità.» E partivano soddisfatti del pranzo da Luigi a spese del Comune, Assessorato alla cultura, per andare a recitar la loro messa al festival dell'Unità, rassicurati dal compagno Gruppi che il libro di quel giellista era un cumulo di errori e di calunnie. O più probabilmente non gliene importava niente di quello che Togliatti aveva fatto in Spagna o in Russia, avevano altro a cui pensare, il tesseramento un po' in flessione, la gestione dei bar con le piadine e le salsicce al festival.

La base vera la conobbi l'anno dopo nel '74 quando pubblicai su «Il Giorno» il resoconto di viaggio nella Russia di Breznev. Ero già stato nell'Urss altre tre volte, la prima nel '57 dopo il lancio dello Sputnik. Fu un incontro idilliaco. Dovevo intervistare gli scienziati, la mia guida interprete era Irina Yermakova, moglie di un corrispondente a Roma della «Pravda» che avevo conosciuto a Rimini, presentatomi da Giancarlo Fusco che pareva fosse un suo grande amico. Certo Fusco gli faceva fare delle grandi risate. Irina mi accompagnava nelle palazzine universitarie color giallino, nel bianco della neve, simili alle palazzine dei nostri politecnici, fraterne convivenze di professori un po' fuori dal mondo e di giovani curiosi del mondo. Passavamo per corridoi sporchi quel che è giusto, dalle pareti un po' scrostate come quelle dei nostri licei, i professori non erano poi diversi da quelli che avevo conosciuto a Cuneo o a Torino, certo sembravano di un'altra specie rispetto ai burocrati e ai poliziotti che circolavano nel nostro albergo. Sapevo niente di astronautica, loro se sapevano stavano abbottonati perché lo Sputnik e le *rakete*, i razzi, erano coperti dal segreto militare. Tiravo a indovinare, facevo domande che a quei fisici dovevano suonare o incomprensibili o cretine, chiedevo perché avessero messo in orbita lo Sputnik a 233 chilometri dalla terra e non a 250 e loro avrebbero potuto rispondermi «perché più in su i nostri razzi non arrivano»; ma gli sembrava così elementare che preferivano dire che non lo sapevano.

Negli intervalli fra un professore e l'altro Irina mi portava a visitare una fabbrica di caramelle o una scuola elementare e a me tutto pareva ingenuo, simile alla mia infanzia, commovente, mi pareva di esser tornato nella scuola elementare di via XX Settembre quando arrivava il podestà Imberti, vestito di nero con cravatta grigia, e noi ci eravamo preparati la canzoncina e il mazzo di fiori e lui ci distribuiva caramelle stortignate e cattive come quelle della fabbrica moscovita. Io nelle scuole sovietiche ero come il podestà, l'ospite atteso; il vecchio maestro aveva fatto appendere alle pareti le fotografie di piazza San Marco, della torre di Pisa, del Colosseo per farmi capire quanto si sentissero europei e fratelli nell'arte e nella storia. All'albergo incontravo anche gli italiani dell'export-import, il dottor Savoretti, sempre in procinto di partire su una limousine verso colloqui ministeriali. Sapeva tutto il peggio della Russia avendo sposato una russa che però era un'amica della figlia del primo ministro Kossigin. Andavo a trovarlo in ufficio, parlavo con i suoi impiegati: sì qualche contrattempo, qualche difetto c'era ma come era riposante, sicura la Russia dei soviet. Prima di lasciare Mosca volli fare un regalo al figlio di Irina di cinque anni, andai al Gum e comperai un trenino elettrico che costava lo stipendio mensile di un professore. Mi diedero appuntamento, lei e suo marito, il compagno Yermakov, in una stradina, dalle parti della «Pravda» perché nessuno ci vedesse. Yermakov non aveva voglia di ridere come a Rimini, era impacciato, aveva fretta. E nell'idillio scese la prima vena di tristezza.

La seconda visita nel '69 fu un'altra cosa, già ad occhi aperti. Era una visita per direttori dei giornali italiani, ospiti di riguardo, accompagnati da mogli e amiche. Non erano minimamente interessati a capire l'Unione Sovietica e guardavano me, mandato in sostituzione di Pietra, come un rompiscatole. Ma chi me lo faceva fare di chiedere tutte quelle cose ai nostri accompagnatori? Non stava bene, eravamo ospiti. Il comunista Elio Quercioli, direttore de «l'Unità» aveva preso sotto la sua protezione il vicedirettore del «Corriere» Mottola, lo guidava amabilmente fra champagne georgiano e caviale del Caspio.

Sì, ero decisamente un fastidio per la gaia compagnia. A

Tallinn fummo ricevuti dal governo estone e io chiesi quanti fossero gli estoni. Mi guardavano imbarazzati, si facevano ripetere la domanda, risultava che sui sette ministri presenti cinque erano russi e due soli estoni. E siccome insistevo a chiedere perché in una repubblica estone la maggioranza schiacciante di ministri fosse russa il buon Quercioli interveniva, mi spiegava che nell'internazionalismo comunista le nazionalità non contano. Poi visitammo un kolkoz di pescatori, il presidente vestiva un elegante doppiopetto grigio, aveva il piglio del manager, ci spiegava che la produzione si era diversificata, allevamento di ermellini, calze da donna in nylon, reti, canne da pesca. L'auto del presidente era una Mercedes. Quando domandai come venissero ripartiti gli utili il buon Mottola non si trattenne, mi tirò per un braccio e mormorava: «Andiamo, son cose che non si chiedono». Una sera fummo invitati al circolo dei partigiani, che poi erano i collaborazionisti della potenza occupante. Stavano riscuotendo il premio, mangiavano e trincavano soddisfatti: stavamo tutti nudi nella sala della sauna, seduti su poltrone di vimini davanti a piatti di aringhe affumicate e di cetrioli: ogni tanto uno dei partigiani si alzava, afferrava una fascinetta di betulla, andava nella sauna a buttar fuori in sudore qualche litro di birra e poi tornava per fare dei brindisi alla pace fra i popoli e odio eterno al fascismo e al nazismo. Il nostro accompagnatore era un georgiano, molto preoccupato per l'eccessivo consumo di champagne della compagnia. Per avere un'altra bottiglia i nostri direttori si voltavano verso di lui, lo guardavano e se assentiva dicevano allegri: «Bravo Ghennadi!».

Ma la vera scoperta dell'Urss la feci a fine '73, un lungo viaggio che durò quaranta giorni: faticoso, a volte teso, frustrante, ma fino al fondo della realtà sovietica. Le difficoltà, gli ostruzionismi incominciano subito: ho un visto giornalistico che dovrebbe consentirmi di veder ciò che voglio, di spostarmi come credo, ma quelli di Novosti, l'agenzia di stampa che si occupa dei giornalisti stranieri, dicono che a loro non risulta, che il mio è un visto turistico, che vedranno comunque di facilitarmi. È l'introduzione a una contrattazione continua con piccoli burocrati che si sono ritagliati un angolo di privilegio e lo gestiscono ciascuno a suo gusto: la corruzione nella Russia di Breznev è più forte della polizia.

La prima guida, un russo ebreo, Piter, ci studia per due giorni, mia moglie ed io, e poi capisce che si può fidare, ci invita a casa sua, ci racconta come stanno le cose: ha avuto l'ordine di impedirci di parlare con la gente, di accompagnarci in visite innocue. «Stasera» dice «vi faccio incontrare un regista teatrale di successo, una persona intelligente che ha capito che deve fare il cretino per campare.» La commedia è noiosa, banale, il solito triangolo amoroso, lui, lei e l'altro, le spettatrici che buttano mazzi di fiori avvolti nel cellophane sono finte spettatrici, pure i fiori sono finti e recuperabili per l'indomani. Andiamo nel camerino del regista per l'intervista. Vuol farci capire che è un intellettuale cosmopolita, ci racconta dei suoi viaggi a Parigi, a New York. «Un mese fa a Londra ho visto una *pièce* di Milton, stupenda, piena di raffinatezze introspettive, su un amore lesbico. Ma come faccio a darla qui a Leningrado dove non ci sono lesbiche? Chi la capirebbe?» Uscendo Piter sussurrava: «Forse sua moglie, notissima lesbica». Poi andammo a casa di suoi amici: lui Dimitri un mago, lei Olga una maestra di ballo. Ma Dimitri non era un mago e non faceva cadere con il suo sguardo magnetico oggetti a distanza. Era un analista freudiano, ma nella Russia marxista la psicanalisi non era permessa, era una impostura capitalista. Dimitri mi regalò una pipa uzbeka, in legno intarsiato, molto bella: ventiquattro ore dopo me l'avevano già rubata, non si poteva lasciare in stanza un oggetto di valore, del denaro, sparivano subito.

Piter era una guida impagabile alle miserie del socialismo reale. Ci portò in un ristorante vicino alla metropolitana e volle un tavolo vicino alla cucina e capii presto perché, era come assistere alle comiche dei film muti, al balletto dei tre camerieri: veniva fuori la cameriera grassona con il vassoio degli antipasti e delle uova sode, si metteva nella tasca del grembiale due uova stando dietro il paravento che nascondeva la porta e poi usciva impettita. Allora compariva traballante il cameriere ubriaco, si fermava per ritrovar l'equilibrio, sorseggiava dai bicchierini di vodka e andava a servire, urtando i tavoli. Alla sesta uscita era così cotto che rovinò su di noi. Ci aspettavamo gli urli e le furie dello chef che invece lo sollevò dolcemente e dicendogli parole di conforto lo fece sparire. Il cameriere incazzato invece sbatteva il vassoio sul tavolo dei clienti e alla minima osservazione si metteva a imprecare. Lo chef lo guardava con tristezza, ma non interveniva, si capiva che erano una cooperativa del furto e del far poco.

Una sera andammo a cena sul ristorante barcone sulla Moscova. La sala era piena di armeni venuti a Mosca per vendere al mercato nero frutta e ortaggi, introvabili nei negozi. Eran dei giganti con visi olivastri e non capivi se la linea scura fra labbro e naso era un rametto di finocchio o baffi. Mangiavano avidamente, bevevano copiosamente, ballavano con violenza travolgente serviti da camerieri e cameriere acrobati ed esperti in lotta greco-romana che evitavano quelle valanghe umane con delle piroette, sgusciavano sotto i tavoli, placcavano i più audaci. La sala rimbombava di suoni, di canti, di urli, faceva un caldo torrido, pulendo i vetri appannati si vedevano i poliziotti sulla banchina, nel gelo. Ogni quarto d'ora si scatenava una mischia perché un armeno aveva interrotto il ballo di due donne e ne aveva abbracciata una che gli aveva fatto avvampare una guancia con un ceffone di forza ciclopica, o per altro di simile; e senza chiedere come era andata armeni e russi si alzavano dai loro tavoli e si picchiavano gagliardamente, ma non per molto: la direttrice, un donnone vestito di rosso, portava alle labbra un fischietto d'argento, mandava trilli imperiosi e i poliziotti di guardia sulla banchina comparivano grandi come armadi, prendevano i più scalmanati e li scaraventavano giù per la scala sulla banchina ghiacciata. Ma si alzavano imprecando o implorando e dopo lunghe incomprensibili discussioni con i poliziotti gli mettevano in mano qualche rublo e risalivano a bordo accolti dagli amici con forti brindisi. A volte ci accompagnava il corrispondente de «l'Unità» Benedetti, una persona deliziosa che dopo sei anni di permanenza a Mosca aveva come sublimato, come ridotto a pura essenza un anticomunismo definitivo. Non parlava delle sue esperienze e delle sue delusioni, non ci confidava le sue crisi ideologiche, ma ci portava a vedere le menzogne e le miserie del comunismo reale. Fermava l'automobile davanti a un quartiere appena finito, lasciava che ammirassimo le grandi facciate, i giardini con i giochi per i bambini e poi, senza dir niente, ripartiva per farci vedere l'altra faccia della luna, i cortili fangosi, i balconi pieni di tutto ciò che non stava nei trenta metri degli alloggi, i cumuli di immondizia. Un mattino andammo a un mercato libero dalle parti della stazione siberiana. C'erano mendicanti o poveri diavoli che rovistavano fra gli avanzi, allontanati dagli urli degli ambulanti. E quella volta Benedetti non si trattenne, mormorò: «Avanti compagni, quando la rifacciamo la rivoluzione?». Sulle banchine della Transiberiana c'erano moltitudini accampate, in attesa di partire da giorni, da settimane. Con pietose risse per la conquista di un posto.

Partimmo di sera da Mosca per Novosibirsk. L'aeroporto per l'Oriente era fuori dalla cintura in cui possono muoversi i turisti, incontravamo un posto di blocco ogni chilometro, come se Mosca fosse una città assediata; a ogni bivio reticolati e mitragliatrici come se Mosca fosse nelle retrovie di un esercito in guerra. Sull'aereo la Russia del comunismo reale si mostrava senza più reticenze o belletti. Silvia ed io eravamo gli unici stranieri che viaggiavano per curiosità o piacere, tutti gli altri erano russi che andavano a Novosibirsk in *kommandirovka*, come chiamano i servizi ordinati dallo Stato, un ordine dall'alto e devi andare a lavorare per mesi, per un anno lontano da casa tua, dai tuoi. Zaini, valigie, pacchi messi fra i sedili, gente taciturna, diffidente. Sono le cinque del mattino e servono la colazione: uova sode, salsicce, formaggio che quasi tutti intascano o mettono nelle valigie. Dall'alto Novosibirsk è un grande accampamento nel deserto della tundra, una sterpaglia bassa solcata da un'unica linea diritta, la Transiberiana. Dire Siberia è pensare alle grandi foreste, ma le grandi foreste non ci sono a Novosibirsk e non ci sono neppure le strade asfaltate, ci sono delle piste in terra battuta che finiscono a venti o trenta chilometri dalla città. E capire che qui arrivi o parti solo per ferrovia o per aereo ti dà la claustrofobia. Una delle poche strade portava in venti chilometri ad Akademgorodok, il villaggio degli scienziati, ma il direttore dell'ufficio di Novosti non ci sentiva da quell'orecchio, non voleva che incontrassimo gli uomini della scienza, non voleva avere grane, era arcicontento del suo stato, un ex poliziotto del Kgb promosso giornalista con un bell'ufficio di legno chiaro e un armadietto che solo a guardarlo si sentiva felice, pieno di liquori occidentali, whisky e cognac e gin, il migliore dei mondi possibili.

La città era tetra sotto la caligine dei fumi industriali. I negozi vuoti, qualche aringa affumicata, qualche pane grigio, salsicce violacee. Mezzi pubblici rari, scassati; davanti alle fabbriche file di camion con il motore acceso con gli autisti al caldo nel gran gelo e già sbronzi di mattino. Avevano appena scoperto che alcuni si erano intossicati bevendo l'alcool dell'anticongelante. «Come state a inquinamento?» chiedevo all'uomo di Novosti. «Cosa è inquinamento?» diceva lui. «L'aria sporca, l'acqua sporca» spiegavo. «No, no,» faceva lui ridendo «qui tutta acqua pulita, tutta aria pulita.» «Ho visto le code davanti ai negozi.» «Code?» diceva lui. «Ah troppi soldi, troppi, tutti comperano.» Le cameriere del ristorante erano robuste e incazzate, servivano come in un bar di cercatori d'oro nel Klondike, sbattevano i piatti sul tavolo, vi facevano rotolare dei bicchieri sporchi ma gli operai italiani di Colleferro, al cui tavolo sedevamo, non ci facevano caso, loro sapevano il retroscena: «Sono delle hostess dell'Aeroflot in punizione» dicevano «sorprese a rubare o roba simile. Devono stare qui due anni e sono incazzatissime».

Gli operai italiani di Colleferro vivevano a Novosibirsk come un inglese nell'India di Kipling: da gran signori riveriti da tutti. Avevano uno stipendio dieci volte quello di un operaio sovietico e poi vendevano orologi, calze di nylon, cravatte. Erano benvoluti, i russi sono dei napoletani del Nord, tirano a campare, fanno amicizia. Tirava a campare anche il capo officina che un giorno venne a pranzo con noi. Gli avevano dato l'incarico di far diminuire i furti perché dall'officina portavano via tutto, cacciaviti, martelli, pezzi di ferro e di piombo. «L'altro giorno, mi raccontava uno dei nostri operai, è arrivata dall'Italia, dalla Cerruti, una rotativa a colori. Mancava la metà dei fili elettrici, delle valvole, rubati per strada, sul treno. Rubano tutti, o per se stessi o per qualche *tolkac* che sarebbe la locomotiva di testa, quelli che in un modo o nell'altro trovano per una fabbrica ciò di cui ha bisogno e che sul mercato non si trova. Il capo ha cercato per qualche giorno di far sorvegliare gli operai, di perquisirne qualcuno all'uscita, ma adesso si è rassegnato. Noi i nostri attrezzi li chiudiamo a chiave in un armadietto di ferro cementato nella parete, se no se lo portano via. Ma se vado a raccontare queste cose a Colleferro dove son tutti comunisti il primo a dirmi che sono un fascista è mio padre.»

Andiamo a visitare la fabbrica in cui stanno montando una macchina prodotta in Italia. A ogni ingresso vediamo due poliziotti, controllano le tessere con fotografia che gli operai portano attaccate al bavero, altri poliziotti camminano fra i reparti ma gli operai non se ne curano, se la prendono calma, per spostare una putrella di ferro di cinquanta chili si mettono in dieci e la posano sei o sette volte per fumare una sigaretta o chiacchierare. Noto due ragazzini sui quattordici anni. «Ma qui lavorano anche gli adolescenti?» chiedo. «No,» dice l'uomo di Novosti «sono dei giovanotti non cresciuti» e ride, si trova divertente. Alle pareti hanno appeso dei manifesti con le avvertenze in caso di attacco atomico: «Mettete un fazzoletto bagnato sulla bocca, se potete gettatevi in un fosso. Se siete in casa chiudete le finestre». E lì capisco come facciano i russi a sopportare le menzogne più ridicole, la propaganda: nessuno aveva stracciato quei manifesti, ma nessuno li aveva letti, avrebbero potuto appendere qualsiasi altra istruzione idiota e loro avrebbero continuato a difendersi con le loro armi invincibili, l'indifferenza e il non lavoro.

Lo stato di polizia sembra onnipresente in Urss, ma se un giorno decidi di metterlo alla prova magari ci entri come un coltello nel burro. Stanco delle scuse e dei rifiuti dell'uomo di Novosti un mattino faccio una cosa semplicissima, salgo su uno dei tram che collegano Novosibirsk ad Akademgorodok e ci arrivo senza che nessuno mi fermi o mi controlli, entro nell'Istituto di Fisica, dico a una segretaria che sono un giornalista italiano e che vorrei parlare con qualche scienziato e lei dice: «Forse andrebbe bene il professor Schlegov». Il professore va molto bene, è un siberiano che conosce bene i problemi di un paese «grande metà dell'Asia ma con soli trenta milioni di abitanti». Quando rivedo l'uomo di Novosti gli chiedo: «Quando mi porta a Akademgorodok?». «Presto» dice lui «ma adesso gli istituti sono chiusi, tutti in vacanza, capito?»

Il viaggio nella Russia di Breznev è un viaggio nella menzogna inutile, scoperta, a cui nessuno crede ma che tutti usano. Il primo kolkoz che mi fanno visitare è nel territorio dell'alto Cirkik e si chiama Jik, dalle parti di Taškent. Ci accompagna nella visita il presidente del kolkoz Fasulaev, un brav'uomo che ci tiene a farci vedere la raccolta del cotone, «tutta meccanizzata» continua a ripetere. Si va in auto, nel polverone delle strade di campagna e vediamo un centinaio di donne che stanno raccogliendo a mano il cotone. «Che lavoro fanno quelle donne?» «Quali donne?» «Ma quelle che raccolgono il cotone.» «No, raccolgono il granoturco.» «Ma se raccolgono dei fiocchi bianchi!» «No, no si è sbagliato.» Andiamo avanti e incontriamo altre donne che raccolgono a mano il cotone. «E queste?» L'uomo di Novosti improvvisa: «Queste raccolgono i fiocchi migliori prima che passino le macchine». Poi si consulta con Fasulaev e corregge: «No, queste spigolano, le macchine sono già passate due volte». Ci fermiamo vicino a una casa bassa in legno, le donne che raccolgono il cotone stanno all'ombra del portico, mangiano sedute per terra. Fasulaev vuole che visitiamo il centro di cultura, ma la porta è chiusa. Chiamano il capo brigata, arriva un kazako con dei grandi baffi, tira giù le chiavi dallo stipite della porta, apre, si sente un cigolio e vien fuori una nube di polvere. La biblioteca è una delle 387.000 biblioteche di cui si parla nei pamphlet propagandistici: c'è un tavolo coperto da vecchi giornali e sopra intonsi, ingialliti, i librettini con gli scritti di Lenin e di Breznev. Sarà un mese almeno che qui dentro non è entrato nessuno. Il kazako sembra strizzarci l'occhio, certo sorride.

Avrei molte domande da fare a Fasulaev ma mi fa un po'
compassione, penso ai versi di Tardowsky: «Avanti compagno, fai il tuo dovere, di' anche oggi che il nero è bianco».
«Potrei vedere l'allevamento del bestiame?» «Purtroppo le
bestie stanno svernando nel sud del Kazakistan.» «Ma mi
pare di aver sentito dei muggiti.» «Sì, ma quelle non è possibile vederle, sono in quarantena, c'è stata una infezione.» «E
i vostri figli dove studiano?» «Nella scuola distrettuale e poi
vanno tutti all'università.» «Mi faccia capire, compagno Fasulaev, se vanno tutti all'università chi resta qui a coltivare i
campi?» Fasulaev non si scompone, sa la lezione a memoria:
«I nostri ragazzi non ci lasciano, tornano al kolkoz perché
qui trovano belle-case riscaldate, hanno la televisione, l'automobile, i centri di cultura». Dice queste cose mentre passiamo fra le casucce con i tetti di paglia di Jik, incontriamo le
carriole tirate dagli asini. Ma la realtà non esiste, non esiste
neppure il presente, esistono solo le parole e un futuro che,
non si sa perché, non si sa come, dovrebbe essere radioso.

Arriva il segretario del partito e si mette a mentire anche
lui pacatamente, ma li capisco, sono due sui cinquant'anni,
sono passati per i tempi staliniani in cui i kolkoziani erano
come servi della gleba, non potevano allontanarsi dal kolkoz, dovevano lavorare per pochi rubli. Erano in queste
campagne quando arrivavano le direttive di Lysenko, il bio-
logo che aveva inventato il modo di concimare senza conci-
me e ogni anno tirava fuori sementi miracolose che poi ren-
devano la metà di quelle normali, ma a Stalin piaceva e i suoi
avversari finivano in galera. Così per campare gli uomini alla Fasulaev spedivano a Mosca delle relazioni false, dicevano
di aver raccolto con le sementi di Lysenko tre volte più del
normale.

Poi ci portano a visitare un sovkoz, cioè una fattoria completamente collettivizzata, a Mustahi nell'Azerbaigian. L'accoglienza è deamicisiana: il direttore sembra il maestro Mus-
so, delle mie elementari, con una bella barba bianca. È con-
tornato da ragazzine in costume che ci offrono fiori e frutta
in una saletta bianca, in un'aria di povertà virtuosa, di lieta
laboriosità, ma passa un camion e nessuno sembra notare

che è carico di contadini scalzi con gli abiti stracciati. Andiamo a vedere le coltivazioni del centro sperimentale e mi si stringe il cuore: rami della vigna strisciano per terra, come se fosse selvatica. «Ma non usate i paletti?» «No, non conviene, qui il vento è forte.» «Ma come fanno a maturare i grappoli dalla parte posata a terra?» «Li giriamo.» Andiamo nel frutteto. I meli sono piantati a trenta metri uno dall'altro e danno meline rugose. Più in là ci sono dei cespuglietti stenti che dovrebbero essere di olivo. Come nipote di contadini mi vien voglia di piangere.

Viaggiare per la Russia di Breznev è come muoversi in un labirinto, come in una prigione a porte aperte ma che non conducono ad alcuna libertà, come in una nebbia di parole false. Però, però la menzogna qui è talmente sicura di sé che a volte dice la verità. Ho imparato a leggere le dispensine della propaganda ufficiale, a verificare cosa c'è dietro il tono trionfalistico. Prendiamo le vacanze, le cure. Nell'anno 1971, riferisce un librettino che mi fan trovare in stanza, 700.000 lavoratori dell'edilizia sono stati nelle case di cura e di riposo. Perbacco! Poi uno domanda quanti sono gli operai dell'edilizia iscritti al sindacato e gli rispondono che sono sette milioni e mezzo, come a dire che in vacanza o in casa di riposo va meno di uno su dieci. I conti nell'Urss di Breznev chi vuole può farli. Quanti sono i posti letto sulla costa del mar Nero? Contiamo le stazioni di soggiorno e con criteri italiani da riviera ligure spariamo una cifra enorme, un milione di posti letto. Ma i lavoratori sovietici sono cento milioni e trasportarne al mare non diciamo la metà, ma un decimo, un ventesimo sarebbe un'impresa pazzesca, impossibile in un paese di scarsa motorizzazione e di grandi distanze. A tirar le somme: in vacanza va uno su dieci, uno su dodici e chi ci va non sa mai esattamente quando ci andrà, forse in ottobre, forse in dicembre. Sempre si intende vacanze individuali, non familiari. Con la famiglia si sta a casa, si fa la vacanza nell'orto o nel cortile.

Siamo arrivati a Samarkanda, come tornare al medioevo. Attorno alle antiche moschee dalle cupole dorate e dalle maioliche azzurre, sui gradini sta una moltitudine stracciata e afflitta di musulmani, con mutilazioni e malattie da Terzo Mondo. Passano carretti tirati dagli asini, gli attrezzi sono di mille anni fa. La città degli indigeni, dei musulmani è a due passi dagli alberghi per i turisti, dove le rose sono fiorite in dicembre e c'è la piscina con l'acqua azzurra. La città degli indigeni è un dedalo di casette di fango, senza servizi igienici, senza acqua potabile, dove immondizia e liquami vengono versati nelle stradine. Ma la bella studentessa russa che ci accompagna non vede, risponde in modo evasivo alle nostre domande, insiste perché andiamo a vedere la campagna e quando siamo a dieci chilometri da Samarkanda, in riva a un fiume sinuoso d'acqua lucente, lontani da ogni orecchio, da ogni occhio, incomincia a farci domande sull'Italia, sull'Europa, sulla libertà e a raccontarci di sé, della sua famiglia, della difficoltà di fare gli studi a Mosca dove i soldi dei suoi non bastano a mantenerla e deve dare ripetizioni. Torniamo in città e la nostra graziosa Nadia perde di nuovo la vista, non vede la corte dei miracoli nei pressi delle moschee, gli sciancati, gli ammalati di tracoma, i vecchi seduti per terra che masticano tabacco verde, non sente l'odore inconfondibile della miseria identico in tutto il mondo povero, dolciastro e rancido, nei villaggi delle barche di Hong Kong come nelle periferie di Saigon e nel comunismo di Samarkanda o di Berlino Est.

Mi aiutava in quel viaggio nella Russia di Breznev il mio fascismo giovanile, mi dava una chiave di lettura, le dittature sono tutte stupide allo stesso modo, diverse nella ferocia, identiche nella stupidità. Capivo perché la gente mentiva anche quando la menzogna era ridicola, come da noi, quando facevamo le mostre dell'autarchia. Capivo le corvée inutili, le adunate inutili. Un mattino a Samarkanda fummo destati da un brusio. Vado alla finestra e vedo la strada gremita di giovani, studenti delle medie. È la giornata della pulizia indetta dal partito, i giovani sono armati di scopette e spazzano la polvere sabbiosa della strada, ridendo, chiamandosi per nome. E intanto un vento gagliardo riporta sulla strada polvere sabbiosa, sì proprio come da noi quando fingevamo di tagliare il grano con le baionette.

La menzogna sovietica è cinica o alienata. Nella prima si decide di mentire incuranti di ogni smentita, di ogni magra figura. Per anni un mio amico professore di oftalmia al Fatebenefratelli di Milano ha studiato il tracoma nel mondo, anche su riviste sovietiche che pubblicano saggi sulle cure e sulle prevenzioni della malattia nel Tadžikistan o nell'Uzbekistan. Ma se scrive agli autori dei saggi per avere altri dati riceve delle risposte sdegnate, insolenti: ma come si permette? Nell'Urss non ci sono ammalati di tracoma. Cosa crede, che l'Urss sia un paese del Terzo Mondo? Allora pensa di essersi sbagliato, rilegge i saggi, le firme, i titoli accademici e sono proprio loro, il professor Trimonov dell'Istituto per le malattie tropicali, il professor Afasanev dell'Accademia sovietica.

La menzogna alienata è permanente, si esplica con una rinuncia a sapere ciò che può procurare rischi. Nessuno ad Alma Ata si chiede perché in città ci sia una numerosa colonia di tedeschi, dei tedeschi deportati dal Volga alla vigilia della guerra perché Stalin non se ne fidava. Nessuno si chiede perché ci sia una colonia coreana talmente numerosa che ha persino un suo teatro, nessuno ricorda che i coreani arrivarono come profughi durante la guerra fra le due Coree e poi non ebbero più il permesso di rientrare in patria. Nessuno di quelli che obbediscono chiedono spiegazioni a quelli che comandano e viceversa, è inutile che noi chiediamo alla nostra accompagnatrice Dina di portarci a vedere la casa in cui visse il Trotskij esiliato da Stalin. Lei risponde fiammeggiante, come se le avessimo teso un tranello: «Trotskij non è mai venuto ad Alma Ata». E se le dico che c'è scritto in tutti i libri di storia mi guarda astiosa: ma perché mai questo straniero vuole metterla nei guai? Certe volte vi stancate, non ce la fate più a mettere nei guai la brava gente sovietica. Andiamo a trovare il ministro dell'Agricoltura del Kazakistan, il compagno Mastafaev, vogliamo sapere da lui come è andata la faccenda delle terre vergini ai tempi di Kruscev. Il compagno Mastafaev ha al fianco due signori russi e prima di parlare guarda se sono d'accordo. Ma praticamente non parla, procede per monosillabi. E perdo la pazienza, esclamo con voce un po' alterata: «Ma cosa vuole nascondere, lo sanno tutti che la coltivazione delle terre vergini del Kazakistan fu una delle imprese più disastrose dell'economia sovietica, centinaia di migliaia di persone e montagne di denaro sprecati». Mastafaev mi ferma con un gesto della mano e guardandomi fisso negli occhi mi dice: «Le terre vergini sono state un successo». L'ho capito o non l'ho capito che io domani parto e lui resta?

L'unica ora piacevole ad Alma Ata fu la visita alla scuola dei pastori. I kazaki sono dei mongoli che vivono al confine con la Cina, su Alma Ata dominano montagne coperte di nevi eterne alte cinquemila metri e dietro di esse c'è la Cina. I kazaki sono vissuti per millenni conoscendo solo i popoli dell'Asia centrale, cinesi, afgani, persiani, indiani, ma i russi l'Asia l'hanno cancellata nella scuola, per i pastori kazaki ci sono le stesse letture dei ragazzi di New York o di Parigi, Jack London, Molière, Lamartine, *I figli del capitano Grant* e anche Voltaire. «Li capiscono questi autori?» Il maestro russo confidenzialmente dice: «Molière sì, ma Voltaire assolutamente no, l'illuminismo è incomprensibile per un ragazzo kazako». La scuola sovietica è immutabile perché il suo modello, l'Europa della belle époque, non c'è più, quindi non può cambiare. È l'Europa della Tour Eiffel, delle grandi esposizioni internazionali, dei fratelli Lumière, del Ballo Excelsior. La rivoluzione che doveva cambiare l'uomo, fabbricare l'uomo nuovo, ha una passione vera, profonda, una grande ammirazione per l'Europa borghese. Basta chiamare le cose borghesi con un nome diverso, ma cosa cambia nella sostanza?

La dottoressa che dirige l'équipe medica dice di non sapere cosa sono l'alienazione, la depressione, ma ha capito perfettamente. «Ci sono tanti modi, non è vero, di arrivare agli stessi risultati, di fare le stesse ricerche.» Lei non ha dovuto camuffarsi da mago come Dimitri, il freudiano di Leningrado, ma usa anche lei l'arma invincibile del verbo, della parola. Nel verbo sovietico la parola salute è onnipresente, la prima cura dello Stato, la prima preoccupazione dei governanti. Nella pratica gli operai italiani che hanno avuto bisogno di cure hanno trovato una medicina arretrata, sporca, primitiva. Ospedali senza servizi igienici, al centro di una corsia una tinozza in cui gli ammalati vanno a versare i vasi delle loro feci. Operazioni fatte senza anestesia, giorni e giorni prima che arrivi una iniezione antitetanica. La visita di un ospedale ci è stata rifiutata come se si fosse trattato di visitare una centrale nucleare, un laboratorio segreto dell'esercito.

Le prevenzioni contro gli incidenti e le malattie del lavoro sono minime, arretrate, una commissione della Cgil ha dovuto prendere atto che nei paesi del capitalismo sfruttatore sono incomparabilmente migliori. Noi riusciamo a entrare per caso in un luogo di cura a Baku mentre visitiamo una casa di riposo per operai dell'industria petrolifera. A fianco della casa di riposo c'è una clinica medica, passandole davanti chiediamo se possiamo visitarla, una guida distratta acconsente. Il dottore che la dirige è vestito come un cuoco, camice bianco e cappello alto da cuoco. È l'inventore di una nuova cura per i reumatismi e ci fa vedere quale. Entriamo in uno stanzone dove ci sono dieci vasche da bagno colme di un liquido nero che sembra petrolio. Infatti è petrolio. «Nafta» dice il direttore. «Fa bene ai reumatismi?» «Molto, molto bene.» «Ma i pazienti che fanno?» Il dottore fa il gesto di distendersi nella vasca. «Quanto tempo?» «Un'ora, un'ora e mezzo, molto bene.»

La polizia nella Russia di Breznev è molto russa, passa da grandi bonarietà a grandi violenze, ora fraternizza, ora ti pesta. Quella sera a Baku pranziamo nel ristorante dell'albergo vicino a un gruppo di giovani donne in *kommandirovka*. Ci parlano delle loro famiglie lontane, del loro isolamento, ma la cosa non sfugge al poliziotto che sta all'ingresso della sala. Il giorno dopo le giovani donne hanno cambiato posto, stanno all'altro lato della sala e fingono di non vederci. Il mattino che partiamo da Samarkanda ci presentiamo con i nostri biglietti al banco della Aeroflot e vediamo che impiegati e hostess confabulano, preoccupati. Riusciamo a capire che l'Inturist si è dimenticata di prenotarci i posti. Convocano un maresciallo di polizia, lui ascolta poi ci fa segno di seguirlo: «Nem problema». Ci fa salire sull'aereo e ordina ai due che occupano le prime poltroncine di alzarsi e di scendere. Partiranno l'indomani. Probabilmente è un mese che aspettano quei posti, sono disperati, si mettono a implorare, a imprecare, e allora il maresciallo li solleva di peso e li sbatte giù per la scaletta. Assistiamo morti di vergogna.

A Tblisi dopo il pranzo attacca l'orchestra e un georgiano con baffi a cespuglio invita Silvia a ballare. Poi ci prende gusto, arriva al nostro tavolo con un mazzo di fiori e ripete l'invito: «Silvia danzui». La riaccompagna, si siede, ci offre da bere ma di colpo ammutolisce, saluta, se ne va, il poliziotto che sta sulla porta della sala gli ha fatto solo un gesto con la mano. I georgiani sono dei figli di buona donna come il loro compaesano Iosif Visarionovič Dzugašvili, più noto come Stalin. Il nostro accompagnatore Sergo è molto seccato per la nostra indisciplina, per la nostra insistenza, per la nostra mania di verificare. «Abbiamo quindici piscine qui a Tblisi,» dice imburrandosi la brioche della colazione «la più grande è quella della Dinamo.» «Possiamo vederla?» «Mi spiace, è il giorno di chiusura.» «Vediamone un'altra.» «No, oggi sono tutte chiuse.» «Possiamo vedere un ospedale?» «No, oggi meglio visitare vecchie chiese georgiane con molte belle sculture.» Dobbiamo essergli veramente antipatici perché decide di risolvere la situazione alla georgiana. Ci telefona al mattino alle sei con voce concitata: «Presto presto, vostro aereo parte per Baku fra un'ora.» «Ma il nostro aereo parte domani.» «Vostro aereo non c'è più, o prendete questo fra un'ora o aspettate qui una settimana.» Ci accompagna all'aeroporto, ci abbraccia, ci consegna a una hostess con cui ha parlottato fitto, lei ci accompagna oltre la dogana in una sala d'aspetto. Passa un'ora e nessuno chiama il nostro volo, ne passano due e la hostess non si fa vedere, urla proteste telefonate non servono, Sergo è scomparso, all'Inturist non hanno sue notizie, prenderemo come da programma l'aereo dell'indomani, ma non possiamo tornare in città, la nostra stanza in albergo è già stata occupata, non ci sono altre stanze. Da impazzire! Una notte intera in compagnia di turisti della Germania comunista.

Ma fu a Stalingrado che i nostri nervi cedettero. C'era una accompagnatrice proterva che difendeva con le unghie e con i denti il suo posto, la dacia sul Volga che si era fatta con il marito. Diceva no a tutte le nostre richieste, no, niente scuole, fabbriche, centrali, mercati, solo il museo della battaglia di Stalingrado. «So tutto su quella battaglia,» le dicevo «ho letto le memorie del generale von Paulus e quelle di Kruscev e di Zukov, il vostro maresciallo. Sono qui per fare il giornalista, non lo storico.» Lei provava l'implorazione: «Almeno una visita al centro stampa. Alla radio». Andammo alla radio, c'era il solito giornalista di Novosti, con il solito armadietto con i liquori occidentali e in più aveva un gagliardetto con scritto sopra il nome Praga. «C'è stato durante l'occupazione?» gli chiedevo. «Non c'è stata occupazione, solo un fraterno aiuto internazionalista.» «Ma quale aiuto se l'intera Cecoslovacchia era contro di voi.» Mi spiace per la guida carrierista ma non ce la faccio più, me ne vado senza salutare, sento che ridacchiano e che uno mi sfotte canticchiando *Bandiera rossa*. Ci tappiamo in albergo e dico alla guida: «Vogliamo partire subito, tornare subito a Mosca». So già la sua risposta: «Non si può, non ci sono stanze disponibili». Allora incomincio a dar da matto, mi vengono manie di persecuzione, mi metto in testa che vogliono tenerci lì, che non ci faranno più tornare in Italia, incomincio a telefonare al corrispondente de «Il Giorno», alla nostra ambasciata. Mi dicono di pazientare, che la Russia è fatta così e se uno se la prende è peggio ancora.

Finalmente il terzo giorno si parte. All'aeroporto di Mosca ci aspetta uno di Novosti, un ometto che ha un nome piemontese, Baudino. È lì per consegnarmi un pacchetto di fotografie in cui kazaki e azerbaigiani in costume danzano sotto statue di Breznev. «Non le voglio,» gli grido «non mi servono.» Mi rincorre, mi mette il pacco fra le mani, è diventato d'improvviso una piccola belva aggressiva. Neppure una cena con il bravo Benedetti riesce a calmarmi. L'ultima attesa nella sala d'aspetto dell'aeroporto non finisce mai e ci sono attorno dei rompicoglioni di comunisti emiliani che si mostrano icone false e matrioske. Infine si sale sull'aereo e io cerco di chiudere occhi e orecchi per non arrabbiarmi più di quanto già lo sia. Ma succede un fatto imprevisto. Come l'aereo decolla i bravi compagni emiliani cacciano un urlo di sollievo, si abbracciano. «Si torna a Bologna!» gridano.

Quando gli articoli escono su «Il Giorno», ora diretto da Afeltra, è un cafarnao, uno scandalo. Arrivano migliaia di lettere, di gente che scrive «ah, finalmente» e degli altri che mi danno del venduto, del fascista, dell'anticomunista viscerale. Non gente che ha visitato la Russia di Breznev e che ne ha riportato impressioni differenti, ma gente a cui ho strappato, deturpato una speranza, un sogno. Non dissentono: imprecano, piangono, maledicono, vorrebbero democraticamente farmi a pezzi. «L'Unità» tace. Il partito fa finta di niente, al partito conoscono molto bene la Russia di Breznev e sanno che entrare in una polemica non sarebbe conveniente. Intervengono le «Isvestia» con un duro attacco. Povero Baudino, poveri accompagnatori. Ma forse non gli capita niente, il caos della Russia è grande, ognuno tira a campare, chi ha fatto l'articolo l'ha fatto perché glielo hanno ordinato. Si sdegnano anche i comunisti del comitato di redazione de «Il Giorno», per dargli un contentino Afeltra pubblica, subito dopo la mia, un'inchiesta del collega Giardina sulla Germania comunista, dove si spiega che è molto più democratica ed economicamente avanzata della Germania occidentale. Chiedo ad Afeltra perché l'ha pubblicata. «Non ti preoccupare,» dice «l'acqua fresca non fa né male né bene.» Nessuno dei vecchi compagni di Togliatti, né Longo, né Secchia, né Amendola, né Pajetta si lamenta o ne scrive su «l'Unità», loro la Russia la conoscono bene. Quando propongo a Laterza di ricavare un libro dall'inchiesta acconsente, ma malvolentieri. Per i cattedratici comunisti che lavorano per la casa editrice parlar così dell'Urss non è di *bon ton*. «Hai appiattito una realtà più complessa» mi dice uno dei professori. Ma più piatto, più schiacciato, più soffocato del comunismo nella Russia di Breznev che cosa c'è?

IX
GLI ANNI DI PIOMBO

Possono passare anni, decenni e la società sembra un incrollabile compatto monolito. Potenti e umili, per assicurazione o rassegnazione, si dicono di continuo che tutto è sotto controllo, dalla bomba atomica al sifone del cesso, dal bilancio aziendale alla pressione sanguigna. Nei film sui servizi segreti il grande capo spesso si chiama Controllo. Possono passare anni, decenni e tutto procede, sotto controllo, per impercettibili passi, per lentissimi gradi: per spostare da un partito all'altro una manciata di voti, da un giornale all'altro qualche migliaio di copie si sputa sangue. È il tempo dello *status quo*, delle gerarchie rispettate, se non sei della Einaudi o di Laterza non sei uno scrittore progressista, se non sei comunista non vinci il premio Viareggio, se non sei democristiano non diventi direttore della Rai. Ci sono periodi in cui la società sembra come le facciate delle grandi banche milanesi, della Commerciale, della Popolare, imponenti, con colonne immani e graniti pesanti migliaia di tonnellate, da passarci davanti con reverenza perché dietro, lo senti, c'è il controllo del grande capitale. Ma un giorno l'immane società sotto controllo, la massa cementata di reverenze e di obbedienze non tiene più, va in cortocircuito, come se sentisse un bisogno di elettroshock, di salasso, di sbornia. Allora basta un confuso velleitario «Sessantotto» studentesco a ridurre come re nudi le eccellenze e le eminenze, bastano cinquanta, cento estremisti, poveri scalzacani ma morsicati dalla volontà di potenza, che si danno la voce e si ritrovano a Milano arrivando dalla facoltà di sociologia di Trento, dalla rossa bassa emiliana, da qualche sconosciuto paese delle Marche o dell'entroterra ligure a far tremare lo Stato. Pochi, pochissimi, inesperti delle armi, tagliati fuori dai sistemi informativi e finanziari, si ritrovano a Milano per cercare la verità rivoluzionaria come Calandrino la pietra filosofale nel Mugello. Marxisti, neocristiani ma soprattutto desideranti. Un compagno di Renato Curcio, fondatore delle Brigate rosse, ricorda: «Per qualche mese Renato visse in contemplazione del celeste presidente Mao». La sua donna, Margherita Cagol, Mara, una maestrina di Trento ardente di quell'amor del prossimo che uccide, appena giunta a Milano scrive alla madre: «Questa grande città mi appare come un mostro feroce che divora tutto ciò che di naturale, di essenziale c'è nella vita degli uomini. Milano è la barbarie. Questa società che violenta ogni momento tutti noi ha estremo bisogno di essere trasformata da un movimento rivoluzionario. Se pensiamo che tutto questo potrebbe essere evitato! Ricordi quando ti dicevo che utilizzando al massimo tutti i progressi tecnologici si potrebbero mantenere dieci miliardi di persone a livello americano? Ma questo non è possibile finché esisteranno sistemi politici come quello europeo o americano».

Pochi, ignari dei meccanismi sociali ed economici, eppure bastano a tenere l'Italia intera nel terrore e nel marasma per più di dieci anni. Ma il merito non è di questi pochi che procedono per infatuazioni, sogni, bricolage culturale, è del punto critico a cui è arrivata la massa sociale, repleta di pigrizie, automatismi, ripetizioni, noia. Un piccolo lascito del Sessantotto, una piccola selezione dei violenti e dei fanatici che hanno fallito la rivoluzione culturale ma capito come sia facile con una sbarra, con una rivoltella, farci vivere nella paura, farci cagare sotto, bastano ad aprire la stagione del terrore, a riportare l'intero ceto dirigente, le eccellenze, le eminenze ai soliloqui della paura, dei vaghi rimorsi e della scaltrezza che in alcuni fanno impennare il coraggio, in altri la viltà.

Alle prime manifestazioni del terrorismo non capivo, non volevo capire. C'eravamo tanto battuti noi giornalisti democratici per denunciare la strage di Stato, le trame nere e adesso nel nostro teorema irrompevano questi sconosciuti. Probabilmente, pensavo, degli sbandati usati dal potere nel gioco degli opposti estremismi, come gli anarchici rimasti impigliati nella strage di piazza Fontana. Le scoperte dei primi covi fatte dal giudice Viola che girava con pistolone alla cintura sembravano una messinscena, tanto più che lo accompagnava il dottor Antonino Allegra, il capo della squadra politica che aveva insabbiato a Milano le indagini sulla strage. Quando si ragiona per trame e per misteri si possono perdere di vista le spiegazioni più semplici, non ci sfiorava l'idea che negli anni in cui tutto diventa possibile quei covi ridicoli, quegli arsenali da rigattiere potevano esser l'opera di improvvisatori della rivoluzione come l'editore Giangiacomo Feltrinelli. E continuavo a non capire o a non voler capire anche quando passarono ai primi sequestri di persona, del capo del personale della Fiat cavalier Amerio o del giudice genovese Sossi. Incruenti entrambi, con toni romantici, strani in un paese industriale: il sequestrato sottoposto a rieducazione politica, persuaso a chiedere perdono dei suoi peccati capitalistici. Ma possibile, mi dicevo, che questi non sappiano che un capo del personale, un manager non è un padrone delle ferriere? Che un giudice applica il codice senza sentirsi partecipe del potere capitalistico multinazionale? C'era qualcosa di ambiguo in questi banditi gentiluomini che si muovevano nelle grandi città come Robin Hood nella selva di Sherwood, in un gioco sociale in cui il brigatista Franceschini poteva essere invitato nella casa di un professore dell'Università Cattolica di Milano, trovarvi altri professori ansiosi di ascoltarlo e lui si toglieva la pistola dalla cintura, la posava ostentatamente sul tavolo e spiegava la rivoluzione allo stato nascente. Proprio non capivo.

Un giorno andai al Politecnico di Milano dove alcuni professori della estrema sinistra tenevano un seminario sulla prossima morte del capitalismo e con estrema serietà dicevano cose prive di capo e di coda, come se l'Italia degli anni Settanta fosse la stessa cosa della Comune di Parigi o della Russia del '17. Parlavano della Cina, del grande balzo, di Cuba trasferendo il tutto sulla Fiat o sull'Innocenti, chiac-

chiere prive di senso per chiunque conoscesse le nostre fabbriche, ma la platea giovanile e rivoluzionaria si beveva ogni
parola senza protestare. Ero in fondo alla sala e mi si avvicinò un ragazzo sui diciotto anni. «Tu sei Bocca?» «Sì.»
«Vuoi togliermi una curiosità? Perché scrivi sempre che non
sai chi possano essere i brigatisti, come vivano, dove stiano?
Be', qui in questa sala ce ne saranno almeno cinque fra regolari e di complemento. E magari lo sono anche io che vivo
come tutti gli altri studenti, prometto a mia madre di dare
gli esami e invece distribuisco i volantini, faccio le inchieste,
nascondo o cerco le armi.» Ma non mi convinse pienamente,
troppo disinvolto.

Poi andai al processo di Torino, il processo ai primi brigatisti arrestati, come a una occasione unica per capire. Era il 9
marzo del '77 e i capi storici c'erano tutti, salvo Moretti: c'e-
rano Renato Curcio, Nadia Mantovani e poi Bassi, Bonavita,
Bertolazzi, Basone, Pelli, Semeria, Franceschini, Guagliardo. La Corte d'Assise stava nel solaio di una caserma dei bersaglieri a Torino dove Luchino Visconti avrebbe potuto girare qualche sequenza risorgimentale di *Senso*. L'imponenza
barocca, superflua, pedagogica del gabbione di ferro; le
centinaia di carabinieri, adolescenti meridionali vestiti da carabinieri, schierati attorno al gabbione come se fosse possibile un ammutinamento degli imputati; le catenelle, le manette da melodramma carbonaro e l'inefficienza pubblica, i microfoni sibilanti o piegati come girasoli appassiti, i *metal detector* impazziti; i giudici e gli avvocati nelle loro toghe, gli
imputati nei loro maglioni e i loro parenti allo scoperto, a dimostrazione che da noi il legame familiare è il solo che resi-
sta a tutte le lacerazioni, anche al terrore rivoluzionario. E
tutti assieme non sapevamo bene che parte dovessimo recitare in una vicenda che con tutti i suoi morti, la sua ferocia,
il suo fanatismo, le sue sofferenze continuava a sembrare
gratuita, qualcosa come un cattivo sogno.

I brigatisti in gabbia, i padri fondatori del terrore, non
avevano il *phisique du rôle*. Erano identici ai nostri figli, avevano delle fidanzate, delle mogli simili a quelle dei nostri figli. La moglie di Bertolazzi, ventenne, bellissima, mentre si

iniziava un processo in cui il marito rischiava decine di anni di galera mi rimprovevera: «Ehi tu, Bocca, perché hai scritto che d'estate andavamo in una bicocca di Gropparello? Mica tutti hanno i soldi come te per andare a Courmayeur». E la fidanzata di Bonavita le diceva ridendo: «Ma lascia perdere, non vedi che è uno zombi» per dire un fantasma. Quei terroristi in carne ed ossa che avevano sequestrato dirigenti industriali, ferito, ucciso non assomigliavano né ai rivoluzionari professionali che colpiscono scientificamente, freddamente «per disarticolare il sistema», né a dei martiri sociali votati alla lunga triturazione del carcere. E allora si capiva la cosa più atroce del cortocircuito sociale: nessuno di questi giovani sembrava aver capito che si stava giocando la vita. Erano più coscienti degli altri, ma non tanto, solo i tre che portavano occhiali con montatura leggera da intellettuale, Semeria, Franceschini e Ognibene. Non Curcio, che nel suo maglione alpino poteva passare per uno della polifonica trentina, non la Mantovani, professoressa da magistrali.

Poi c'era la Corte, uscita dall'Italia perenne. Il presidente Barbaro, gentiluomo piemontese, stessa compiacenza liberale di un amico del conte di Cavour o di Santorre di Santarosa, conservatore di buon stampo, educato gentiluomo così si esprimeva: «Imputato Semeria, avrebbe la compiacenza di dirci se intende rinunciare ai buoni uffici del suo avvocato difensore?»; «Imputato Guagliardo, vuole cortesemente procedere alla lettura della lettera o comunicato che stamane avete avuto la compiacenza di farmi pervenire?». E gli avvocati nel loro sventolar di toghe, nei loro interventi di finta reverenza: «Signor presidente, qui tutti le diamo atto e la ringraziamo di condurre il procedimento con perfetta obiettività». «Non me ringrazi, avvocato, ma la toga!»

Osservando la grande messinscena ci si chiedeva che cosa significasse questa colossale perdita di tempo, di energie, di entusiasmi e fanatismi giovanili, di denaro pubblico, di buon senso. Nulla o forse che nell'ora del cortocircuito sociale, della minoranza violenta che fa andare in tilt il controllo sociale ci vogliono delle sacre rappresentazioni come questa per guardarsi in faccia, per ritrovare un minimo di comunicazione. E un po' funzionava, nella voce dei brigatisti che leggevano i loro comunicati arroganti, tracotanti si sentiva come un cedimento, come un suono falso di chi non crede veramente a ciò che sta dicendo. Avendo io scritto osservazioni come questa, l'avvocato Gianni Agnelli telefonava alla Lietta Tornabuoni de «La Stampa»: «Ma per quel Bocca sono tutti bravi ragazzi, da rimandare alle loro mamme!».

Brutto mestiere quello del giornalista quando è difficile capire e regna la paura. Per non essere tagliati fuori, per restare fra coloro che sanno le cose, che fanno informazione e opinione bisogna frequentare gli uomini della violenza e il loro conformismo, andare alla Palazzina Liberty di Milano al teatro di Dario Fo e Franca Rame, fra quelli del Soccorso rosso che stanno nell'alone del terrorismo. Devi andare a una riunione al Circolo Turati e dar la parola al poeta Del Giudice che afferra il microfono e urla: «È ora che gli operai imbraccino il fucile!». E magari gli hai chiesto di portarti al circolo sulla sua auto perché se viaggi con lui non ti sparano. E lui che ha capito continua a chiederti: «Ma non hai paura che ti sparino alle gambette?». Il tuo coraggio di disarmato contro gli armati si intreccia con la prudenza. Telefonano a «la Repubblica» di Milano che c'è un messaggio delle Brigate rosse in un cestino della carta all'angolo di via Moscova. Corri al cestino, trovi il volantino, ti guardi attorno, vedi un tale sui cinquanta che continua a voltarsi mentre si allontana, potresti inseguirlo, ma perché rischiare?

Che cosa era il mio garantismo di quegli anni? Il mio insistere sul rispetto dei diritti civili anche con i terroristi? Certo capivo che una democrazia debole come la nostra non sarebbe passata indenne per l'emergenza e il suo rigore, ma era solo quello, non c'era anche il calcolo di apparire ai terroristi come uno «che sarà un nemico ma che in fondo ci serve quando stiamo in galera»? Il mio giornalismo poteva apparire ambiguo e forse lo era. Ero un rigorista di fondo che non avrebbe mai trattato con i terroristi, ma pensavo che si poteva giocare sulla loro vanità, sul loro orgoglio. Pensavo che se per loro la stampa, l'informazione erano vitali, necessarie, e senza di esse nessuno si sarebbe accorto della loro esistenza nonostante gli spari e il sangue, allora un giornalista poteva anche diventare per loro un riferimento indispensabile, una chiave di lettura dell'opinione pubblica e del nemico, e come tale esser più utile da vivo che da morto. Era una partita rischiosa in cui si poteva passare per complici? Sì, ma che altro poteva fare chi disarmato voleva restare in campo fra gli armati? E quando uccisero a Torino Carlo Casalegno, il vicedirettore de «La Stampa», ci vidi la conferma della mia scelta.

Carlo Casalegno lo conoscevo dai tempi di Giustizia e Libertà. Aveva un volto lungo, pallido, un po' equino. Noi lo chiamavamo «cavallo triste». Non rideva mai, era sempre terribilmente serio. Al terrorismo reagiva come un rigorista martire, si capiva leggendo i suoi articoli che per lui il terrorismo non era un nemico da capire, ma un demonio da negare. Non partecipava come me alla partita dell'astuzia e della sopravvivenza, ma condannava senza appello, come un giudice protestante, nel nome della santità dello Stato. E leggendolo mi tormentavo per due ragioni: di vederlo così fermo in una sua concezione astratta del nostro Stato e nel capire che così andava cercando la morte, che scrivendo così nella Torino del terrorismo operaio dei Betassa e dei Piancone, epigoni di un odio di classe antico, duro, lo aspettava la morte.

Lui morto, lo scontro fra i rigoristi metafisici astratti e i rigoristi realisti fra cui stavo esplose con estrema durezza. Da una parte il direttore de «La Stampa» Arrigo Levi e Furio Colombo, che davano per acquisito il blocco dei buoni, dei democratici, dai comunisti ai repubblicani, dalla direzione Fiat agli operai onesti, e chi invece guardava come noi le cose come erano, piazza San Carlo semivuota alla manifestazione contro il terrorismo e gli operai Fiat che interrogati da Giampaolo Pansa ai cancelli di Mirafiori dicevano: «Per me di Casalegno potrebbero ucciderne dieci»; «Quando muore uno dei nostri nessuno di voi si scomoda»; «E perché dovrei scioperare? Ha scioperato lui per me quando mi tagliavano il salario?». Per la direzione de «La Stampa», voce e maestra di Torino, unica e insostituibile, la città doveva essere compattamente sdegnata, addolorata. E invece la Torino operaia si occupava delle sue pene, dei suoi bisogni, non delle Brigate rosse che agli operai non sparavano, e la Torino borghese stava alla finestra.

In quegli anni di viscida irrazionalità bisognava accettare la promiscuità con il terrore, frequentare i simpatizzanti del terrorismo senza i quali né capivi né avevi notizie, ma che qualcosa addosso te lo lasciavano: quelli di «Controinformazione», la rivista delle BR stranamente mai chiusa da polizia e carabinieri, che forse ne facevano il nostro stesso uso; quelli della libreria Kalusca di Primo Moroni, dove brigatisti e autonomi potevano incontrarsi; quelli più dentro che fuori dalla lotta armata come Spazzali, che ti invitava alla conferenza stampa di un avvocato della Raf-Rote Armee Fraktion, i terroristi tedeschi, e si capiva benissimo che questo avvocato era anche lui della Raf, ma appena gli si chiedeva qualcosa sulla lotta armata interveniva Spazzali: «Prego, evitiamo il discorso sull'organizzazione». E anche i finti terroristi intellettuali di casa nostra, i filosofi, gli storici che scrivevano su «Primo Maggio» o su «Rosso» del professor Negri, e trovavano molto divertente che ci fosse un mirino disegnato sul volto del generale dalla Chiesa e che nell'elenco di quelli dentro il mirino ci fosse anche il tuo nome e quello della Natalia Aspesi.

I rischi, e grossi rischi, c'erano. Un mattino la radio riferisce di una sparatoria avvenuta in una pizzeria di corso Venezia a Milano: il gioielliere Torregiani e il suo guardaspalle siedono a un tavolo quando fanno irruzione due rapinatori. Alzano le mani come gli altri ma quando i rapinatori fuggono il guardaspalle spara e ne uccide uno. Mi vien voglia di tornare ai vecchi amori della cronaca, vado a vedere il luogo della rapina, parlo con i camerieri, telefono a Torregiani e scrivo un pezzo in cui c'è un accenno all'uso troppo facile che si fa delle armi. Qualche giorno dopo gli autonomi della Barona, terroristi improvvisati, aspettano Torregiani davanti a casa, uccidono lui e feriscono suo figlio che resterà paralizzato. Mi sento gelare, non so che peso abbia avuto il mio articolo nella tragedia, ma sono quasi certo che in qualche modo c'entra, sono quasi certo che è servito agli autonomi per trovare un simbolo della lotta di classe, il gioielliere ricco e avido che fa sparare a un figlio del popolo, rapinatore per fame. Due mesi dopo la conferma. Un cronista de «la Repubblica» che è stato un contestatore, che frequenta gli autonomi, incontra quelli della Barona in un bar del Ticinese e gli dicono che è andata proprio così, hanno deciso dopo aver letto il mio articolo. Certo uno, quando arrivano gli anni di piombo, potrebbe anche occuparsi di altro, ma se è un vero giornalista può tirarsi indietro?

Navigare in quel mondo di paura e di sangue senza ambiguità era impossibile. Quando decisi di scrivere un libro sulle Brigate rosse e sul terrorismo diffuso cercai una guida, una «consigliora». Qualcuno mi presentò Giulia, una donna molto intelligente e molto passionale, molto generosa ma anche molto calcolatrice, un esemplare umano che in quella congiuntura non poteva aver mancato né il terrorismo né il suo abbandono, né la galera né l'assoluzione, né il rapporto con i capi della lotta armata né le amicizie e le parentele con quelli dell'Italia legale. Era stata nelle Brigate rosse e in Prima linea ma se ne era tirata fuori al momento giusto. Non mi diceva mai «è andata così», «chi ha deciso è stato il tale» o «la vera ragione è stata questa». Mi guidava però come l'accompagnatore di un cieco che gli impedisce di finire sotto un tram, mi evitava gli abbagli più grossi, e mi spiegava molto bene, con grande finezza quale era la psicologia retrostante al terrore. Quando poi ci arrivavo non mi diceva mai «ci sei, l'hai azzeccata», faceva finta di essere anche lei soddisfatta di avere finalmente capito. Ogni tanto da qualche terrorista prigioniero venivo a sapere che aveva avuto una parte importante in certe vicende, ma lei scivolava via. Credo non avesse saputo resistere alle suggestioni dell'eversione, al suo *cupio dissolvi*. Forse aveva subito il fascino del sesso sull'orlo della morte, fra i brigatisti sesso e morte camminavano assieme.

Un giorno accettai un invito del professor Malvezzi a tenere una lezione alle brigatiste in carcere a San Vittore. Malvezzi era un uomo ammalato e sensitivo, aveva perso una gamba nella campagna di Grecia, era diventato un raccoglitore raffinato di memorie, i racconti dei viaggiatori inglesi dell'Ottocento in Valle d'Aosta, le lettere dei condannati a morte della Resistenza. Si occupava della scuola nel carcere per spirito civile, ma anche, forse, per quel sesso intriso di sofferenza e di morte che vi trovava. Certo ne era fortemente colpito. «Ma sai,» mi diceva «mi prendono da parte e incominciano a raccontarmi i loro sogni erotici. A volte ho l'impressione che vorrebbero tirarmici dentro, ridotto come sono, ma sempre uomo. Stanno alla finestra, guardano il reparto degli uomini e impazziscono. Qualcuna è diventata lesbica.» Feci la lezione sullo stato della politica in Italia e in Europa. Non ascoltavano, parlavano fra di loro, mi guardavano. Quando uscii e la porta con le sbarre di ferro si chiuse alle mie spalle, una alta, nera di capelli, pallidissima, urlò il mio nome come una bestia ferita, non si capiva bene cosa chiedesse, se aiuto, o la presenza dell'uomo che si allontanava, o una maledizione alla vita infame.

Novara, San Vittore, Alessandria, Roma, ho girato per più di un anno per le carceri dei brigatisti con quella paura claustrofobica: da qui, se ci entri, forse non ne esci. Il peggio era San Vittore a Milano: i suoi stanzoni a volte basse, giallastri, come le celle di un termitaio tepido e dolciastro, verso la stanza di una regina assassina. Per arrivare alla sala dei colloqui si passava per cinque o sei cancelli con tintinnio sinistro di chiavi, sguardi di poliziotti e il pallore dei detenuti, in tuta. A San Vittore incontravo Mario Moretti, per anni il capo indiscusso delle BR, Lauro Azzolini, Franco Bonisoli, Giorgio Semeria. Adesso mi capita di incontrare in San Babila quelli che escono per lavorare, l'altro giorno Semeria mi ha chiamato per nome, mi sono trovato davanti fra la gente frettolosa che esce dalla metropolitana il «Giorgio di dentro», come si definiva, scampato due volte alla morte. «Come va?» «Si tira avanti, lavoro in una tipografia qui vicino.» «Fatti vivo, ci vediamo.» Ma non ci vediamo, non abbiamo più nulla da dirci, quel nostro rapporto di *do ut des* è finito: io adoperavo loro per scrivere *Noi terroristi*, loro adoperavano me per dare voce alla campagna per l'amnistia.

Mario Moretti è di quelli che hanno lo sguardo fondo e ironico, con i baffi all'ingiù che a guardarli pensi: questo è di quelli che giocano bene al biliardo e si fan su le donne senza averne l'aria. Mi impressionava la sua tranquilla paranoia. Partiva dall'ipotetico, anzi dall'assurdo ma non ti dava il tempo di smentirlo, era già passato dall'ideologia all'organizzazione, era già diventato il tecnico del traffico urbano che conosce tutti gli scambi, le fermate, i semafori, i rischi, i rimedi. Partiva, voglio dire, dall'idea insensata di sequestrare Andreotti o Moro per colpire al cuore lo Stato capitalista – ma pensa te che idea del capitalismo, da guerriero taumaturgo, San Giorgio che uccide il drago – ma procedeva subito come un ingegnere informatico che progetta una città cablata, e come un tecnico preciso e programmatore sdrammatizzava gli accadimenti: «No, non era poi così difficile rapire Moro». «Perché non lo avete rapito mentre era in chiesa?» «Perché c'era troppa gente, qualcuno poteva esser colpito, e l'attacco doveva essere in modo chiaro rivolto allo Stato, non ai cittadini.» «Il cadavere di Moro lasciato al centro di Roma?» «Nessun azzardo, bastava studiare i luoghi, i tempi, metodicamente.» Incontrare la gente in prigione non è il modo e il luogo migliore per capirla. Chi sa, mi dicevo ascoltando lo strano uomo, forse in questo marchigiano arrivato a Milano per infognarsi in un modesto ufficio della Sit-Siemens è scattato un orgoglio provinciale: fargliela vedere ai direttori imbecilli e presuntuosi, fargli capire come si fa a questo capitalismo grossolano, far vedere di cosa è capace uno con la testa lucida e precisa. Ma che testa lucida e precisa, mi chiedevo ancora, ha uno che, sapendolo, va incontro a quattro o cinque ergastoli?

Mi è stato chiesto, mi sono chiesto cosa fosse l'attrazione-repulsione, la simpatia e il rifiuto che mi legava ai brigatisti rossi. Forse una diversità nelle affinità, forse il fatto che grazie a quelle affinità li capivo, capivo per esempio l'orgoglio provinciale di Moretti mentre non capivo il prezzo che era disposto a pagare. Le affinità c'erano, mi sembravano dei partigiani riprodotti con il pantografo, utopia, sogni, ferocia ingranditi, inaccettabili ma non estranei. Per anni anche noi avevamo coltivato il mito partigiano del «ritorno alle armi», la tentazione era stata forte nei giorni dell'attentato a Togliatti e poi del governo Tambroni, amico dei fascisti. C'era stata della razionalità politica, sociale in quel mito? No, nessuna razionalità. Poi il tempo, il lavoro, la famiglia, la carriera lo avevano rimosso ma non cancellato e se le Brigate rosse non lo resuscitavano però lo toccavano, lo sfioravano come si tocca o si sfiora una filigrana nervosa. Non ci riconoscevamo per nulla nella loro sanguinosa velleità rivoluzionaria, ma in loro c'era qualcosa di noto, di riconoscibile, forse alcuni valori della cultura antifascista che il Sessantotto aveva fatto a pezzi: la disciplina, l'onestà personale, la fiducia nelle élite. A farla breve: con loro mi capivo, mentre con quelli del Movimento, autonomi e simili, era come parlar arabo. Un giorno avevo chiesto a Giulia: «Perché sei stata nelle Brigate rosse?». E lei, per una volta sincera: «Perché erano i più simpatici». Forse voleva dire forti, nelle virtù come nei difetti.

Incontravo figure note dell'avventurismo italiano. Lauro Azzolini, per esempio, si era divertito a fare il terrorista, divertito un mondo, come il Passator cortese. «Sai dove andavo spesso a mangiare? Al ristorante di via Fatebenefratelli, vicino alla Questura. Mi sedevo accanto al tavolo di quelli della Digos, avevamo quasi fatto amicizia. Sai che strada ho fatto dopo aver gambizzato Montanelli? Sono tornato in via Turati e poi mi sono fermato davanti al garage della Questura, a vedere le auto della polizia che partivano sgommando.» Gli prendeva un irresistibile buon umore quando ricordava che Leopoldo Pirelli, il re della gomma, era stato lì lì per essere sequestrato, tutto era pronto nei minimi particolari, anche il tronchetto per tagliare la catenella di un garage, anche i cancelletti per fermare gli inseguitori. Se la rideva Lauro Azzolini raccontando: «Ero fermo in piazza Duomo, davanti alla Rinascente e mi trovo faccia a faccia con l'Agnese, una mia cugina. Resta di sasso. Sorrido e tiro via, ma dopo qualche passo mi volto, è ancora là, ferma».

Franceschini e Ognibene li incontravo a Novara, carcere moderno, un ufficio tipo svedese ma con le sbarre; in una

sala d'attesa la madre di Ognibene che mi guardava con sospetto. Che stavo combinando con quel suo figlio sciagura-
to? Franceschini aveva dei comunisti emiliani la presunzione
pedagogica, ogni due o tre frasi mi chiedeva, senza aspettare la risposta: «Hai capito? Mi segui?». Ma certo, seguivo un
po' sorpreso e divertito il suo modo di infiorare le loro gesta,
di coprire il mediocre. «Mi segui? Alla svolta di Busalla c'è
un posto di blocco con i carabinieri. Mandiamo avanti l'automobile di Mara. Noi con il giudice Sossi ci fermiamo. Mara
passa, anche a noi fanno segno di passare. Sossi ha capito
che se ci avessero fermato per lui era finita.» Non era andata
proprio così. Franceschini e gli altri che erano con lui avevano scambiato l'auto di Mara che li seguiva per un'auto dei
carabinieri, l'avevano aspettata a una curva, avevano aperto
il fuoco, a vuoto per fortuna di Mara che era balzata giù imprecando. Lo dicevo a Franceschini ma non batteva ciglio.
«Ti faccio lo schizzo, questa è la strada che arriva da Voltag-
gio, mi segui?»

Un singolare campionario umano, unito da una cultura
che stava morendo, la cultura dell'operaismo comunista.
Chiedevo a Tonino Paroli: «Ma tu perché ti sei dichiarato
brigatista quando ti hanno arrestato?». «Perché mi hanno
preso mentre rubavo un'automobile per un sequestro. Nessuno sapeva che fossi brigatista. Quando mi dichiarai prigioniero politico il giudice mi disse, come invitandomi a ritrat-
tare: "Ma perché lo dici? Non c'è nessuna prova contro di
te". Non ce la facevo a passare per un ladro d'auto con gli
operai, con la mia famiglia. Ladro di auto no.»

Ognuno la sua motivazione, il suo impulso segreto. Il professor Enrico Fenzi, filologo, lo incontravo nel carcere di
Alessandria, umido, lercio, le guardie carcerarie con la divisa attillata e il cappelluccio a visiera di traverso come poliziotti del Guatemala. Il professore arrivava nello stanzino
del parlatorio come vestito da sci, cappello di lana, maglioni.
Si era pentito, aveva cantato, non lo negava ma lo rimuoveva
con eleganza e tornava sul suo tema centrale, l'ammirazio-
ne-attrazione per la violenza del duro, forte, rozzo operaio
che per lui si era impersonato in Micaletto. Niente di inedi-

to, la letteratura e la vita sono piene di intellettuali raffinati che cedono al fascino delle SS o dei legionari. Solo che nel caso di Fenzi la «belva da preda» si identificava con il rivoluzionario, con Micaletto. Di lui diceva: «Parlava poco ed era molto ironico. Non rispondeva volentieri e davanti a lui uno aveva sempre l'impressione di essere con le braghe in mano. Lasciava che mi avviluppassi nelle mie contraddizioni e quando mi vedeva confuso, ridicolo cominciava a tamburellare con le dita e a canticchiare: "È inutile che bussi, qui non ti risponderà nessuno". Era durissimo, nutriva un profondo disprezzo per il Movimento».

C'era un denominatore comune fra questi personaggi? Credo che il movente primo per molti di loro fosse psicologico più che politico: il terrorismo come una difesa contro la complessità e il peso della vita normale; volevano trovare e già trovavano nel loro microcosmo clandestino una vita diversa, meno alienata. Ho sentito dire da Ognibene: «Bisogno di liberazione, ecco ciò che mi ha spinto. Liberazione da tutto ciò che gli altri, società, famiglia, scuola, partito hanno già deciso per te. Ero un ingenuo? Sì, ma in quella ingenuità mi riconosco». Ho chiesto a Giorgio Semeria: «Tu ed io abbiamo vissuto questi anni nella stessa città. Siamo di età diverse, di idee diverse, ma di comune estrazione borghese e Milano, per entrambi, è stata Milano, i suoi giornali, le sue fabbriche, le sue squadre di calcio, i suoi navigli. E allora come è possibile che abbiamo visto questo mondo in modi così differenti?». «Non saprei risponderti, so solo che avevo il terrore di una esistenza già decisa, già ipotecata, ingabbiata.» L'Aurora Betti ha scritto dal carcere a un'amica: «Avevano già preparato i posti in cui avremmo dovuto sederci nella vita. Io non ci sono stata».

Impazienti, ossessivi, presuntuosi, vagamente desiderosi di ridefinire tutto, la società, se stessi, la produzione, la distribuzione. Marxisti e leninisti a parole, a pseudo-idee prese in prestito dalla letteratura rivoluzionaria, ma idealisti alla maniera di Fichte: «L'uomo può ciò che deve. Se dice non posso è segno che non vuole». Loro vogliono tutto e lo vogliono subito, partono dalla lotta di classe ma poi fuggono in

avanti, di utopia in utopia, di scenario in scenario, di sperimentazione in sperimentazione. La società diventa per essi
un laboratorio in cui verificano le loro ipotesi, non importa
se qualcuno muore. Il brigatista Micaletto passa intere giornate, fra un assassinio e l'altro, a studiare la società atomica
militarizzata partendo dalla constatazione banale che i reparti dell'Ansaldo dove si costruivano le centrali nucleari
erano sorvegliati dai carabinieri.

Chi non li abbia vissuti quei duri, viscidi anni di piombo
non può capire come normalità e furore potessero procedere in parallelo o incastrati l'una nell'altro. Come ho saputo,
per dire, dell'omicidio Tobagi? Sono a Torino in visita alla
Nebiolo, azienda di macchine tipografiche e Sergiot, il commendator Sergio Rossi, fondatore e direttore della più in-
formatica e avvenirista azienda italiana, il Comau, mi sta
spiegando come le sue macchine stiano cancellando il controllo operaio della produzione quando arriva Cesare Romi-
ti, l'amministratore delegato della Fiat che vuole salutarmi.
«Hanno ucciso Walter Tobagi,» mi dice «me lo hanno telefonato pochi minuti fa.» Siamo turbati, preoccupati, ma a
tavola c'è altro di cui parlare, l'ingresso nella Fiat delle grandi macchine automatizzate, l'accordo fra la Fiat e il Comau
per tener testa alla concorrenza tecnologica dei giapponesi.
Perché non faccio un giro per le fabbriche accompagnato da
Rossi?

Il terrorismo c'è, continua, ma come in una dimensione
azzerabile, dimenticabile. Per più di un mese per me è come
non ci fosse, sto scoprendo il commendator Rossi, un con-
centrato di operaismo piemontese. «Noi siamo quelli del
truciolo,» ripete «quelli venuti su al tornio, quelli che hanno
respirato per anni polvere di ferro e fumo di olio. Ci sono
due modi di capire se un'auto è ben fatta: con il culo e con il
computer. Ma il computer può sbagliare, il culo no, è con il
culo che senti come tiene la strada, come accelera, come fre-
na.» Lo seguo nelle visite all'Italia dell'alta tecnologia che il
terrorismo non sa neppure che esista. Ci diamo appuntamento a Milano, alla stazione aeronautica dei Vip. Lui è lì

nel salottino che mi aspetta con il suo pilota di fiducia, il maresciallo che fa da pilota e da steward e prepara panini squisiti con insalata russa e tonno, tira fuori dal frigo le birrette gelate, prepara i thermos di caffè caldo così quando decolliamo con il Mystere privato di Sergiot abbiamo tutte le nostre comodità.

Andiamo a Foggia dove fanno i motori Fire, ad Avellino, Termoli, Montecassino dove ci aspettano direttori Fiat all'antica che odiano «Libera e bella», come chiamano il povero Montezemolo, manager che non è venuto dal truciolo. Qualche volta mi accompagna Silvia e il maresciallo pilota che ha amici in ogni aeroporto ottiene un piano di volo che ci consente di sorvolare a bassa quota le isole di Capri, Ischia, Ponza, Giglio, Giannutri, Pianosa, Elba. Si vede la gente sulle spiagge che ti viene incontro come in un film di guerra quando ci si abbassa a mitragliare e non fai in tempo a vedere chi è stato colpito e chi è scampato. Sergiot non mangia, non fuma, continua a parlarmi fitto, nel suo piemontese della barriera «del fumm», quartiere operaio di San Paolo, con i lampi di ironia e di umorismo nero di quella Torino operaia ora scomparsa, sommersa dalle immigrazioni.

In quegli anni ci si occupava di tante cose pacifiche, incruente: economia, spettacoli, consumi, vacanze. Poi, di colpo ti riprendeva nei suoi gorghi l'altra Italia, come in quel nero angosciante '77 quando in tutto il paese si mosse «la slavina giovanile» come l'ha chiamata Renato Curcio, il Movimento, il mare ribollente dei gruppi giovanili divergenti e convergenti secondo il caso e gli umori. E ancora le due Italie sovrapposte, intrecciate, normalità e delirio, affetti familiari e violenza. Nel settembre la nostra famiglia al gran completo parte per Bologna dove si tiene la grande manifestazione contro la repressione in un paese che da cinque anni abbondanti non reprime niente, permette tutto, che nelle fabbriche cortei selvaggi pestino i capi officina, che nei cortei ci siano servizi d'ordine armati, che si pubblichino giornali che fanno aperta apologia dell'omicidio politico. Mia moglie Silvia ed io come inviati de «la Repubblica», i nostri figli Nicoletta, Guido e Davide come movimentisti *soi disants*; noi in un albergo di lusso, loro nei sacchi a pelo sotto i portici dell'università. La grande eccitazione di tutti sta nel pensiero che potrebbe accadere il peggio, anche un bagno di sangue, ma subito tallonato dall'altro pensiero che non accadrà nulla oltre la festa grottesca. Centinaia di autonomi sono arrivati in città armati, il Palazzetto dello sport dove tengono assemblea permanente è un club giacobino, ma ci stanno con il permesso dell'Amministrazione comunista e dei diecimila carabinieri e poliziotti che controllano le vie di accesso alla città. Bologna in una forma dantesca, a gironi circolari, concentrici, in cui la società del controllo accerchia quella del tutto possibile, come del resto è avvenuto anche durante le grandi rivoluzioni, quelle vere.

La manifestazione è eccitante e untuosa, la falsa bonomia del comunismo emiliano copre di tortellini e di mortadella la congerie di violenza, pulsioni rivoluzionarie, gita scolastica, snobismo, presenzialismo. Sono arrivate anche le mosche cocchiere della finta rivoluzione che si oppone alla finta repressione, gli intellettuali della *gauche* francese e italiana, la Macciocchi e Guattari, Leonetti e Deleuze che tengono concioni filosofiche a platee giovanili che non li capiscono ma si divertono con i cori ritmati. Mi trovo un mattino in mezzo a un dibattito sull'informazione e sulle radio libere. Ci sono quelli di Radio Alice che hanno guidato nel marzo i moti di piazza contro la polizia e d'improvviso mi trovo al centro di due cerchi giovanili che cantano con gaia ferocia: «Radio Alice non si tocca, facciam fuori Giorgio Bocca». Ma non sono armati, quelli della P38 sono al Palazzetto dello sport e lì non mi fanno entrare, entrano solo i giornalisti del Movimento. Torniamo a Milano, i nostri figli si sono divertiti moltissimo, Nicoletta ha fatto amicizia con uno di Quarto Oggiaro, quando parlo di politica mi guarda con compatimento e dice: «Ma tu sai come si vive a Quarto Oggiaro?».

È un mare vario e ribollente il Movimento. Vi hanno una parte simbolica, liturgica, quelli dei Cub, Comitati Unitari di Base che in alcune fabbriche hanno scavalcato a sinistra il sindacato. In fabbrica non lavorano mai, sono il carro di Tespi della mitologia operaista; non c'è manifestazione, riunione in cui non risuoni il fatidico annuncio: «Compagni, sono presenti i Cub dell'Ansaldo, della Magneti Marelli, dell'Alfa Romeo». L'applauso sale al cielo, il dio dell'operaismo ha dato la sua benedizione, ha giustificato in partenza tutte le cose strampalate che seguiranno.

Il terziario ha generato personaggi nuovi del conflitto sociale, accanto ai metalmeccanici compaiono gli infermieri. Il duro onesto Pifano, infermiere del Policlinico romano, guida i Volsci, una legione di picchiatori. Lui appartiene alla vena mistica violenta del comunismo, come il comunista Pietro, come il comunista Moretta della guerra partigiana; dimesso dalla prigione Pifano è tornato a casa, nella lontana periferia romana, a piedi «per non spendere i soldi del proletariato».

La costellazione autonoma è diversa da città a città, ma unita dalla cattiva letteratura rivoluzionaria che dilaga, l'inevitabile Che Guevara, i fratelli Inti e Coco Peredo, Douglas Bravo e il vecchio Marcuse che però li ha presi in contropiede la volta che è venuto a Milano e ha fatto l'elogio del sindacato e del partito comunista. E poi alla rinfusa gli *Scritti militari* di Trotskij, *L'insurrezione armata* di Neumann, i volantini del collettivi gay, quelli del collettivo femminista di Rogoredo «bombe compagni, bombe», «Il pane e le rose» rivista politico-letteraria del professor Oliva, presenza serafica e sorridente, l'egualitarismo, i salari eguali per tutti, la risoluzione del Collettivo macchinisti della Scala e tutto ciò che, come dice Galmozzi, uno dei fondatori di Prima linea, feroce organizzazione terroristica, «sta insieme anche se non se ne capisce il nesso, con disarticolazione di tutto e di tutti, dalla Nato al municipio di Cinisello Balsamo». L'ineffabile di quei giorni, i nodi grevi dell'ignoranza che si sciolgono nella licenza di dire ciò che si vuole, la «ricchezza straordinaria» di velleità scambiata per ricchezza di innovazioni politiche e sociali, mentre da ogni dove spuntano giornaletti, rivistine che riscoprono le trovate sceme del dadaismo, le assonanze di linguaggio e l'e/o usato con la libidine di chi non capisce che è il simbolo grafico della confusione mentale, del pressappo-

chismo, del mettere assieme gli incompatibili. Tutti impunemente possono ripetere frasi prive di senso contro il potere
diabolico del capitalismo e nel contempo riscuotere salari
per lavori non fatti e stipendi per cattedre inventate ad uso
dei leader estremisti e delle loro mogli, davvero una repressione meno repressione di questa non si era mai vista nel bel
paese.

La società del controllo a volte non si accorge di aprire la
porta a quella del tutto possibile. Una mia amica che fa la
traduttrice in una casa editrice viene invitata nella villa di
Franco De Benedetti, il fratello di Carlo, simbolo del capitalismo finanziario, multinazionale: villa blindata, sorvegliata
giorno e notte dalla polizia. Supera i controlli, parla con De
Benedetti di un libro che sta traducendo, poi deve andare
alla toilette e passando davanti a una stanza con la porta
aperta vede dei giovani che stanno ascoltando musica, uno
deve essere il figlio del padrone di casa, ma uno è certamente Paolo Morandini, che è stato da lei in casa editrice per cer-
car lavoro. E fa già parte di una organizzazione terroristica e
due mesi dopo sarà su tutti i giornali per l'omicidio di Walter Tobagi.

Del resto Morandini e Barbone sono figli di miei cari amici, conoscono i miei figli, sono loro compagni di scuola, vengono in casa nostra, c'è un terrorismo da ballo in maschera
che ora ti viene incontro con il volto dell'affettuosa amicizia
e ora ti spara nella schiena, come al povero Walter Tobagi.
Le telefonate anonime sono cominciate prima, quando hanno azzoppato Montanelli. Una voce allegra di giovane dice:
«Hai sentito di Montanelli? Adesso tocca a te». «Avanti,»
grido come un matto «venite avanti che vi faccio a pezzi» come se fossi ancora nei giorni partigiani. E mentre grido mi
sento ridicolo, quelli se vogliono colpirti ti colpiscono alle
spalle quando gli pare. Nel maggio dell'80, pochi giorni dopo l'assassinio di Tobagi, giornalista del «Corriere della Sera», telefonano: «Stai attento a quello che scrivi, i tuoi figli li
conosciamo, colpiremo anche loro». È una voce femminile
con accento straniero. «Bastardi,» grido «provatevi a toccar-
li e vi spacco.» Ancora ridicolo, impotente, loro conoscono i

miei figli e me e stanno preparandosi a farmi la pelle. A sorvegliare i miei orari mandano quelli che non conosco e che riconoscerò al processo.

Esco dal portone ed è lì, lo so, è come se avessi nel sangue un *metal detector*, mi viene come una vampata alla gola mentre mi fermo, sulla porta, di fronte a lui che è lì da due ore, come mi ha detto Marta la portinaia che lo sorveglia dalla guardiola, fermo nel suo impermeabile grigio. E sai che è lì per sorvegliarti, per annotare le ore in cui esci o rientri e in quegli attimi vorresti andargli contro, afferrarlo, metterlo contro il muro, ma che prove hai, che cosa puoi fare se ti dice che sta aspettando la fidanzata? Tutti i giorni quello o un altro fermi davanti al portone, tutti i giorni Marta la portinaia che mi citofona «Sono qui», e segni sempre più chiari della morte che si avvicina. Un giorno il fattorino del giornale che mi porta la posta e ritira l'articolo sale la prima rampa delle scale e si accorge che qualcuno lo segue. Allora si volta, ridiscende e li vede che stanno allontanandosi di corsa, in via Bagutta. Un mattino chiede di farmi visita il colonnello Pairetti dei carabinieri. Puoi dire di no a un colonnello dei carabinieri? Dice di essere dei servizi segreti. È molto avaro di informazioni, molto preoccupante. «Dottore le consigliamo di sparire per qualche giorno.» «Ma perché? Avete delle informazioni? Dei sospetti?» «Non mi faccia delle domande dottore, faccia un viaggio.»

Quando Marta mi avverte che quelli sono in strada telefono alla Digos, la polizia politica, ma la Digos riceve ogni giorno centinaia di telefonate di gente che si sente seguita, spiata e fa rispondere: «Provvederemo, non dubiti», ma non provvedono un bel niente. Non si sono mossi neppure la volta che una produttrice della Rai di Milano mi ha annunciato la visita di una troupe per una intervista, ma un'altra telefonata mi ha messo in guardia, non c'è nessuna troupe televisiva che deve intervistarmi e la produttrice quando la cerco si è eclissata, è partita per le ferie senza lasciar detto dove. La arresteranno un anno dopo per una rapina fatta per conto degli autonomi.

Essere disarmati mentre qualcuno cerca di farti la pelle è

un'ossessione, ti vengono in mente le idee più balorde: comperare una scala di corda per calarti dal balcone interno sul tetto di un ristorante e da lì nel cortile del seminario che ha una uscita in corso Venezia. Hai chiamato i Brambilla di Lecco per farti mettere le porte blindate e al centro c'è un occhio di bue per cui dovresti vedere sul piancrottolo senza essere visto, ma se qualcuno si avvicina alla porta vedi solo un'ombra bislunga, a forma di delfino, di alieno. Cambi le ore di uscita, aspetti che la Marta ti avvisi che la via è libera e ti stai tranquillizzando quando tre ragazzotti arrivano in portineria, chiedono a che piano sto e quando sentono che la Marta mi citofona fuggono a gambe levate.

Allora getto la spugna, vado nella mia casa di montagna a Beillardey sopra La Salle in Valle d'Aosta, ma a che serve, il mio nome è sulla guida telefonica, e poi ti vengono le fantasie più assurde, magari quello dei servizi segreti ha fatto apposta a farti fuggire da Milano, per isolarti e segnalarlo ai terroristi. Ma perché quelli dei servizi segreti dovrebbero volerti morto? Però ci pensi, ti logori, ti vengono le gambe pesanti e ricominci ad elucubrare: avrei potuto fare un passaggio sul retro quando abbiamo costruito la casa. Se vengono esco dalla finestra che dà sul bosco, poi li aspetto al tornante della strada e li faccio secchi. Ma con che cosa se sono disarmato? Allora telefono a Silvia: «Qui non ci resisto, andiamo al mare». Voglio dire nella casa di Pugliola, sopra Lerici. Le do l'appuntamento per l'indomani alle 15, ma non a casa perché potrebbero essere lì, meglio al garage Traversi in piazza San Babila. Arrivo al garage e osservo quelli che passano. Quello potrebbe essere uno dei loro, indossa un impermeabile grigio come loro. No, non è dei loro, passa davanti al portone di via Bagutta senza nemmeno voltarsi. La Silvia ritarda. E questo? Questo sì è uno con una faccia tirata, un'aria guardinga. Va fino al portone di casa mia, guarda dentro poi torna lentamente indietro. Sto perdendo la testa. Telefono a Silvia che mi raggiunga con l'auto in corso Venezia all'altezza del giornalaio.

Sulla via del mare ci fermiamo a Tarro Piacentino nella villa del professor Vegezzi. Sono suoi ospiti dei redattori della televisione, devono discutere con lui la sceneggiatura di un telefilm. C'è una signora carina, una vedova in cerca di marito. Si parla di terrorismo, ovviamente, qualcuno mi chiede se ho dei sospetti sugli assassini di Tobagi e rispondo come vien viene: «Ma sì, saranno i soliti autonomi». Si va a ballare il liscio a Fiorenzuola, la redattrice della TV è molto carina, molto *allumeuse*, ma dieci giorni dopo mi arriva una comunicazione giudiziaria del giudice Carnevali. La redattrice carina è una delatrice comunista, appena tornata a Roma si è precipitata da Pecchioli, il ministro di polizia del Pci, e gli ha detto: «Ho conosciuto Bocca in casa di amici. Lui diceva di sapere chi sono quelli che hanno ucciso Tobagi». L'apparato giudiziario del Pci ha subito fatto arrivare la segnalazione al giudice Carnevali che per fortuna è una persona intelligente.

Nell'anticamera di Carnevali incontro la moglie di Tòni Negri, il professore terrorista; è passata anche lei per Tarro perché conosce Vegezzi da anni, la delatrice ha fatto anche il suo nome, se fossimo nelle Russia di Stalin tutto quadrerebbe per portarci davanti al plotone di esecuzione: il giornalista garantista che si incontra con la moglie del professore estremista da cui ha saputo i nomi dei terroristi. E invece non so un bel niente e quando leggo sui giornali che ad uccidere Tobagi sono stati Morandini e Barbone e che dopo Tobagi sarebbe toccato a me e a Giampaolo Pansa mi viene come un giramento di testa, come una nausea, perché con il padre di Morandini ho lavorato per anni a «Il Giorno», con sua madre segretaria del Circolo Turati ho fatto amicizia, perché il padre di Barbone, Donato, è stato il direttore della saggistica prima da Laterza e poi da Mondadori e mi ha accompagnato dai tempi della «scoperta dell'Italia», guida attenta, affettuosa. E di Barbone conosco la madre, la professoressa, intelligente, introversa, e la sorellina e i fratelli e anche lui, Marco, venuto a passare qualche giorno con noi in montagna.

A farmi saltare il cuore in gola ci si metteva anche il presidente della Repubblica Sandro Pertini, di cui si innamorò l'Italia perché aveva una bella voce e diceva le cose retoriche che la gente vuol sentir dire e che i sagrestani della democrazia cristiana non sono capaci a dire, gli manca il rimbombo, gli mancano «le palle» del maschilismo democratico. La prima volta non telefonò. Era mezzanotte, suona il citofono di casa nostra in via Bagutta. Mia moglie ed io ci guardiamo. Risponde Silvia, è un maresciallo dei carabinieri, deve consegnarmi un messaggio. Guardo Silvia e lei dice: «Scendo io». Torna con una busta su cui sta scritto «Presidenza della Repubblica». Il maresciallo si è fatto seicento chilometri in motocicletta per consegnarmi il plico, una lettera del presidente che ha letto una mia critica al suo modo di trattare la stampa e replica infuriato: «Tu mi hai sempre odiato. E pensare che io ti avevo proposto come senatore a vita. Ma sai chi ha bocciato la tua candidatura? I tuoi cari amici Giolitti e Lombardi».

Il mio rapporto con Pertini è partito con il piede sbagliato quando ero a «Il Giorno» e Pietra, il direttore, mi passa un libro del nostro, appena uscito: *Sei condanne, due evasioni*. Esagerato. Pietra è abilissimo in questi scherzi, quando non se la sente di fare una stroncatura e neppure un soffietto mi passa la patata bollente. «Tu sei un battitore libero» mi dice per indorare la pillola. Il libro è una melassa antifascista che sembra la copia di quella fascista, onore, sacrificio, eroismo e l'amata terra italiana baciata a ripetizione. Me la cavo facendo una recensione informativa, né di lode né di stroncatura, con qualche minima ironia tanto per salvare la faccia, e mi arriva la sua prima lettera: «Vengo a sapere dal comune amico e senatore Tibaldi che è apparso su "Il Giorno" un tuo scritto su di me che Tibaldi ha considerato vergognoso e che io mi guarderò bene dal leggere. Questa tua acrimonia nei miei riguardi è incomprensibile».

Ci risiamo quando scrivo che poteva fare a meno di andare ai funerali del fascista Michelini con i camerati in camicia nera che alzano nel saluto funebre i loro pugnali. Allora è presidente della Camera, mi invita a Roma e mi fa la sua sceneggiata: «Non sai quante lacrime ho versato per quello che hai scritto, il mio cuore di antifascista». Ma va là Pertini, dovrei dirgli, che al funerale ci sei andato per essere confermato presidente con il voto dei missini. Non lo faccio apposta, lo giuro, se alle elezioni presidenziali del dopo Leone faccio un gran tifo per Antonio Giolitti, lo faccio perché è amico di Detto, perché è il deputato di Cuneo, chi potrebbe supporre che il vecchio Pertini si è messo in testa di diventare lui presidente? Mi incontra nei corridoi di Montecitorio mentre sto chiacchierando con la Suni Agnelli e si mette a urlare, a gridare frasi forsennate: «Tu e il tuo Riccardo Lombardi, che non ha esitato a rubare la moglie di un compagno!». «Con chi ce l'ha, onorevole Pertini?» chiede la Suni Agnelli con l'ironia della sua famiglia. «Non con lei egregia signora, non con le belle donne.» E gli va bene, in odio a Craxi che sostiene Giolitti, Ugo La Malfa convince i comunisti a votarlo. Come fanno i socialisti a rifiutare un socialista? Lo votano anche loro e incomincia per il paese il settennato pertiniano e per me le sue telefonate fra il bastone e la carota. I telefonisti della «batteria», come chiamano il centralino del Quirinale, un po' mi compatiscono, dicono: «Ci scusi sa, ma dovremmo passarle una telefonata del presidente». «Passatela» dico rassegnato. La sua voce rimbomba nella cornetta: «Hai fatto barilotto, te lo dice Pertini». Barilotto? Credo che a Savona, la sua città, voglia dire, giocando a biliardo, buttar giù tutti gli ometti in un sol colpo. «Grazie, presidente.» Si confonde anche: «Caro Cervi, oggi hai centrato perfettamente il problema». Puoi dirgli che ha sbagliato, che non sei Cervi de «il Giornale»?

A volte vorresti dirgli: senti Pertini, non rompermi più le scatole. Ma si può con il capo dello Stato? E si può rifiutare un suo invito a pranzo? E così eccomi al Quirinale con Scalfari, noi tre nella torre d'angolo in una saletta che si affaccia sullo stupendo spettacolo di una Roma primaverile, Scalfari ed io ad ascoltare vecchie storie di prigioni e di evasioni, ma senza sorriderci su perché è permaloso e vendicativo, ha chiesto a Scalfari la testa della Miriam Mafai perché durante una sua visita nel Messico ha scritto che il presidente del Messico è un bell'uomo e non lo ha detto di lui, Pertini. «Ma come osa quella che è pure brutta?» E mente perché la Miriam ha un volto bellissimo.

Sono stato d'accordo con Pertini solo quando mi ha chiesto di schierarmi con lui per il rigore assoluto nel caso Moro. Io il caso Moro lo vivevo come tutti gli italiani con sgomento, ma anche con una sconcertante sorpresa. Sin lì avevo sistematicamente ignorato la cultura cattolica e ora ero costretto a prendere atto di come fosse estranea alla nazione, priva di senso dello Stato. Secondo i notabili democristiani le lettere che egli scriveva dal carcere brigatista non erano sue o scritte sotto il ricatto del terrore. E invece erano sue e scritte nel tentativo tenacissimo e indifferente allo Stato di salvarsi la vita. Mi sembrava impossibile che non avessero né la fermezza né la dignità che avevo trovato nelle lettere dei condannati a morte della Resistenza, che io avrei scritto nella loro condizione, nella condizione di chi deve lasciare di sé un testamento morale, per testimoniare le proprie convinzioni. Lui invece scriveva come un mediatore esperto, cercava di dirigere il *do ut des* che lo avrebbe salvato, indifferente alle necessità dello Stato; lui dello Stato non si interessava per nulla, cercava con grande abilità di disgregare il campo dei rigoristi, minacciava i colleghi nel lungo potere non solo con la sua vita, ma persino con la sua morte, gettando ombre e fantasmi nei loro pavidi cuori. E questa sua partita disperata, commovente e sordida, intelligente e indecente ci stupiva, ci rivelava un mondo mai entrato veramente nella nazione.

Moro non si curava della sua immagine pubblica, non sentiva alcuna suggestione per la «bella morte» dei patrioti, ma con tutte le forze residue, con tutte le risorse della sua tortuosa intelligenza tesseva la sua ultima tela per farci cadere i notabili del suo partito e il pontefice, quel Paolo VI che lo aveva educato nell'associazione degli studenti cattolici al pessimismo e all'ambiguità con lo Stato. Non gli importava niente di restare nei libri di scuola come un Muzio Scevola o un martire di Belfiore, voleva venir fuori comunque da questa non prevista avventura politica. E ho saputo da Moretti e dagli altri che la scoperta di un simile personaggio fu come paralizzante per i brigatisti, gli rivelava un gioco di astuzie e di perfidie, di manovre e di chiusure al cui confronto si sentivano impotenti, impreparati. Una cosa né Aldo Moro né i brigatisti avevano messo in conto: che i baciapile, i devoti, i pacifici democristiani, messo in gioco il loro potere, sarebbero diventati duri come l'acciaio e freddi come il ghiaccio. Sì, credo proprio che Moretti e gli altri abbiano capito quanto erano deboli e anacronistici con i loro gesti, i loro simboli, le loro impazienze, le loro utopie, le loro risoluzioni strategiche e i loro volantini, di fronte a chi conosceva il potere in tutti i suoi nodi, i suoi sotterranei, i suoi nessi.

Mi sono chiesto, mi chiedo perché nel mio rifiuto totale delle Brigate rosse, nella mia inimicizia si insinuasse il sentimento che dicevo di affinità, di comprensione. E una risposta la trovo nel disprezzo e nel ribrezzo che avevo per il Movimento, in particolare per gli autonomi veneti del professor Toni Negri. Mi capitò di andare a Padova nel marzo del '78, qualche giorno prima della retata del giudice Calogero in cui caddero Negri e gli altri, il 7 aprile. La Padova degli autonomi e di Toni Negri era il capolavoro dell'opportunismo veneto. Cattolici e comunisti si erano spartiti le facoltà forti e ricche, quelle dei baroni dalle parcelle miliardarie, medicina, fisica, ingegneria. Difese, fortificate, inaccessibili alla «marmaglia» degli studenti poveri, accorsi a Padova dal Veneto «senza più lucciole» come diceva Pasolini, senza più freni contadini e cattolici. E di questi sradicati che arrivavano nelle facoltà povere, nelle facoltà qualsiasi, scienze politiche, sociologia, magistero, di questi che stavano nell'Università come in un parcheggio da cui non si arrivava in nessun posto, della loro rabbia e del rancore si era impadronito quel piccolo Lucifero universitario che era il professor Negri.

Mi accompagnava un cronista di Padova, amico degli autonomi, mi faceva passare per quel bivacco di squadristi rossi, barbuti, sporchi, minacciosi e vili capaci di sparare solo alle spalle. La Padova ricca e benpensante fingeva di non vederli, aggirava le loro roccaforti, scivolava lungo i loro chiassosi raduni. Avevano occupato le mense universitarie, chiunque arrivasse da altre città per nascondersi e per preparare attentati aveva pasti e alloggi gratuiti. Colpiva la durata e l'artificio compromissorio di quell'*enclave* rivoluzionaria o anarcoide. Padova operaia stava dalla parte del Pci, i contadini e la provincia stavano con i moderati, magistrati e poliziotti erano certamente contro, eppure per mesi e mesi al Lucifero e ai suoi fidi era stato lasciato nel centro di Padova, nelle facoltà umanistiche, come un territorio *Off limits*, sottratto ai poteri e alle leggi della Repubblica.

Il professor Negri era un narciso dal cervello sottile e febbricitante, di quelli che usano una forte memoria solo per soccorrere i loro trucchi. Sapeva copiare bene da libri non ancora tradotti in Italia, possedeva un forte e spericolato senso del paradosso, con cui riusciva a far sembrare brillante, affascinante la sostanziale cretineria di ciò che diceva e scriveva, rapidamente, voracemente. Aveva sedotto anche Norberto Bobbio, figuriamoci i ragazzotti arrivati da Feltre, da Belluno, da Rovigo. Non era né marxista né fascista e neppure socialista, anche se dal partito socialista era partito per la sua avventura. Mescolava e riciclava tutto in una spuma luccicante, era dannunziano, nietzschiano ma anche carrierista, attento alle relazioni baronali, alle borse di studio. Era l'ardito di Giancarlo Fusco, quello che è sempre pronto a gridare all'attacco, ma poi ci manda gli altri. Abitava a Milano vicino alle Ferrovie Nord, gli autonomi accolti in casa sua venivan mandati nella libreria sottostante a prendere i libri che gli interessavano, sequestro proletario. «È il momento» scriveva «di fare l'apologia dell'ignoranza, non dei dotti ignoranti, ma quella inventiva, della invenzione rivoluzionaria che come "una scopa di Dio" spazza le critiche e il sapere cervellotico.» Faceva gambizzare i colleghi «reazionari» e teorizzava: «I livelli d'uso delle forze di contropotere sono stati esemplificati con la punizione di docenti particolarmente zelanti in iniziative antiproletarie: Galante, Santo, eccetera». Per lui non valeva la pena di nominarli tutti.

Giravo per i bivacchi degli squadristi rossi, visitavo Radio Sherwood, la radio degli autonomi, leggevo la loro stampa e questo miscuglio di violenza e di truffa culturale mi lasciava stupefatto sulla capacità dei Casanova nostrani, avventurieri dotti, mascalzoni letterati di navigare sulle febbri e sulle tragedie della storia. Sempre lo stesso trucco: in alto quelli che conoscono la cabala, i sofismi, gli usi dei potenti e le loro debolezze; in basso i creduloni, i babbioni, i generosi, gli imprudenti. Nell'Olimpo autonomo di Padova, attorno al professor Negri si discuteva di Husserl e di Thomas Mann, di semeiotica e di epistemologia, senza contraddittori. E intanto alla massa degli studenti sradicati, spostati si serviva un minestrone di notiziari falsi, faziosi. Veritieri nelle piccole lotte locali per le ronde o le mense, inventati, fantastici, esagerati sui grandi conflitti sociali del mondo: a Detroit era scoppiata la rivoluzione, nei sobborghi di Londra divampava la rivolta terzomondista. Negri non amava le Brigate rosse, sapeva che lo disprezzavano. Gli andavano meglio quelli di Prima linea, il «mucchio selvaggio» che andava con uomini, donne e bambini ai sequestri proletari nei grandi magazzini e sceglieva champagne di annata e salmone scozzese.

Gli anni di piombo sono a interminabile strascico, una guerra finita ma che ha lasciato terreni minati, ogni tanto un incauto, un malcapitato ci salta. La grande paura lentamente si dissolve e finisce nel grottesco. Poco dopo la retata di Calogero mi telefonano dal giornale: Franco Piperno, uno dei leader degli autonomi, noto per avere definito il sequestro Moro una «dimostrazione di geometrica potenza», è disposto a ricevermi nella sua latitanza, a farsi intervistare. Scendo a Roma, aspetto nella redazione de «la Repubblica» le istruzioni che hanno promesso e verso le nove di sera telefonano dalla portineria che qualcuno mi aspetta: giù c'è una giovane donna che non conosco, ma che potrei anche riconoscere perché è una delle sorelle Pirri Ardizzone, legate a Piperno, fotografate con lui cento volte. Mi fanno giocare a mosca cieca con gli occhi bendati, mentre la Seicento su cui siamo saliti gira e rigira per il centro di Roma, solo che quando mi sbendano non posso fare a meno di riconoscere un ristorante di via Margutta. Saliamo al primo piano di una casa elegante, nell'anticamera ci sono cinque o sei giovanotti barbuti. Terroristi? No, è la redazione de «Il Male», giornale satirico, sono lì per fare un articolo satirico sul grande latitante, perché il Movimento è inventivo. Alla fine dell'intervista incontro nell'anticamera una giovane donna con due persone anziane. È una del Movimento che ha prestato la casa e ha portato i genitori al cinematografo. Saprò che il padre è un noto sarto. I genitori sono imbarazzati, guardano la singolare compagnia che sta in casa loro, forse la figlia contava che ce la saremmo sbrigata prima. Vado al Grand Hotel di via Veneto a scrivere l'intervista, come in un film di ladri a Montecarlo, delitto e comfort. Cosa dirò alla polizia quando mi chiederanno se ho riconosciuto il posto dell'intervista? Niente perché la polizia non me lo chiederà mai, come non me lo ha chiesto quando ho intervistato a Milano lo scrittore Piero Del Giudice, pure lui latitante in casa di una ricca signora.

Queste donne dall'antica scaltrezza borghese si muovono nelle acque torbide del terrorismo come in una caccia alla volpe: non si compromettono, fanno l'amore, gustano un po' di proibito, quando il loro terrorista finisce in galera fanno le madrine di guerra per uno o due mesi, poi si stufano e tornano con l'architetto o l'editore, meno emozionanti ma più sicuri. Capita anche che qualcuna delle signore eleganti passi al femminismo e si scopra tendenze lesbiche. Certe sere, al crepuscolo degli anni di piombo, sembrava di essere in un club inglese di Nuova Delhi a rivolta del Punjab domata: whisky *on the rocks*, abiti di Versace, musica dodecafonica nello sfondo, una cena fredda con ottimo pesce e la padrona di casa tornata ai piaceri e alle incombenze borghesi dopo l'avventura terroristica. Parlavamo con queste donne eleganti come se quegli anni non ci fossero mai stati, come se nel nostro passato ci fossero solo incontri a Courmayeur, serate dall'architetto Zanuso e collaborazioni alla rivista «Abitare», noi il testo, loro le fotografie.

Dei terroristi triturati dalla prigione ci occupiamo di rado, casualmente. L'altro ieri ho saputo che Enzo Fontana è stato arrestato dai carabinieri di Varese. Aveva ottenuto da poco la libertà vigilata, ma non trovava lavoro. Così si è messo a contrabbandare armi ed è di nuovo dentro. Un ragazzo di grande talento letterario, ha scritto pagine bellissime sul labirinto, una metafora del terrorismo, la sua tragica ricerca del Minotauro, divoratore di carne umana, in cui il terrorismo si specchia e si riconosce. Forse nella decisione di Renato Curcio di non chiedere la grazia c'è la paura di vivere la normalità. E forse ha ragione, forse un Curcio libero farebbe la stessa fine di Mauro Rostagno, uno dei ragazzi di Trento, ucciso dalla Mafia in Sicilia.

I morti da terrorismo pesavano come le montagne. Siamo tornati ai morti da automobile che non pesano niente.

La famiglia dalla Chiesa sta nella mia vita, mi segue dall'adolescenza fascista alla guerra partigiana, agli anni di piombo e al lungo irrisolto rapporto con la Mafia. Avevo lasciato nelle memorie cuneesi la contessina dalla Chiesa e nel 1968, sceso a Palermo per «Il Giorno», incontro in una caserma dei carabinieri il colonnello Carlo Alberto dalla Chiesa. Indossava una uniforme nera senza nastrini e medaglie, una uniforme da battaglia, disadorna, in un paese ostile. Il colonnello riceveva il suo compaesano, il suo coetaneo e faceva dell'ironia: «Ma lei perché è sceso a Palermo? Per la Mafia? Ma la Mafia non c'è, invenzione di noi piemontesi, mi dia retta torni a Milano». Poi andavamo a pranzo nel circolo ufficiali, sceglieva il tavolo più appartato, parlava a voce bassa, in una caserma dei carabinieri: «Sono stati qui quelli della Commissione antimafia e gli ho detto: ma perché ci fate dar la caccia ai mafiosi, perché ce li fate arrestare se poi i giudici di Lecce, Campobasso, Reggio Calabria ce li rimandano tutti quanti assolti? Non abbiamo denti per mordere, ecco tutto». C'è stato un lungo rapporto speciale fra me e Carlo Alberto dalla Chiesa, coetaneo e concittadino: non di amicizia, non di professione e meno che mai di cultura, solo che ci tenevamo d'occhio, due che fanno lavori diversi, che frequentano gente diversa, ma che si tengono d'occhio.

La gente immagina che i tipi come Carlo Alberto dalla Chiesa, uomini di potere, dispongano dei mezzi dello Stato, delle sue impunità e complicità. E invece sono uomini di minoranza che hanno come principale nemico, sordo nemico, proprio lo Stato, proprio l'apparato burocratico. È andata così anche negli anni di piombo, quando il generale dalla Chiesa è ricomparso prepotentemente nella mia vita. Lui conduceva la sua guerra al terrorismo come un capitano di ventura, aveva messo assieme la sua compagnia con una cinquantina di poliziotti, carabinieri, tecnici scelti da lui, a conferma che per fare qualcosa di serio in questo paese bisogna affidarsi ai pochi e soprattutto evitare la pigrizia e l'inefficienza della macchina statale. Cinquanta che non sarebbero mai venuti alla ribalta, di cui non si sarebbero mai conosciuti i nomi, che in parte avrebbero dovuto rinnegare il loro comandante quando sarebbe diventato inviso al potere e ai colleghi gelosi del suo successo. Ci tenevamo d'occhio a distanza: io non chiedevo di incontrarlo e lui non mi invitava nella caserma di via Moscova dove viveva trincerato, lui ricercava e arrestava i terroristi e io scrivevo su «la Repubblica» che le sue versioni dei fatti non erano convincenti. Curcio e Franceschini arrestati per caso a un posto di blocco vicino a Pinerolo? Generale, ma chi vuole che ci creda? E lui taceva. «Cosa dovevo fare secondo lei?» mi avrebbe detto più avanti. «Fare un comunicato per dire che avevamo infiltrato nelle BR il prete spretato Girotto?»

Finiti gli anni di piombo lo avevano promosso comandante della Divisione Carabinieri Pastrengo e come tale il misterioso cacciatore di terroristi aveva deciso di far vita mondana, di conoscere la buona società milanese e non era facile per uno della sua fama. Ero presente alla sua prima sortita in casa Sotis. Indossava un abito grigio e nessuno si aspettava di vederlo arrivare. Conosceva solo me e per prendere tempo, per guardarsi attorno si fermò a chiacchierare nell'anticamera. Fu un gioco divertente, almeno per me. Passavano amici, conoscenti e li fermavo: «Conosci il generale dalla Chiesa?». La sorpresa li ammutoliva, si indovinava in loro un vago terrore di manette. «No, piacere» mormoravano e scantonavano.

Poi accettò di diventare prefetto e di andare a Palermo a combattere la Mafia. Si è molto discusso su quella accettazione. Lui conosceva la Mafia da almeno venticinque anni, sapeva meglio di chiunque altro che era interna allo Stato, alla società palermitana, e allora perché accettare una sfida disperata? L'ambizione? Lo spirito di servizio? Certo se l'uomo che aveva vinto il terrorismo fosse riuscito a domare anche la Mafia, nessun traguardo gli sarebbe stato precluso, neppure la presidenza della Repubblica. Ma credo che il movente vero fu un altro, qualcosa che assomigliava a una crisi di astinenza. È difficile, molto difficile essere per sette, otto anni protagonista, e protagonista di grande suggestione, avere ogni giorno la propria fotografia, il proprio nome sui giornali e poi rientrare nella routine, nella noia delle cerimonie ufficiali. E sapeva che i concorrenti nella carriera non lo avevano perdonato, che il congedo dalle armi sarebbe scattato inesorabile, con l'età.

Andò a Palermo e sulle prime la Mafia non capì, le sembrava impossibile che facesse sul serio, pensò che facesse un po' di scena per onorare il suo personaggio ma che presto si sarebbe ammansito. Così lo riverivano, lo adulavano, lo invitavano, fingevano di non accorgersi dei suoi rifiuti, dei suoi sgarbi piemontesi, e in lui di fronte a quel nemico sfuggente, remissivo, aumentava la *vis pugnandi*, la sfida. Ha contato in tutto ciò il matrimonio con una donna giovane e bella? Non in modo diretto, non per il pungolo di lei, ma per il giovanilismo di quel rapporto nuovo, di quella vita nuova.

Poi pian piano, settimana dopo settimana la Mafia capì che era irrecuperabile, la Mafia non come Cupola, ma come *establishment*, come rete locale di interessi, di parentele, di clientele. I tentacoli della piovra si mossero silenziosi ad isolarlo, ad accerchiarlo ancora prima che qualcuno avesse deciso di ucciderlo, e lui non tardò ad accorgersene e tentò l'ultima carta: una denuncia clamorosa delle complicità e delle viltà dell'apparato statale, del governo. Allora si ricordò di me e della nostra solidarietà piemontese. Eravamo lontanissimi in quell'estate dell'82, lui nella prefettura di Palermo, io nella mia casa di montagna sopra La Salle, in Valle d'Aosta. Non stavo bene, avevo una gran voglia di stare solo ma lui mi disse che mi aspettava a Palermo, che dovevo andare e non gli chiesi perché, gli dissi: «Domattina sono da lei».

Era un mattino caldo ma non afoso, Palermo mi dava ancora una volta quella impressione di fatalità e di morte, era come ieri, come domani, come sempre con quegli uomini meditabondi nei caffè a masticare arancini di riso, cannoli, nell'attesa di morte, nel mattino limpido. Al cancello della prefettura c'erano due poliziotti, uno si puliva le unghie, l'altro fumava e leggeva «La Gazzetta dello Sport», quando dissi chi ero mi fecero segno di passare ma non mi accompagnarono. Sentivo scricchiolare sotto i miei passi la ghiaietta del viale, sentivo il cinguettio degli uccelli sugli alberi del giardino, non vedevo anima viva. Anche lo scalone era deserto, arrivai al primo piano e pensai che lì dovesse esserci l'ufficio del prefetto, lì in quel lungo corridoio. La porta a vetri si aprì con un lieve cigolio, non si vedeva un usciere: corridoio di convento senza più frati, di museo chiuso. Avanzai lentamente guardando se c'erano scritte sulle porte e in quella sentii il rumore di una porticina che si apriva; era il generale che usciva dalla toilette e si abbottonava ancora la patta. Alzò le braccia come a dire: vede come sono ridotto? Entrammo nel suo ufficio.

Non so quanto tempo durò il nostro colloquio, forse un'ora, e in quell'ora l'uomo più discusso, temuto, osservato di Palermo non ricevette una telefonata, non fu interrotto da un segretario, non ebbe richieste dai suoi funzionari. Silenzio e solitudine da appestato. Non so se dalla Chiesa intuisse di essere arrivato all'ultima fermata, ma non lo avevo mai visto, mai sentito così scoperto, così privo di cautele e infingimenti. «Hanno tentato di avvolgermi nella loro rete. Sa come fanno, se non riescono con te provano con tua moglie, sanno che lei è una milanese ingenua. "Carlo," mi diceva "domani siamo a cena dai principi tal dei tali, lei è così gentile." "Dille che non stai bene," le dicevo "in quella casa noi non andiamo." Ma non demordevano, mandavano avanti uomini politici, persone che avevo conosciuto al ministero degli Interni. Cauti e abili nei sondaggi. Un giorno un alto funzionario mi dice, come per caso: "Perché non andiamo a prendere il caffè dai tali?". Nome illustre, e prendere un caffè non è poi così compromettente. Ma io ho indagato su un traffico di eroina in cui il nome illustre è implicato. Se ci vado sapendo dove vado, cosa vuol dire? Che sono disposto a coprire questo e altro.» «Perché mi ha chiamato, generale?» «Perché faccia sapere al paese che mi hanno lasciato solo. Lo scriva come vuole, ma su questo sia chiaro.» «Solo come?» «Ha notato che nessuno mi chiama al telefono? Devo cercarli io, sindaco, questore, dirigenti dei partiti. Mi dicono "riverisco, comandi", ma poi scompaiono. Roma mi ha promesso di mettere in chiaro che non sono un prefetto come gli altri, che ho il compito di guidare la guerra alla Mafia, ma nessuno lo mette nero su bianco. Sono solo. Negli anni di piombo avevo dietro di me il favore, l'attenzione dell'Italia che conta. Eravate tutti nel mirino dei terroristi, voi giornalisti, i magistrati, gli imprenditori, gli uomini politici. Ma la Mafia di voi non si occupa, l'Italia che conta può disinteressarsene ma sbaglia, la Mafia sta diventando la padrona del Paese.»

Aveva capito molte cose il generale Carlo Alberto dalla Chiesa: che al dunque il nostro governo, i nostri partiti, la guerra a fondo contro la Mafia non la vogliono fare perché tutti, dai democristiani ai comunisti, hanno ricevuto da lei, in qualche modo, denaro o voti; che il soggiorno obbligato dei mafiosi è un boomerang, che uno Stato sonnolento e disinformato non si era neppure reso conto che uno come Liggio poteva firmare al mattino il registro di polizia nel soggiorno obbligato di Venaria Reale presso Torino e due ore dopo essere a Palermo con un jet privato.

Aveva paura dalla Chiesa? No, non aveva paura perché chi va a una sfida così è tenuto in piedi dal rischio estremo. Non aveva paura ma sapeva. «Stiamo studiandoci, muovendo le prime pedine. La Mafia è cauta, lenta, ti misura, ti ascolta, ti segue da lontano. Un altro non se ne accorgerebbe ma io questo mondo lo conosco. Io so perché sono stati uccisi La Torre, Mattarella, Costa, vittime "eccellenti". Perché attorno a loro si era fatto il vuoto, perché erano isolati. Ecco perché l'ho chiamata. Mi dia una mano per uscire dall'isolamento.»

Andammo a pranzo con la sua giovane moglie a Mondello

e scoprivo un dalla Chiesa nuovo, quasi patetico: voleva far vedere alla sua giovane moglie che non aveva paura, voleva che i signori di Palermo vedessero che non aveva paura, forse suo padre, ufficiale dei carabinieri ad Agrigento ai tempi del prefetto Mori, gli aveva raccontato del coraggio del «prefetto di ferro». Voleva che gli amici della Mafia seduti ai tavoli, gli uomini della Mafia vestiti da camerieri, gli informatori della Mafia in divisa da poliziotti vedessero che non aveva paura, che girava senza scorta. Voleva far colpo e lo fece oltre le intenzioni: la Palermo dei ricchi e dei potenti abituata da secoli a temere la Mafia ebbe come un ondeggiamento, la gente ai tavoli era come contratta, come se si facesse forza per non alzarsi e fuggire. Forse fu guardandoli e cogliendo quello stato d'animo che incominciai ad avere paura, anche io a tener d'occhio il cameriere che stava fermo vicino all'ingresso, il signore che si era fatto portare al tavolo un telefono. E lui, il generale, in quella tensione raddoppiava la sua allegra cortesia, mi consigliava il miglior pesce, il miglior vino, chiamava i camerieri con voce stentorea. Alla fine del pranzo però sembrò colto da una pesante tristezza. «Quando riparte per Milano?» chiese. «Stasera» gli dissi. «Fortunato lei, mi dia una mano.»

Tre mesi dopo l'intervista il generale dalla Chiesa e la sua giovane moglie Emanuela Setti Carraro furono assassinati. Erano senza scorta, tornavano a casa in automobile, lei alla guida, crivellati di colpi da un commando mafioso in motocicletta. Scesi a Palermo. C'era nell'aria una funebre gaiezza; assessori, sindaco, avvocati, magistrati che nei giorni di dalla Chiesa sembravano fiori avvizziti avevano ripreso nerbo e colore, ricevevano, conversavano, commentavano con una verve bella e sicura: «Grande uomo quel dalla Chiesa, ma un po' sbruffone era. Sfidare così la Mafia!»; «Ottima persona il prefetto dalla Chiesa, troppo sicuro di sé. Ma via, la Mafia aspettava uno del Continente per alzare le mani?». Andai a trovare il successore di dalla Chiesa, il prefetto De Francesco: aveva il viso di un dio incaico, impenetrabile, levigato da decenni di prudenze e di astuzie borboniche. La pensava esattamente come coloro che si sono rassegnati alla convivenza con la Mafia, critici, scettici verso chi tenta di combatterla: «La Mafia, dottore carissimo, non la vinciamo con le fiaccolate e con i proclami, ma con le azioni serie, con il controllo dei conti bancari, dei patrimoni mafiosi». A De Francesco il governo aveva concesso i poteri negati a dalla Chiesa sapendo che non li avrebbe usati. La stampa moderata, l'establishment palermitano lodavano il suo comportamento cauto, e solo per rispetto al defunto generale risparmiavano le querele al figlio Nando che chiedeva giustizia.

Solo nel 1990 avremmo saputo dalla Commissione parlamentare antimafia i risultati del dopo dalla Chiesa: i delitti triplicati ma le denunce quasi scomparse, il numero dei latitanti nelle regioni malavitose salito a ventimila, le indagini sui patrimoni mafiosi discese, in sei anni, da duemilaseicento a seicento. Nell'altra Palermo, degli onesti, paura e rassegnazione, e che altro si può avere in una città in cui la Mafia ha ucciso tutta la costellazione del potere legale, il prefetto, il presidente della Regione, il capo dell'opposizione, il procuratore generale, gli industriali, i giornalisti? Già, anche il povero Mauro De Mauro, il giornalista de «L'Ora», corrispondente de «Il Giorno» da Palermo, scomparso dentro qualche pilone di cemento armato, svanito nel nulla una sera che era uscito di casa per andare a comperare le sigarette.

De Mauro era arrivato nel giornalismo palermitano come nella Legione straniera, nel '45, in fuga dalla vendetta partigiana. Era stato nella X Mas del principe Junio Valerio Borghese e forse ne aveva una nostalgia di gioventù, di quando aveva ancora il viso integro e non quel naso schiacciato, deformato da un proiettile, perché aveva chiamato le figlie Junia e Valeria. Ma non era fascista e comunque non glielo avevo mai chiesto perché a «Il Giorno» ex fascisti ed ex partigiani lavoravano assieme senza parlare del passato. No, non era più fascista, non era più un perseguitato ma si comportava come un sopravvissuto che non ha paura di niente, che tutto ciò che doveva vedere in vita sua l'ha visto. Conosceva tutti, i comunisti e i missini, i faccendieri dell'Eni e gli avvocati della Mafia, i baroni e i vetturai. Forse si era convinto di essere come un monatto che poteva salire impunemente sui carri della peste mafiosa. Mi portava nei ristoranti della periferia buia, profumata di salso e di eucalipto. Luci basse di piccole lampadine, le pagliate e le melanzane, la sua voce rauca che mi regalava notizie, retroscena. Una generazione di giornalisti ha vissuto su di lui nei viaggi dentro la Mafia, ma nessuno è riuscito a capire quale passo falso abbia deciso la sua morte per «lupara bianca», la lupara che non lascia cadaveri.

Se capito a Palermo mi piace camminare a piedi, di notte, nei quartieri che la Mafia ha costruito fra il Politeama e il monte Pellegrino. Sotto le luci al neon giallo canarino, azzurro genziana, verde pistacchio, gli asfalti sono neri e lucidi. Mauro De Mauro e tutto quello che abbiamo scritto con le sue informazioni è qui, morti e viventi, sepolti in qualche pilastro di cemento o nelle loro ville, tutti qui i grandi mafiosi, i loro complici e i loro delitti tradotti in portinerie con il citofono, in palazzi che già perdono i pezzi.

Se capito a Palermo mi piace alloggiare in uno dei due grand hotel con odore di ricchezza e di Mafia, Villa Igiea e l'Hotel delle Palme, i luoghi più sicuri di Palermo, gli hotel dei siculo-americani arricchiti, dei padrini rispettati e rispettabili che arrivano dalle Americhe con le loro grandi famiglie, figli, nuore, generi e nipoti. I saloni dell'Hotel delle Palme di giorno erano sempre deserti, in penombra. Si illuminavano verso le sei della sera quando scendevano dalle loro stanze le bellissime puttane del continente, una che doveva allargare la sua boutique a Firenze, l'altra impiegata alla Magneti Marelli di Sesto San Giovanni in ferie, eleganti, di casa, che ricevevano i baciamano dei vecchi amici, baroni, principi, padroni di aranceti. Il barone La Lumia, piccolo e tondo, portava sul petto un occhio magico di vetro in cui vedeva il futuro meno la montagna di debiti da cui sarebbe rimasto sepolto. Si sedeva al mio tavolo e non mancava mai di ricordarmi che il meglio per un siciliano vero è «masticare carne, possedere carne, uccidere carne». Arrivavano i cavalieri del Santo Sepolcro del nobile Cassina, appaltatore delle fogne e dell'elettricità urbana, socio in affari di Vito Cianci-

mino il sindaco: inutile indire gare d'appalto, senza gli uomini di Cassina, i soli in Palermo che conoscessero i meandri
delle fogne e le reti elettriche, la città restava senza acqua e
senza luce. Mi hanno scritto di recente tutti e due, Cassina e
Ciancimino appena uscito dal carcere. Il primo dolente per
un mio articolo sul suo ordine cavalleresco e sui suoi appalti,
il secondo minaccioso, con augurio sinistro di morire nel
mio letto.

Veniva a prendermi al Palme una del comitato antimafia,
una bella donna che mi parlava sempre in modo ossequioso,
«dottore Bocca, come lei ci insegna». Andavamo in una piccola trattoria del centro storico davanti al palazzo dove dor-
mì Garibaldi la sera che scese su Palermo. C'eravamo noi
due, un maresciallo della polizia e due amici dell'oste che secondo lei erano mafiosi: tutti fermi e zitti ai tavolini di mar-
mo sotto la luce lunare delle lampade al neon, guardandoci
senza guardarci, con l'oste che ogni tanto alzava la tenda
della cucina per osservarci sospettoso, o almeno a me sembrava così perché dopo qualche giorno a Palermo hai la sensazione che hai già avuto nei paesi comunisti, di essere osservato, seguito, di non essere mai completamente solo, sicuro.

L'Hotel delle Palme o Villa Igiea. Mi piaceva di Villa Igiea
il lusso di una casa patrizia piantata come un'orchidea in
mezzo al marcio del borgo del vecchio cantiere navale, mar-
mi, lampadari, intarsi, giardini in mezzo allo sfasciume delle
case rose dalla miseria. Mi piaceva l'eccitante mescolanza di
rispettabilità e di crimine, il non sapere mai bene se i tuoi vicini di tavola erano dei turisti qualsiasi o dei capi famiglia
mafiosi del Bronx. A villa Igiea ebbi il mio primo incontro
con Leonardo Sciascia. Gli avevo telefonato per chiedergli
se poteva darmi consigli, indicazioni per una inchiesta sulla
Mafia agrigentina, nella sua terra. Mi avvertirono in stanza
che era arrivato e che stava sul terrazzo. Era seduto a un tavolino, aveva ordinato una granita di caffè, indossava un
abito di lino bianco, camicia bianca e cravatta nera, in capo
un panama giallo chiaro. Teneva gli occhi socchiusi, parlava
a voce bassa, mi raccontava della Mafia in un modo che non
avevo mai sentito, con una conoscenza interna, come della

famiglia della casa accanto di cui non sapeva esattamente le cose segrete, ma di cui conosceva esattamente il modo di pensare, di odiare, di sospettare, di agire. Gli chiesi a chi avrei dovuto rivolgermi per sapere della Mafia dell'Agrigentino. Chiuse le palpebre come se dovesse compiere una fatica o risolvere un dubbio, poi mi fece alcuni nomi. «E gli indirizzi?» «Non servono,» disse «li conoscono tutti.» Su questo non c'era dubbio, quando andai ad Agrigento e feci leggere i nomi al nostro corrispondente questi disse: «Ma questi sono i capi delle famiglie!». Non ne riparlai con Sciascia, avevo capito che mi aveva fornito un suo apologo: solo la Mafia conosce se stessa.

Quel che so di Mafia, nel profondo, lo devo a Leonardo Sciascia, nato e vissuto a Racalmuto, paese dell'Agrigentino mafioso. Sciascia non era un mafioso, ma pensava mafioso, aveva sensibilità mafiose. Se io parlavo di Mafia con studiosi non mafiosi, mettiamo con il sociologo Sabino Acquaviva, potevo piacevolmente perdere il tempo su ipotesi eleganti, come la coincidenza fra regioni mafiose e regioni della colonizzazione greca, o sull'influenza araba e simili storie impalpabili. Ma se parlava Sciascia si entrava subito, carnalmente, nell'universo mafioso. Nella sera profumata di Villa Igiea lui aveva detto: «La Mafia si è permesso il lusso di una commissione di inchiesta antimafia». Lo aveva detto con una punta di compiacimento, con la sottile ironia della sicilitudine che percorre la letteratura siciliana: voi del continente non capirete mai niente, venite pure a indagare con i vostri bravi onorevoli sulla nostra eterna invincibile diversità. Non ne caverete mai niente. Era così dentro la cultura e la suggestione mafiosa, così convinto e giustamente convinto di essere fra i pochi che la conoscevano nelle sue più sottili e segrete radici che ebbe, negli ultimi anni, come un gran dispetto per i giudici, i giornalisti, i civili dell'antimafia. Dilettanti, vociferanti a vuoto.

Se si dice che Sciascia era imbevuto di cultura mafiosa, che la cultura del profondo Sud ha grandi affinità con la cultura mafiosa, si è accusati di semplicismo e di banalità. Ma le conferme vengono proprio dagli esponenti di quella cultura. È il calabrese Corrado Alvaro che scrive: «La via d'uscita dalla sofferenza qui è spesso imporre sofferenza agli altri». È Sciascia che dice: «L'idea che il popolo siciliano sia stato soggetto di storia attraverso una ininterrotta serie di associazioni mafiose intese a una segreta e vindice ricostruzione della giustizia conculcata affascina anche coloro che della Mafia di ieri e di oggi hanno dolorose esperienze». E ancora Alvaro: «Questo vorrei notare nella psicologia della Mafia, la rivalsa di una certa condizione, il fascino di un potere segreto che si ride di ogni altro potere e che pretende di esercitare una leggendaria giustizia secondo il codice di una brigantesca cavalleria. Si finisce per parteggiare per chi si oppone alla legge per una forma pericolosa di sfiducia totale». Ma la suggestione della Mafia non è solo tradizione e leggenda; sta, nel presente, nella sua invisibilità e legittimità. Se resta invisibile e quasi sempre impunita vuol dire che è, a suo modo, legittima, che c'è un rapporto di convivenza con il potere economico e politico.

Invisibilità e legittimità pesano come una minaccia e come una seduzione sulla magistratura, sulla polizia, sulla gente qualsiasi. La cultura mafiosa è così avviluppante che chi cerca di uscirne viene considerato un estraneo, un colpevole, uno che ha fatto danni per non aver capito. I poliziotti uccisi dalla Mafia non sono stati uccisi perché facevano il loro dovere, ma perché «esageravano», non si facevano «gli affari loro». Dopo l'assassinio del giudice Ciaccio Montalto sono andato nei villaggi del trapanese vicini al luogo del delitto. I più non rispondevano. Chi parlava diceva: «Un po' se l'è voluta». «Come se l'è voluta?» «Ma sì, perseguitava la povera gente, metteva il naso in tutti i processi. Ucciderlo magari è stata una esagerazione, ma se si fosse fatto gli affari suoi! Invece andava in giro a raccontare che lui il suo archivio se lo portava in testa, che i nomi dei mafiosi lui li aveva stampati nella memoria. E poi persona poco seria era, separato dalla moglie.» Il sindaco di Paceco Giuseppe D'Angelo mi diceva dei mafiosi arrestati per il delitto: «Si tratta di persone stimabilissime e ossequiose». E il vicesindaco di Custonaci: «Se non ne avessero parlato i giornali sarei portato a escludere l'esistenza del fenomeno mafioso». Poi arrivò alla direzione de «la Repubblica» una lettera firmata dai sindacalisti della Cgil di Trapani: lamentavano la campagna di diffamazione contro «sindaci democratici e democratiche istituzioni». A un dibattito sul caso Montalto organizzato dal Partito comunista ci eravamo trovati in cinque.

Quel viaggio nel trapanese mafioso lo ricordo come un viaggio nell'aldilà, dove tutti i miei sensi, l'udito, l'olfatto, la vista, il tatto sembravano alterati: vedevo e non vedevo, capivo e non capivo, udivo e non udivo. Mi muovevo dentro una luce intensa riverberata da una città bianca sul mare, una luce che riempiva l'ufficio del signor prefetto, abbacinante: «Signor prefetto, come mai nella provincia di Trapani c'è la maggior concentrazione bancaria d'Italia, sei banche regionali, ventotto provinciali, centinaia di casse rurali?». «A quanto mi è stato riferito,» diceva il prefetto che vedevo e non vedevo nella gran luce «i primi banchi furono aperti da ebrei provenienti dalla Spagna. Così mi è stato riferito.» Gli ebrei arrivati dalla Spagna? No signor prefetto, avrei dovuto dire, sto parlando delle banche in cui la Mafia raccoglie i capitali per il traffico della droga e ricicla i guadagni, ma non mi usciva la voce dalla bocca.

Eran successe cose atroci nel trapanese. L'esattore Corleo era stato rapito da malviventi che ignoravano le sue alte protezioni mafiose e in poche settimane venti di questi «panzaparata» eran stati uccisi. Stessa sorte per coloro che si erano permessi di sequestrare il dottor Rodittis, amico della famiglia Minore, trovati cadaveri nella foce del Belice, zavorrati con quattro pali d'acciaio e la pancia tagliata. Sentivo la mia voce che chiedeva al prefetto: «Siete preoccupati per l'ordine pubblico?». E la sua che rispondeva: «Cautela, dottore, stiamo attenti a non criminalizzare un'intera città». Andavo a dare un'occhiata alla casa della famiglia Minore, imparentata con i Buccella, i Bonventre e i Magaddino di New York. Quando a Trapani c'è aria cattiva i Minore vanno per qualche mese a Long Island da Steve Magaddino, poi tornano nella casa natale di Borgo Madonna, davanti al santuario dove vengono la domenica quelli «che hanno avuto la grazia». «È la casa dei Minore?» chiedevo alla giornalaia che ha edicola a dieci metri di distanza. «Nun saccio» rispondeva.

Chiedevo delle banche anche al signor questore e lui si lasciava sfuggire: «Eh, quelli vogliono fare i soldi subito». «Quelli chi, signor questore?» «Eh» diceva lui. Andavo dal segretario della Democrazia cristiana e gli chiedevo che ne pensasse della Mafia. Diceva, serio serio come uno che ha paura che gli facciano la pelle: «Ritengo che tale fenomeno possa essere identificato come atti di delinquenza comune». E allora mi dicevo: ma questo modo di mentire preciso, sicuro, per formule mandate a memoria, io l'ho già sentito da qualche parte; ma sì, nell'Unione Sovietica di Breznev, sì, è proprio la stessa cosa, nella decomposizione del sistema politico la Mafia può controllare intere regioni, dare il suo consenso al potere politico in cambio dell'impunità. La Mafia cresce dove il degrado va nascosto, dove i corrotti hanno bisogno di voti e di denaro.

Un giorno, seguendo dei cartelli turistici giallo vivo, arrivo in un paradiso mediterraneo, San Vito lo Capo. Sta con il suo faro sul capo della tonnara, dove comincia il golfo di Castellammare, rocce scheggiate e ricurve come felci pietrificate, un mare verde azzurro, trasparente, coste libere, cavalli al pascolo fra le chiudende di sassi, il villaggio a strade larghissime e diritte come la *main street* di una città dell'oro nel West. Gli osti della vecchia trattoria Cusenza sono angelici, hanno gli occhi tondi e chiari dei pastori del presepe, gentili, premurosi. Di primo mattino sono stati sul monte a raccogliere i finocchietti selvatici per la pasta con le sarde, in tuta rossa e blu, dono dei vigili urbani di Parma che d'estate vengono qui in vacanza di lavoro, regolano il traffico e sono ospiti. «Torni presto, dottore, qui c'è aria buona e buona gente.» Purché ognuno si faccia gli affari suoi e non chieda del sindaco socialista Mariano Minore, imparentato con i Minore di Trapani, mandato al confino per una storia di traffico di droga che passava proprio per la contrada Tuono di Castellazzo dove ha un villino.

Dice il sociologo Arlacchi: «Nella cultura mafiosa l'onore è sinonimo di prepotenza e non di giustizia, per cui tra mafiosi ma anche fra persone oneste si è indifferenti ai valori della giustizia e della ragione. Non esiste in questa cultura un codice di norme giuste e non scritte da opporre alle ingiuste leggi scritte. Esiste solo il predominio del più forte, del più scaltro, del più feroce, del più abile». E così si capisce perché la cultura mafiosa possa produrre vite infami, vite dure, la lotta di tutti contro tutti, la sospettosa solidarietà familiare. Un giornalista di Palermo mi porta al quartiere Brancaccio, quartiere mafioso di Palermo. Sono le otto di sera, l'ora del coprifuoco. Vedo laggiù le luci di Palermo e sotto di noi quelle di Bagheria. Percorriamo la via principale, un tratturo fra due marciapiedi alti con le auto issate sopra come scarafaggi metallici, colori freddi sotto la luna. Vedo case di tufo, basse, porte blindate, antenne televisive, persiane chiuse, luci fioche. Ogni angolo, ogni piazzetta il luogo di un assassinio. Brancaccio come Maredolce, Sperone, Villabate, l'Uditore, la fetida cintura della violenza e del sangue. A Villabate mi hanno fatto vedere la casa degli Spatola con un ingresso identico a quello del mio albergo a Saigon, dietro un casotto di cemento, con due finestrini e una porta metallica. Di lì si deve passare, di lì si vede chi arriva.

Nei quartieri di Mafia la ferocia la tocchi con mano, la vedi: il carnazziere ha il banco sulla strada, sopra le carni sanguinolente lui con la frusta di carta che pigramente scaccia le mosche; vedi le Mercedes dei mafiosi in un cortiletto accanto a un carretto e i «masculi» che fanno la colazione e capisci che qui Mafia significa non solo radicamento al quartiere, al territorio, ma a un modo di vivere, di concepire la vita che si riproduce generazione dopo generazione, come la vena del Marsala che passa di botte in botte. Quartieri fatti a somiglianza di coloro che li abitano, minacciosi, sospettosi, impegnati in ogni attimo della loro vita a dare la morte o a temerla, dall'alba al tramonto, mentre le loro donne aprono le finestre delle sordide case per stendere al vento caldo di Palermo camicie, sottane, mutande, calze di nylon, rappresentazione di una privacy lercia, ma insostituibile, uniche ore sicure addolcite dagli affetti.

Non è assurdo, non è strano che questa Mafia che ha fatturati di migliaia di miliardi conservi questo insediamento nei quartieri poveri, si trinceri nelle famiglie. Perché la Mafia non è semplice malavita organizzata, ma liturgia, vocazione agli inferi, il nostro Ade, il nostro sottosuolo, la nostra ombra. Alla Mafia non bastano la violenza e la rapina, vuole il misterioso, l'allusivo, il simbolico. Non si accontenta di uccidere, vuole le profanazioni e i trionfi della morte, il delatore lo fa trovare con la pietra in bocca, al «panzaparata», al bullo che ha messo piede nel suo terreno taglia la pancia, e chi disobbedisce, chi la deruba lo incapretta. Un mattino che viaggiavo su una pantera della polizia arriva per radio l'ordine di andare in un cortile di via Conte Federico, dove erano stati trovati due morti ammazzati. Nel cortile c'erano due sacchi della spazzatura in plastica nera, qualcuno li aveva già squarciati con un coltello e si vedevano i due corpi, due ragazzi legati come capretti da portare al mercato, le caviglie e le braccia annodate dietro le spalle, la corda che passava attorno al collo: puoi resistere, arcuandoti, per cinque, sei minuti poi ti lasci andare, la corda tesa spezza la giugulare, il sangue ti inonda il viso e il petto, la vita se ne va. La Mafia non si accontenta di uccidere, ti spiega con i segni perché ha ucciso, alle spie toglie il cuore, chi non ha rispettato la moglie dell'amico lo evira.

Un cuore nero, un cervello nero sta dietro la regione solare. Ero salito ad Altavilla Milicia per sapere come funzionassero i posti di blocco ordinati dal generale dalla Chiesa; suonano alla porta, l'appuntato va ad aprire, ma non c'è nessuno, c'è un'auto ferma in mezzo alla strada. Esco con il maresciallo che si avvicina cauto alla macchina, apre le portiere, non c'è nessuno, apre il portabagagli e dentro c'è un cadavere. Lo Stato usato come pompe funebri, pensi lui a seppellire il morto. Le strade di Altavilla Milicia sono deserte, nessuno sulla piazzetta della caserma. Nel portico del vicino municipio c'è una lapide: «In memoria dei nostri contadini-militi morti contro l'Austria-Ungheria in difesa dei popoli oppressi». I popoli oppressi dagli imperi centrali, mondi sconosciuti, stelle remote nella incombente presenza della Mafia.

Anche io sento a mio modo la suggestione della Mafia e della sua invincibilità. Sono più di trent'anni che scendo nelle province mafiose per raccontare la Mafia ma l'articolo che ho scritto trenta, trentacinque anni fa, cambiati i nomi, potrebbe essere ripubblicato oggi. Ho visto la rivoluzione industriale e le migrazioni interne cambiare il volto del paese, ho visto il costume televisivo formare come una seconda pelle sull'Italia dei principati e del localismo, ho assistito alla fine del comunismo, all'avvento del terziario, alla mutazione dei partiti, alla sparizione della società di classi, ma la Mafia non è mai cambiata anche se la sua ricchezza e il suo potere si sono centuplicati. Dopo venti anni che non ci passavo son voluto tornare a Corleone dove avevo indagato sul dottor Navarra, il mafioso all'antica, della giustizia contadina, bonario, alla mano, ma poi si era saputo che aveva iniettato del cianuro nelle vene di un ragazzo, testimone di un delitto. E cosa trovo a Corleone venti anni dopo? Che tutto è come prima, uno di Corleone ha aiutato Liggio a evadere dall'ospedale, un altro era suo impiegato nella bottiglieria milanese di via Ripamonti, un terzo è stato arrestato per il sequestro di un industriale di Vigevano e qualcuno mi indica la donna a cui Liggio anni fa aveva ucciso il fidanzato, un sindacalista. E lei poi è stata la sua amante, l'ha nascosto in casa sua.

La Mafia, dicono, è «aria che cammina» onnipresente. Nella catena delle amicizie, diceva Sciascia, ci può sempre essere l'anello mafioso ma tu non sai quale sia. E scrivere della Mafia, giudicare la Mafia è una fatica di Sisifo, tutti ti gridano: «Le prove! Le prove!». Come se fosse facile, possibile trovare le prove quando è la Mafia a riscrivere la sua storia, a rifare le istruttorie uccidendo o terrorizzando i testimoni, usando testimoni falsi, impaurendo i giudici. I poveri magistrati di Palermo, ci diceva la vedova di Rocco Chinnici, giudice coraggioso, assassinato dalla Mafia, si dividono in tre parti: gli impegnati contro la Mafia, un gruppetto, i chiacchierati come amici della Mafia, un gruppo già più numeroso, e la palude, la maggioranza paralizzata dalla paura che elabora dottrine di comodo come «il giudice è *su-*

per partes», «il giudice non fa la lotta alla Mafia, la processa». E ogni volta che sentivo questa cantilena mi tornava in mente Nello Martellucci, il sindaco di Palermo nei giorni di dalla Chiesa: «La lotta alla Mafia non rientra fra i compiti istituzionali di un sindaco».

Carlo Alberto dalla Chiesa «prefetto di ferro» come Mori, al principio del fascismo. Due che hanno messo la Mafia alle corde, subito allontanati, Mori con una promozione, dalla Chiesa con l'assassinio. E dopo la ritirata, l'insabbiamento nel modo che i nostri governanti conoscono da sempre: lasciar fare all'anarchia burocratica, lasciare che i feudi burocratici, Cassazione, Consiglio Superiore della Magistratura, circoscrizioni giudiziarie, ministero degli Interni o della Giustizia, partiti, Regioni, procedano in ordine sparso, contraddicendosi, paralizzandosi, coprendo i propri interessi, le proprie viltà con le nobili bandiere del garantismo, della separazione dei poteri, delle autonomie.

Qui mi sono trovato di fronte, senza conoscerlo, senza mai incontrarlo, a un personaggio singolare, il giudice della Cassazione Corrado Carnevale chiamato «ammazzasentenze» per aver cassato centinaia di sentenze contro i boss mafiosi. Seguivo la Mafia, leggevo di Mafia e mi ritrovavo fra le mani le sentenze della sua sezione, la Prima Penale, e mi colpiva in esse un uso greco della ragione da sofisma perfetto quanto incredibile, come quello di Achille che non raggiunge mai la tartaruga. La sentenza, per dire, in cui si annulla la sentenza contro i finanzieri milanesi Virgilio e Monti, amici di mafiosi di stazza come Joe Adonis e i Bono, condannati per associazione mafiosa. Ma la Cassazione sofista ricorda la Costituzione, l'articolo 17 che sancisce il diritto ad associarsi liberamente, per fini che non sono vietati dalla legge penale. Sono vietati i buoni affari? Erano armati i due finanzieri? Le frequentazioni per parentela, comune estrazione ambientale, amicizia sono prova dell'organizzazione criminale? No, e allora si rifaccia il processo. Ineccepibili le sentenze del giudice ammazzasentenze! Era vero oppure no che un avvocato difensore di un mafioso non era presente quando erano stati estratti i giudici popolari? Verissimo. Ma il comportamento dell'avvocato che si era ricordato della mancata presenza solo a condanna avvenuta del suo cliente non era incivile? Certo che lo era, ma la legge non prevede sanzioni contro l'avvocato distratto, o scaltro. Sentenza cassata per salvare il principio della *par condicio*.

Con il giudice Carnevale ripetevo la stessa sfida, lo stesso camminare sull'orlo del rasoio degli anni di piombo. Scrivere fino al punto di rottura, lasciare una spazio alle reciproche convenienze, criticarlo ma senza costringerlo a una reazione violenta. Finché nel gioco sottile è entrato, come un elefante in una cristalleria, quel personaggio imprevedibile che è Giuliano Ferrara, uno degli *showmen* televisivi della nuova generazione che pur di fare spettacolo sono sempre pronti a mettere nei guai gli altri. Di fronte a milioni di spettatori si mette a urlare, non una, ma due o tre sere: «Giudice Carnevale, Bocca dice che lei è un mafioso. Che cosa gli risponde? Perché non lo querela?». Non è vero, non ho mai scritto che il giudice Carnevale è un mafioso, ho solo scritto che attenersi al rigore formale nello sfascio della nostra giustizia equivale a favorire la Mafia. Ma lo *showman* ci ha preso gusto, continua a intimare al giudice di querelarmi, e lui, che ne farebbe volentieri a meno, si sente costretto a farlo.

La Mafia è come un cavallo nero, su cui salgono le zecche, i pidocchi, legulei, magistrati o avvocati che siano. Arrivo a Locri, terra di Mafia, e vado a parlare con l'avvocato Jovine, difensore di Saro Mammoliti, della grande famiglia mafiosa di Gioia Tauro, che vedo uscire dal suo ufficio. «Ma questo Mammoliti, avvocato, non stava in galera?» «È stato operato qui» e mostra un punto a metà fra la spalla destra e il costato. «Pure un suo fratello e un suo cugino sono stati operati, la latitanza segna la gente e questi sono dei condannati a vita.» «Condannati a vita perché?» «Così è, se uno porta un nome mafioso non ha scampo, appena un giudice lo assolve l'altro gli dà un soggiorno obbligato, vorrebbe pagare per quello che ha commesso, lo fanno pagare per il nome e per i "si dice".» La moglie dell'avvocato ci invita a prendere il caffè nel salotto buono, pavimento incerato a specchio, la televisione a colori. La conversazione è molto faticosa, a ogni domanda l'avvocato congiunge le mani come un prete all'*oremus*. E mi riprende come a Palermo quella sensazione di aver perso il pieno uso dei sensi, di non sentire, di non vedere, di non capire.

Dalle parti di Locri il forestiero ha sempre bisogno di un interprete, di qualcuno che gli spieghi il significato vero delle parole. Per il forestiero carcere vuol dire carcere, un posto dove il condannato è ristretto, privato della libertà, isolato dal mondo. E invece a Locri, a Palmi, a Reggio, per il mafioso di rispetto carcere vuol dire ufficio, luogo dove ricevere gli amici, l'amante. Il mafioso Lo Presti, detenuto a Locri per il sequestro del pellicciaio Ravizza di Pavia, ha ricevuto le visite di una impiegata romana di origine calabrese che risultava sua prima cugina da un certificato falso fornito dal municipio. Non era per niente parente, lavorava al ministero di Grazia e giustizia, ufficio prevenzione e pena, e su segnalazione del suo amante faceva ottenere promozioni o premi alle guardie carcerarie. Che c'è di strano? In casa Piromalli, Mammoliti e Rugolo, grandi famiglie calabresi, sono stati trovati i numeri telefonici riservati del presidente del Consiglio, di alti magistrati della Cassazione.

Ci sono gli avvocati di Mafia e ci sono i giornalisti di Mafia. Ne ho conosciuto uno a Palmi di nome Giuseppe Parrella, con ufficio in uno stanzino tappezzato di ritagli e di fotografie. «Quello chi è, Parrella?» «Un mio lontano cugino, Gaetano Parrella.» Dal ritaglio un po' ingiallito di «Oggi» Gaetano Parrella, detto «lupu i notti», ci guardava melanconico. «Passo la vita a scappare» diceva il titolo. «Ma i mafiosi te non ti minacciano mai?» «Una volta il Giuseppe Piromalli mi fece un segno cattivo. Perché, gli chiesi, ho sempre raccontato le cose onestamente. Lui disse: "Sì, ma parli bene dei carabinieri".» «Parrella, è rischioso fare il giornalista in terra di Mafia?» Parrella sorrideva: «Un giorno vado a Delianova e vado dall'appuntato dei carabinieri. C'è stato un assassinio e io ho bisogno delle fotografie del morto e del suo assassino. Appuntato, me la dà una mano per le fotografie? Lui che è un amico dice che va bene, andiamo alla casa dell'assassinato e la vedova ci dà la fotografia, poi in quella dell'assassino. L'appuntato bussa ma nessuno risponde. Allora l'appuntato da una spallata, spalanca la porta e l'assassino è lì, fucile in mano, un piede già sulla finestra. Non sa se sparare o fuggire, poi fugge. Capisci cosa è il nostro mestiere? Chiedi un favore all'appuntato e magari ci rimetti la pelle. Un'altra volta busso alla porta di un latitante, viene fuori sua madre e mentre parliamo si mette a urlare: "Non sparare Rosario che è un giornalista". Stava sopra di noi, fra gli alberi, con il fucile puntato». «Come si chiamava?» «Eh tu non vivi qui, si capisce, nomi di latitanti non se ne fanno.» «Ma dai latitanti ci vai?» «Il mese scorso ci sono andato, sul monte. Avevano cose da dire. Mi danno una coscia di capra arrostita e un fiasco di vino. Ogni volta che poso la coscia sul piatto dicono: no, tu la devi finire, se no non ci rispetti.» «E tu Parrella?» «Pian piano la mangiai.»

Nell'archivio di Parrella c'erano delle cartelle blu e gialle, blu per le famiglie mafiose, gialle per le faide. Parrella ci si muoveva rapido come un esperto araldico, conosceva tutti i nomi e i rami delle grandi famiglie mafiose. «Uh questi Piromalli quanti sono, quarantanove ora che Gioacchino si è sposato. Anche i Rugolo però, trentasei.» «E questo cosa è, Parrella?» «Una notizia che ho dato l'altra settimana.» Mi mettevo gli occhiali e leggevo: «Ieri la signora Concetta Piromalli ha dato alla luce un bel maschietto. Lo zio, il latitante Giuseppe Piromalli, gli ha fatto avere in regalo un assegno da un milione. Per tutta la giornata c'è stato un via vai festoso di parenti e di amici». «Lei Parrella» chiedevo «ha fatto gli auguri?» «Ma certo, come si capisce che lei non è di qui!»

C'erano molte cose che non essendo di lì faticavo a capire, che pian piano capivo. Per esempio la funzione della famiglia, del padrino. Nella piana di Gioia Tauro Giuseppe Piromalli, il padrino, era «uno che sa rispondere», uno che poteva risolvere le cose più diverse. Gentilissimo, cerimonioso, disponibile, non alzava mai la voce, ma la gente sapeva che dietro di lui c'erano i quattrocento armati della piana. Uomo di rispetto, che per la gente di Gioia Tauro significa silenzio su tutto ciò che non va detto, che non va fatto, un elenco non scritto ma che tutti conoscono in terra di Mafia: non scioperare se il padrone è un mafioso o amico del padrino, accettare un salario anche se tagliato del trenta per cento, non vedere, non sentire le mosse della Mafia. Il rispetto lo impari dai primi anni di scuola, c'è sempre nella tua scuola qualcuno della famiglia e vedi che tutti lo trattano con ossequio. Perché i padrini, anche quelli diventati miliardari, non smettono mai di essere mafiosi? Perché non possono permetterselo, perché il loro è un potere che non si può smettere, privato del quale sei nessuno, uno che alla lunga deve essere ucciso perché la sua sola presenza mette in crisi la filosofia mafiosa. Un faticoso, pericoloso mestiere. E più la Mafia si arricchisce e più la vita media dei padrini cala, pochi muoiono nel loro letto.

LA PATRIA ALPINA

Certe mattine mi viene una voglia forte di Svizzera, prendo l'auto e vado a Lugano, a Locarno, qualche volta fino al San Bernardino. Appena passato il confine il cuore mi si allarga in un sentimento di ordine e di libertà, la libertà che è figlia dell'ordine. Non possiamo più permetterci scapigliature e ribellioni, siamo talmente dentro un'anarchia oscena che il bisogno di ordine è un bisogno di aria respirabile. Se guardo il lago di Lugano, i paesi, la montagna sento che questo paesaggio ha rispetto dell'uomo e l'uomo di lui. Cerco l'ordine svizzero anche nelle cose più aspre: la cassiera del ristorante sta telefonando alla polizia, ha visto un'auto in sosta vietata, nella strada. Brava. Non mi sono accorto che al distributore di benzina c'era un'auto in attesa, il gestore mi fa retrocedere. Bravo. Passo e ripasso per le strade del centro di Lugano per vedere se incontro un'auto ferma su un lato nonostante i divieti. Nessuna. E penso a Milano, insopportabile, macchine su due, su tre file, gente che la lascia lì per andare a prendere un caffè, a uno che mi impedisce di uscire da un posteggio lancio un grido e lui sorridente: «È stato fortunato, sarei tornato fra un'ora». Non ne posso più della villania universale arrivata anche nell'Italia padana, figuriamoci nel profondo Sud dove la vita è lotta di tutti contro tutti. Voglia a Palermo di piantare l'auto ai bordi della strada e di fuggire, urlando. Avanzare a Palermo con un'auto che cerca di speronare l'altra, impiegare un'ora a Catania per fare due chilometri nel centro.

Passo per antimeridionale e lo sono nel senso che sono troppo vecchio per essere un'altra cosa. Il meridionalismo, la rinascita del Sud li lascio in eredità ai miei figli, ma temo che li passeranno ai nipoti. Sono quarant'anni e passa che ascolto le lagne del meridionalismo e ho capito che in quel che mi resta da vivere saranno sempre le stesse. E allora mi viene da dire: d'accordo, il destino vi perseguita, Colombo ha ridotto il Mediterraneo a una bagnarola, gli arabi che vi hanno invaso sono ora dei poveri dirimpettai, la natura non è stata benigna con voi, poca acqua, poca terra fertile, molto «sfascio pendulo», il Nord industriale vi ha trattato come un paese coloniale, ha drenato il vostro risparmio, la malavita vi soffoca, noi rozzi nordisti avremo tutte le colpe di come è andata l'unità d'Italia, ma io con il Sud ho chiuso, non ho più tempo di aspettare. Sono passati quarant'anni da quando ho incominciato a occuparmi del Meridione, in questi quarant'anni tutti gli altri meridioni del mondo industriale si sono tirati su le brache, il Sud degli Stati Uniti è più ricco del Nord-Est, l'Andalusia ha una florida agricoltura, la Francia del Sud ha reinvestito bene i capitali dei reduci dall'Algeria, Grecia, Malta, Cipro hanno indici di industrializzazione superiori a quelli di Sicilia e di Calabria e nessuno di questi Sud è afflitto dalla malavita organizzata che si è diffusa nel nostro, a metastasi. Oggi, mentre scrivo questa pagina, primavera del 1991, un giudice di Catania, tale Luigi Russo, ha assolto tutti i cavalieri del lavoro catanesi legati alla Mafia prendendo atto che la Mafia è dominante e invincibile e che per intraprendere nel Sud bisogna stare ai suoi ordini.

Le allergie uno non se le dà, gli vengono, e dopo quaranta anni di fallimenti, lo riconosco, sono allergico al Meridione, alla sua permanente incapacità di autoregolamentazione. La Mafia sarà potente, abile, invisibile, impunita, ma possibile che a nessuno o a pochissimi nel Sud sia venuta la voglia di spararle contro, di dirle basta? Passo per un razzista e forse lo sono come lo son tutti, verso il diverso. Ma qui non si tratta di razzismo, Milano è per metà abitata da meridionali che hanno accettato la cultura dei paesi avanzati. Ma se scendo al Sud vedo che la cultura meridionale resiste anche fra i migliori: o fuggono o si riavvolgono nel vecchio bozzolo. A Napoli ho degli amici simpatici, colti, molto meglio come teste di noi allobroghi, ma viene sempre il momento che mi tornano allergici. A uno che mi porta in auto per la città dico: «Guarda che stiamo andando in senso vietato». «Vietatino,» dice lui «vietatino.» Per lui la legge è una vecchia zia che te le perdona tutte, perché sei così simpatico, così furbo. A Roma o sono tutti dottori potenti e influenti o tutti ti danno del tu e ti chiamano per nome. Vado nella redazione de «la Repubblica» ed è tutto un «chiamami Livio, mi diceva Eugenio, adesso sento Marco, questo lo affidiamo a Fiorella». Ma cosa siamo, un grande giornale o una filodrammatica di paese?

I meridionali di Milano, di Torino sembra che li abbiano passati, come le auto di Mirafiori, per i bagni e gli essiccatoi della verniciatura, vengon fuori come l'ingegner Gabrielli, il direttore della Fiat Avio di cui i colleghi dicevano: «Non è vero? Sembra proprio un piemontese». Ma se stanno giù non si liberano della retorica umanistica che non posso certo descrivere qui in due parole, ma che si riconosce come un odore di stantio, come qualcosa fuori dal mondo. Quando è uscito il mio pamphlet *La disunità d'Italia* ho ricevuto centinaia di lettere e di recensioni, dal Nord come dal Sud, ma come se fossero due mondi non comunicanti, due modi di pensare diversi. Al Nord approvazioni o dissensi vertevano sui fatti, sulle cifre, sulle analisi economiche, ma chi scriveva dal Sud aveva questa priorità assoluta di farmi capire, come preambolo, che in fatto di intelligenza, di cultura filosofica vichiana o crociana, di economia politica nittiana o salveminiana lui era molto, ma molto meglio di me; seguiva di prammatica una lunga, dotta dissertazione sulla metodologia, sulle differenze che esistono fra storia e giornalismo, fra il libro oggetto e il libro cultura. Quindi venivo rimandato a saggi, interventi, pubblicazioni universitarie incomparabilmente più acute e serie del mio libretto e come avviluppato dalle loro distinzioni e contraddizioni. Va da sé che i numeri della criminalità, della sanità, dei latitanti, dei miliardi dissipati, dei lavori non finiti, dei deputati con carichi penali pendenti eran considerati banalità su cui il pensiero greco

dei recensori non indugiava. Qualche ironia sul mio pie-
montesismo, qualche lazzo sul mio razzismo e il lavoretto era
compiuto.

La cultura meridionale è fuori dal mondo industriale,
fuori dall'Europa, ma sta diffondendosi in Italia perché l'ha
fatta sua il mondo politico. I partiti puntano sul Sud non solo perché al Sud nascono più italiani che al Nord, non solo
perché ci saranno più voti, ma perché la cultura del Sud si
adatta al notabilato politico, alla vita come frutto di relazioni
e di interventi personali, di concessioni, non di diritti, di favori, non del giusto o del dovuto.

Passo anche per un sostenitore della Lega lombarda: il
suo leader Umberto Bossi mi ha offerto un collegio senato-
riale e l'ho ringraziato ma ho detto di no, perché non ho fatto e non farò politica e perché non so dove finirà l'onda di
piena della Lega lombarda. Non è la sua rozzezza e giovinezza e schematicità che mi spaventano, i movimenti politici na-
scenti sono sempre stati così, torrenti in piena. È che non capisco come i localismi che si manifestano in ogni parte del
mondo industriale possano collocarsi nella sovrannazionali-
tà del mercato. La storia del mondo va troppo in fretta perché si possa giudicare, scegliere appena appare il nuovo. C'è
anche molta confusione culturale, molta disinvoltura culturale davvero, non saprei dire in che misura la mia cultura sia
occidentale, cristiana, europea, italiana, postindustriale, ma
mi basta sapere che sto bene, che mi sento affine all'Europa
che ha le Alpi per cerniera. Siamo in molti a sentirla così da
quando l'Europa delle Alpi ha rinunciato alle guerre; prima
delle leghe sono state le Camere di commercio, i giuristi, i
sindaci, gli ecologi, gli autisti dei Tir, insomma la gente padana a riallacciare i legami della patria alpina: Savoia, Valle-
se, Grigioni, Voralberg, Tirolo, Friuli, Trentino, Lombardia, Piemonte, Provenza, Delfinato. Il Sahara o le isole Vergini sono terre affascinanti, ma non è male salire da Sondrio
al passo del Maloja, scendere a Saint-Moritz, arrivare nell'altipiano bernese – i portici di Berna a volte basse, identici a
quelli di Cuneo vecchia – sicuro delle piccole cose, dell'ordine di cui è figlia la vera libertà, nessuno che ti ruba sul con-

to, che ti svuota il portabagagli, strade ottime, i musei aperti, i paesaggi intatti e se attraversi un prato di erba alta vicino a Coira due bambini ti corron dietro gridando finché esce da una casa il contadino e italicamente vorresti prenderli a calci nel sedere, ma no, sono bravi ed è bravo il contadino a farti pagare cinquanta franchi di danni, l'erba sua non è la tua erba.

La patria alpina è la terra dei valichi. Erano aperti nell'Ottocento, sono tornati aperti e sono ancora per noi la speranza, la fine della fatica, l'avventura. Ho visto le fotografie degli spazzacamini che partivano a piedi da La Salle o da La Thuile nell'alta Valle d'Aosta, salivano nella neve fino al Piccolo San Bernardo per affacciarsi ai grandi spazi della Francia, per andare a lavorare ad Annecy, a Chambery, con le fasce mollettiere a protezione delle gambe, con la voglia di lasciarsi dietro la miseria, «bocia» di quattordici, sedici anni. Salgo spesso in primavera al passo con gli sci da fondo: quando c'è molta neve vien fuori, delle statue del santo, una mezza aureola o un braccio con il crocifisso impugnato a indicare la terra promessa, la Savoia e più avanti la Borgogna, la *douce France*.

Ho visto nascere i nuovi passaggi ipogei o aerei. Mi chiamò il maggiore Lamberti degli alpini, grande architetto di funivie, nel '48 o giù di lì a vedere come si calava la fune portante dalla Aiguille du Midi a Chamonix. La notte nella baracca del cantiere a tremilacinquecento metri un cerchio di ferro mi stringeva la testa; il grande gomitolo della corda era arrivato per elicottero; vidi le guide di Courmayeur calarsi giù per la parete precipite con il cavo guida, un cavo leggero a cui sarebbe stata appesa la portante. Quando la prima teleferica fu tesa dalla Aiguille a Chamonix ci appesero una cassa di legno con bordi alti dieci centimetri e quando ci montai mi sembrò di mettere i piedi nel baratro. Sui ghiacciai dell'Aiguille le guide-manovali portavano sciando putrelle d'acciaio da sessanta chili.

Passo per un amico della Lega, ma non è esattamente così, sono soltanto uno dei molti che non riescono più a capire la funzione dei partiti. Il socialista De Michelis che ha un suo disinvolto cinismo dice che «finita l'accumulazione primitiva del capitale», cioè la spartizione e la malversazione dei partiti, essi diventeranno onesti strumenti politici. Tutto può essere, ma purtroppo non ho più molto tempo da aspettare. Del resto chi scegliere in una nomenklatura che a forza di stare assieme, di rubar assieme, presenta gli stessi vizi? Restano alcune diversità nell'impudenza. Quella democristiana è sicura di sé, senza iattanza, senza vergogna. È venuto l'altro giorno a pranzo Vico, uno stilista amico di mia moglie. Era stato invitato per caso alla festa di insediamento di un barone dell'Iri e raccontava: «Sapete l'incredibile? C'erano tutti, ma proprio tutti i signori del partito, del governo, delle aziende di Stato, come per un raduno episcopale, per festeggiare nel vescovo appena promosso la chiesa politica. E c'erano anche tutti i loro portaborse e segretari e aspiranti tali raccomandati da un prelato di Frosinone o da un onorevole di Pesaro. I signori del partito e del governo arrivavano sulle automobili blu dello Stato, guidate dagli autisti dello Stato, con i regali principeschi pagati con i conti di rappresentanza dello Stato. C'erano i loro figli e nipoti già tutti sistemati alla Rai, all'Inps, all'Efim, all'Istalstrade, all'Empals, non più con le facce da iscritti alla Fuci o da chierichetti, ma bellastri. E non erano lì solo per ingraziarsi un potente, erano lì come appartenenti alla grande famiglia che essendosi impadronita dello Stato negli anni Quaranta lo considera legalmente suo».

Gli altri poco diversi, uniti nella rete parassitaria dove hanno trovato impiego i mediocri, i leccapiatti, i capitani di piccolo corso, perché da noi, senza ferocia, senza sadismo è avvenuto come nell'Unione Sovietica, alla politica si sono dedicati i peggiori, magari furbi e furbissimi e onnipresenti, ma privi di senso dello Stato, senza dignità. E magari anche nel resto del mondo avanzato, dagli Stati Uniti al Giappone, la razza politica non sarà molto meglio, ma a me non piace quella che mi ritrovo in casa.

C'è qualcosa di breznevviano nella nostra politica, i leader dei partiti son diventati dei padrini, dominano i loro partiti perché controllano gli affari, perché hanno i soldi. Attorno a un personaggio come Andreotti si aggirano dei faccendieri come Sbardella o Ciarrapico di cui nessuno sa bene come hanno fatto le grandi fortune di cui dispongono. Non si sa neppure se i soldi sono loro o delle banche di Stato controllate dagli andreottiani da cui ottengono tutti i prestiti che vogliono garantendoli con ciò che acquistano. Ciarrapico ha comperato le terme Fiuggi e ora compra la Roma calcio mentre sarebbe disponibile a comprare anche la Mondadori. E questo forse spiega l'unicità malavitosa dell'Italia nell'Occidente, spiega perché, come nella Russia di Breznev, da noi una parte della politica, della finanza, dell'ordine pubblico sia delegato alle mafie. Esse nascono e intervengono quando il potere legale non è più affidabile, confessabile, accettabile, quando è complice dei ladri e dei corruttori. Allora esso si muove per mascherature, ricorre alla magistratura perché lo assolva dai suoi ladrocini e metta sotto accusa i suoi critici e affida alla Mafia i grandi affari illeciti, la usa per ricattare, terrorizzare quanto resta dello Stato di diritto. Ci sono leader di partito come Craxi senza i quali non muove foglia. A chi si domanda come mai il partito socialista che era il più composito, quello con più teste sia diventato un monolito, la risposta non può essere solo quella delle capacità politiche di Craxi, ma il fatto che egli è il padrone, quello che tiene i cordoni della borsa. Questa Italia, al Sud come al Nord, è sempre, ad un tempo, piano nobile e sordida cantina, società civile, moderna, produttiva e parassitismo che si autoconserva.

Sono sopravvissuto alla tragica e vergognosa fine del fascismo, i nazisti non ce l'hanno fatta a impiccarmi o a gasarmi, ho vissuto abbastanza per veder finire nella merda, senza rimpianti, senza orgoglio, la massima impostura del secolo, il comunismo, e non conto di vivere così a lungo da veder presi a calci nel sedere gli uomini dei partiti che dopo avere distrutto, svuotato, decomposto la prima Repubblica stanno riformandola pur di restare al potere e sarebbe come riformare la palta cambiando i contenitori. Però mi piacerebbe veder messi una buona volta alla porta gli ometti messi dai partiti ad amministrare municipi, ospedali, banche, teatri, tutto, come un rampicante gigantesco cresciuto sopra i produttori, come funzione di una non funzione, come occupazione fine a se stessa. Ma, si dice, un perché ci sarà. Ma certo che c'è, come c'è stato in tutte le pagine feroci o mediocri del vivere sociale, il solito perché, la biologia politica, una pianta che nasce buona e diventa cattiva, una pianta che nasce per salire al cielo e invece ramifica negli stagni paludosi.

Questa politica non mi è sembrata di alcun interesse giornalistico nonostante il peso e il fascino del potere. Ed è la ragione per cui negli ultimi anni ho trovato spesso una ragion d'essere come giornalista occupandomi d'altro, del terziario avanzato, della ricerca, delle mutazioni tecnologiche, di come esse risolvevano i conflitti della società di classe. Trovando anche negli anni di piombo, mi pare di averlo detto, la voglia di vivere, di inventare, di creare, dei produttori intelligenti.

Ne ricordo alcuni. Uno si chiama Lazzaroni, è nato a Quargnento nell'Alessandrino, ha cominciato da panettiere, poi si è messo nei flipper, che sono l'asilo dell'elettronica e quando lo incontro nell'aprile dell'80 è il padrone della Dea, la fabbrica di Moncalieri da cui escono delle misuratrici che arrivano al millesimo di millimetro, sono grandi come una casa, costano dieci miliardi, pesano centinaia di tonnellate ma si spostano su un tappeto d'aria come se fossero senza peso, mosse da un motorino che sta dentro un bicchiere metallico. In una stanza a vetri ci sono una ventina di cinesi, in quella accanto quindici russi, lì per imparare a manovrare i mastodonti. «Quando è morto Mao» dice Lazzaroni «i cinesi piangevano e i russi canterellavano. Sa cosa capita ai nostri montatori quando vanno in Russia? Vanno a prenderli all'aeroporto, li portano nella centrale nucleare, il pullman si ferma davanti a una casa in muratura, li fanno entrare per una porticina, dentro devono montare la macchina, dentro una casa, capisce, perché nessuno veda.»

Ciò che non ti aspetti è che questi produttori-inventori hanno la stessa idea fissa, la stessa utopia: risolvere con la tecnica i rapporti di lavoro, abolire l'operaio come oppositore sociale. Nelle sue macchine Lazzaroni cerca l'operaio perfetto, l'operaio inesistente e un po' lo ha trovato, sopprimendolo. Mi porta a vedere l'ultimo dei suoi robot, dice a un ingegnere che ci segue: «Togli quella coppiglia», l'ingegnere toglie, arriva al robot il pezzo senza coppiglia, il robot lo afferra con uno dei suoi bracci, lo alza, lo mette sullo stampo, sta per punzonarlo ma si arresta di colpo, guarda, annusa e poi seccato rispedisce al mittente il pezzo senza coppiglia e ne prende un altro regolare. «Hai capito dutùr? Questo lo puoi tenere in una stanza senza luce, senza riscaldamento e lui ti lavora giorno e notte, anche il sabato e la domenica, a una velocità che è trenta volte quella di un operaio e non va mai a fare la pipì, a mangiare, non si beve mai un cicchetto, non si fuma mai una sigaretta. Va bene che i clienti quando lo vedono dicono, per tirare giù il prezzo, che i loro operai sono tutti stakanovisti, ma io un fenomeno così non me l'ero neanche immaginato.»

Già, l'idea fissa di tutti i produttori-inventori è di far scomparire non solo la lotta di classe, ma la classe operaia. Prendi uno come l'ingegner Sartorio che incontravo a villa Bauducchi sulla strada fra Torino e Villastellone. Parlava come uno di Potere operaio, come Negri, come Piperno, solo che invece di sabotare inventava. Lui diceva: «Il Sessantotto è stato la fine del mondo. E molti, anche lei mi pare, non lo hanno capito. Da quell'anno la gente rifiuta l'abbrutimento dei modi di produzione, ma invece di cambiare radicalmente siamo ricorsi ai pannicelli caldi: le famose isole, qualche trasferta flessibile un po' di immigrazione dal Terzo Mondo ed esportazione di produzioni nei paesi senza sindacato. Senza capire la cosa fondamentale: l'uomo è fatto per inventare, non per produrre. Sa cosa pensavano alla Fiat dell'Ufficio collaudi che dirigevo? Che non eravamo produttori e che perciò era inutile darci dei soldi per migliorare la qualità delle macchine. Quando lo proposi all'ingegner Fiorelli lui mi disse: "Sartorio, la Fiat fa automobili, non macchine da collaudo"». E come quelli di Potere operaio o delle Brigate rosse si erano anticipati nelle loro organizzazioni clandestine una parvenza di comunismo, una sperimentazione di creatività rivoluzionaria, così Sartorio aveva messo assieme a villa Bauducchi, alla Prima progetti, venti ingegneri che inventavano, senza orario, quando gli faceva comodo, ma stando dentro i programmi, macchine intelligenti, laser per tagliare tessuti e carrozzerie, cucitrici a controllo numerico, tutto meno che il tergicristallo che, ammetteva Sartorio, «è più difficile della fusione nucleare». Ma nel cortile di villa Bauducchi becchettavano oche e galline perché, riconosceva Sartorio, «i costruttori di macchine intelligenti vogliono che comunque siano a misura di gallina».

Fra gli estremisti degli anni di piombo e i produttori-inventori c'era un comune punto di partenza: la complessità del capitalismo avanzato, l'intuizione che la società di classe scompariva o mutava fortemente, che il lavoro manuale veniva man mano sostituito da lavori intelligenti. Diverse le risposte: i primi sparavano, i secondi inventavano; i primi rifiutavano le isole di vita, la società segmentata del capitalismo moderno, i secondi vi trovavano nuovi collegamenti, scoprivano i rapporti fra tecniche e gruppi produttivi o inventivi che sembrano andare ciascuno per conto loro, e cercavano di tornare a misura d'uomo, a misura di gallina, reinventavano nel gigantismo industriale un artigianato elettronico, informatico. L'uomo misura di tutte le cose, dalla filosofia greca a Le Corbusier alla Prima progetti di villa Bauducchi. Anche l'auto a misura d'uomo. Chiedevo a Giorgio Giugiaro, il grande stilista di automobili, perché avesse fatto la Panda più alta delle altre automobili. «Perché non mi piace stare in vaschetta» diceva. «In vaschetta?» «Ma sì, la lamiera incavata a vaschetta su cui poggiano i piedi gli automobilisti per guadagnare un po' di spazio verticale. Ma lei a casa sua siede in vaschetta o sul piatto? E non cammina sul piatto? E allora perché non deve essere piatta anche l'automobile? E si può farlo, basta alzare le automobili. L'ultima cosa a cui pensano i produttori è ai desideri dei consumatori. Sa perché l'Alfasud andava bene per gli automobilisti alti, e male per i piccoli? Perché l'ingegner Rusca che l'aveva progettata era alto uno e ottanta.»

Le fabbriche anche a misura dei ricci e dei cani randagi, di tutto ciò che di antico resta nella vita degli uomini. Passavo nel nuovo stabilimento Fiat di Cassino e il direttore mi confidava: «Abbiamo dovuto comperare dei ricci per dar la caccia alle serpi che scendono dalle colline pietrose. Poi c'è stato il problema dei cani randagi che vengono ogni giorno all'ora del pranzo per prendere gli avanzi, cosa avrebbero fatto durante le ferie di Ferragosto? Abbiamo provveduto. Poi trovo che nella proposta sindacale per il nuovo contratto ci sono anche i reggiseni e le mutandine per le settecento operaie. Cristo, che devo fare? Assumere delle sarte per prendergli le misure?». Gli feci la domanda che fa ammutolire di angoscia i nostri produttori d'auto: «E i giapponesi, ingegnere, quando arriveranno?». «Cosa vuole, quelli sono speciali, pronti a tutto, anche a lavorare così allo stretto che si danno le martellate sulle palle.»

I produttori-inventori non avevano paura della rivoluzione e dei rivoluzionari perché erano convinti che la rivoluzione, quella vera, la facevano loro. Mi diceva Sergiot Rossi, quello del Comau che mi faceva sorvolare l'Italia sul suo Mystere: «Quando sono arrivato alla Nebiolo mi dissero che c'erano sei gruppi di extraparlamentari, sei gruppi di estremisti. Io dissi: se ci sono è perché non si divertono a lavorare, se vogliono fare la rivoluzione è perché questo modo di produrre non li soddisfa. Il lavoro interessante c'è, basta far le cose con un po' di buon senso. Il guaio è che gli imprenditori sono quello che sono, non i maghi che pensa la gente. Ci trovi il fesso, il matto, il megalomane, quello che salta in groppa a un'azienda come se fosse su una Honda da corsa. Oppure ci sono quelli che risparmiano il necessario, quelli che fanno delle macchine cattive e son tutti contenti perché le vendono e non sanno che a comperarle sono quelli che non le pagano».

Nel nuovo che ho conosciuto negli anni Ottanta ci metterei anche la televisione commerciale di cui credo di essere stato, in minima ma non minimissima parte, responsabile. Era il maggio del '79 quando si cominciò a parlare di un certo Silvio Berlusconi che aveva creato una città satellite, Milano 2, e una televisione. Lo intervistai. Berlusconi è un uomo di aspetto gentile, uno a cui è andata troppo bene nella vita perché possa anche permettersi di essere melanconico. Però uomo di lunga presa, di lunga memoria. Così rompe subito gli indugi: «Senta, otto anni fa ero nel mio ufficio, apro "Il Giorno" e ci trovo un articolo di Giorgio Bocca. Parla di Milano 2 e di questo Berlusconi mai sentito nominare che deve aver fatto i soldi non si sa bene come, insomma un avventuriero da prender con le molle come l'Ambrosio, l'amico di padre Eligio, finito in galera». «Già,» lo interrompevo un po' impacciato «ricordo, scrissi che questo sconosciuto Berlusconi faceva miracoli, riusciva a dirottare da Milano 2 gli aerei in partenza da Linate, per vender meglio le case.» «Mi lasci finire. Leggo e rimango lì seduto a pensare: ecco, uno può lavorare onestamente per vent'anni, venir su dalla gavetta, guadagnarsi la stima di banchieri seri come i Rasini, fare dell'urbanistica nuova, mettere su un'azienda sana, ma se non è conosciuto dai signori giornalisti lo trattano come uno che fa il gioco delle tre carte all'angolo della strada.» «E così» lo interrompevo «lei ha risolto il problema comperando "il Giornale Nuovo" di Montanelli e iniziando con Telemilano la sua avventura televisiva. Sembra un film di Orson Welles.» «No, ho semplicemente capito che in questa società di informazione pervadente non ci si può nascondere in villa come facevano gli imprenditori lombardi fra le due guerre, bisogna darsi un'immagine, fabbricarsi un'immagine e imporla alla gente.»

Stare nell'orbita di Silvio Berlusconi non è proprio come stare in *Citizen Kane* di Orson Welles. Berlusconi è meno decifrabile del mitico Hearst, il fondatore delle catene giornalistiche, meno traducibile in personaggio letterario, diciamo difficile da raccontare. Eugenio Scalfari ha scritto del mio rapporto con Berlusconi: «Non si riesce a capire perché, ma con Berlusconi Bocca fa eccezione, non è conflittuale, se ne è innamorato». L'amore non c'entra, neppure l'affinità di interessi, di modi di pensare. Semplicemente ho ritrovato in Berlusconi il vecchio Angelo Rizzoli, la sua vitalità contraddittoria e ottimista, il suo dispotismo democratico, un populismo tanto sincero quanto propizio ai buoni affari. Una specie che si incontra solo a Milano, città pragmatica e pacifica, policentrica e mediatrice, una specie dotata di una volontà di potenza e di un intuito eccezionali, di uomini fatti da soli che potrebbero diventare quei rompicoglioni assatanati che seminano infelicità e morte e invece conservano un amore per la loro città, la loro gente e si accontentano di moltiplicare i pani e i pesci, di fare i miliardi ma senza essere odiati.

Un giorno dicevo al suo braccio destro Fedele Confalonieri che fra Berlusconi e me c'erano troppe differenze di vita, di testa e lui tagliava corto: «Non importa, fra voi c'è il *feeling*». Già, con Berlusconi non c'è soltanto il rapporto di lavoro, c'è anche il *feeling*, le affinità elettive che lui può volgere al plagio. Ho conosciuto dei collaboratori di Berlusconi che mi guardavano fisso come per annunciarmi una dichiarazione definitiva e poi dicevano: «Per me Berlusconi è un dio». Sì, ho conosciuto un sacco di gente che per il *feeling* con questo incantatore è disposta a tutto, anche a non accorgersi che consiste nel seguirlo, nell'obbedirlo. Ho conosciuto molti che aspettavano le sue *conventions* – l'inglese manageriale è di prammatica alla Fininvest – le sue riunioni aziendali come una Pentecoste, come l'illuminazione dello Spirito Santo.

L'incontro di Berlusconi con la televisione è stato come quello di un leone con l'antilope, di un musicista con un clavicembalo o un violino, è stato l'incontro di un persuasore nato con il massimo strumento della persuasione. Berlusconi è intelligente ma anche popolare di istinto, può stare con quelli che hanno letto, studiato, coltivato il gusto, ma resta in lui una capacità fisica di captare i gusti popolari, di mettersi all'unisono con la gente qualsiasi. Lui sa che la televisione «ha il fascino primordiale della stupidità» ed è un maestro a combinare le varie fabbriche della stupidità, ma è anche uno che sa ricavarne la lezione professionale; le sue osservazioni da autodidatta sul modo di fare televisione, scritte nei giorni in cui passava la vita nei laboratori sotterranei di Milano 2 a imparare il come si fa, sono essenziali, una breve ma penetrante lezione di psicologia popolare.

Fino ad oggi, nonostante la grande espansione e diversificazione aziendale in Italia e all'estero, Berlusconi ha mostrato una capacità unica ad essere il boss supremo – quello che decide tutto, anche il modo di vestire delle ballerine – quanto irreperibile, onnipotente quanto inafferrabile. È come se Luigi XIV, il Re Sole, si coprisse dietro un paggio Fernando: ci sono sempre dei giovanissimi direttori di palinsesto, che sarebbe il programma delle trasmissioni, che si assumono la responsabilità di sceglier quello che ha scelto lui, e di rispondere delle scelte sbagliate perché non sia intaccato il mito della sua infallibilità. Si possono passare degli anni lavorando nelle sue reti, come li ho passati io sia pure un po' dall'esterno, senza sapere esattamente che gente c'è fra lui e voi.

La televisione commerciale naviga sulle sabbie mobili del gusto popolare e chi la fa ha trovato nell'Auditel, la macchinetta che controlla l'ascolto, una copertura definitiva: non ci sono più uomini in carne ed ossa, con cervello e carattere, che danno i voti; i voti li dà soltanto il controllo della audience. Che poi l'ascolto in televisione dipenda in buona o in massima parte dall'ora, dall'importanza della rete, dalla ripetizione, cioè da tutto ciò che il padrone editore può decidere, non importa, l'Auditel viene usato come il responso della Sibilla, come una verità oracolare.

Non mi sono innamorato di Berlusconi, mi sono semplicemente stupito, divertito, in un mondo che rende grigi gli uomini, di ritrovare in lui l'innocenza, la felicità di chi vive i suoi difetti e le sue virtù come se ogni cosa che gli appartiene per ciò stesso fosse ammirevole, godibile. Non ho mai sentito uno mentire in modo più innocente e convinto. Venne una sera a cena a casa mia e fu molto *charmeur*, molto amichevole. Aveva da poco cancellato tutte le *news*, l'informazione seria dalla rete più importante, Canale 5, confinandole in Rete 4, la meno seguita delle tre reti, quella che sarebbe stata venduta se la legge antitrust lo avesse imposto. Nessuno di noi, badate bene, gli contestava il diritto di fare ciò che voleva nelle sue tre reti, ciascuno di noi era libero di restare o di andarsene ma a lui questo non interessava, lui doveva convincerci che Rete 4 era la migliore delle reti possibili, che sarebbe stata la rete culturale del gruppo. E aveva già dettato i palinsesti zeppi di filmetti rosa, di telenovelas, di quiz. E allora? Allora voleva, come un grande prestigiatore, provarsi a farci vedere bianco ciò che era nero e anche essere cortese, mandarci a letto con una visione ottimistica del lavoro, e io riconoscevo nelle sue parole la filosofia di un mio zio Umberto emigrato in Argentina, tornato vecchio a Cuneo: «Bon bon tutto si aggiusta».

Ci sono due fabbriche della televisione commerciale: una a Milano 2 dove si producono i servizi speciali, le inchieste e i telegiornali, ed è un educandato rispetto a Cologno Monzese dove si registrano gli spettacoli, ci sono i grandi teatri e la televisione vera. Ci sono andato nel novembre del 1990 per partecipare a «Un Natale tutto d'oro», la presentazione dei programmi invernali. Sono l'unico in normale abito grigio, tutti gli altri sono in smoking che, come dice Silvio, «fa parte della nostra filosofia», come le divise dei giocatori del Milan, come i doppi petti blu dei dirigenti, l'immagine del benessere, del successo, delle certezze lombardo-americane che devono sedurre il pubblico delle casalinghe in ascolto nelle grandi periferie metropolitane. E davvero sembra di essere a una *convention* americana per una elezione presidenziale: arrivi, e guardie in perfetta divisa azzurra, a metà fra il poliziotto e l'aviatore, ti danno un *pass* da appendere al bavero e ti indicano il numero del camerino. Per farci che, nel camerino? Ma come, da dove arriva lei, han l'aria di dire, il trucco, il parrucchiere. «Dottor Bocca, prego, camerino 272.» Una hostess in gonnellino nero e paillettes, calze di seta nera, capigliatura a treccine africane, un sedere così in carne che potresti appoggiarci sopra un bicchiere di aranciata, mi accompagna al camerino 272 dove c'è già Guglielmo Zucconi che, essendo più spelacchiato di me ma ligio ai doveri professionali, si sta facendo cotonare da una parrucchiera quei pochi capelli che ha. Poi arrivano i truccatori e non c'è possibilità di resistere, nella produzione a catena delle televisioni ognuno deve giustificare il suo stipendio e non solo il suo stipendio, anche il sentimento gratificante della partecipazione, c'ero anch'io al «Natale tutto d'oro», ho avuto anch'io la mia parte. Nei giornali come nelle televisioni c'è un sacco di gente pagata a illusioni, a complimenti, e poi è sempre meglio andare in giro in minigonna per gli studi televisivi fingendo di essere un'attrice che stare in un ufficio Fiat o alla catena dell'Alfa.

Ci truccano e ci infarinano, andiamo al bar, sembriamo dei clown da circo chapliniano, guardati con rispetto filiale dalle belle e bellissime che portano in giro i loro seni prorompenti e i loro sorrisi di fanciulle felici di essere approdate nel grande Barnum dove gaiamente si incontrano ballerine, equilibristi, maghi, comici, imitatori, presentatori messi in ordine da quelli del programma, tesissimi, con radiotelefoni portatili per tenersi in contatto con gli elettricisti, i cameramen, e Gerry Scotti gran maestro della cerimonia. Tutti vecchi compagni dell'opera: «Ciau Bocca, come va?», «Ciau Boldi», «Ciau Greggio», un sorriso a Susanna Messaggio, la soubrette che ha in testa un trionfo di frutta e di gioielli finti. Non ci sto solo quando tocca a noi delle *news* entrare in scena e mi vedo affiancato da due bellone seminude. «Ma voi che fate?» chiedo. «Dobbiamo fingere di sollevarvi ed entrare correndo in scena.» «No, per favore.» Se ne vanno seccate, ma cosa crede questo vecchietto, fa il prezioso, dove le trova due accompagnatrici così?

La sala è gremita dal finto pubblico dei pubblicitari della Publitalia che è la vera direttrice dei palinsesti, perché è lei a premere affinché siano dati nelle ore migliori i programmi più graditi al grosso pubblico, e dunque ai pubblicitari che guadagnano i premi di produzione nel giro vorticoso e ossessivo di questa gran macchina di stupidità e di soldi. I pubblicitari applaudono tutto e quando arriva Silvio è un'ovazione, e lui che vuole tirarli su di morale, perché la stagione pubblicitaria ha un po' il fiato corto, gli spiega come si fa a convincere la gente, gli racconta della volta che si trovò in treno proprio di fronte al ministro che voleva oscurargli le reti e alla fine del viaggio si era pentito, era diventato un amico del biscione, il simbolo visconteo dell'azienda. Silvio che mi ha visto fra la folla corre a salutarmi e mi mormora: «Ci vedremo presto, ho già fissato la data sulla mia agenda, dobbiamo fare i telegiornali, ho proprio bisogno di parlarti». E io so che non è vero, che lo vedrò nei prossimi mesi solo alla televisione, quando i cronisti sportivi lo interrogano sul Milan di cui è il presidente.

Il suggestivo della televisione è la sua dissipazione, il suo vuoto miliardario: migliaia di persone che lavorano per mesi a programmi destinati a spettatori stanchi, casuali, ignoranti, spettacoli di evasione per masse già abbondantemente alienate dalla routine dei lavori cretini. Nulla è più lontano da un giornale di un telegiornale, nulla più lontano da un saggio, da un libro dell'informazione televisiva. Il ritmo è l'essenza, la necessità della televisione, come lo è di un balletto, di una musica, di una gara di canottaggio. Senza ritmo la televisione è inguardabile, soporifera. Ma il ritmo è sesso, istinto, corrispondenza con le sfere celesti, non pensiero, non informazione. Per il ritmo ogni discorso serio viene troncato, sincopato. La televisione, poi, è avida e divoratrice, per sostenere la richiesta incessante, ventiquattro ore su ventiquattro, delle masse diventa un commercio di promesse mantenute a metà, di scampoli, di cose disomogenee che il montaggio mette comunque assieme e che vanno comunque bene, perché la gente non ha ancora cessato di stupirsi per il miracolo di questo schermo casalingo su cui compaiono immagini e colori, musiche e voci. Siamo ancora in parte all'effetto Lumière, all'ammirazione che circondava i primi filmati, qui all'ammirazione per la casalinga scatola magica che ti mette in contatto con l'universo mondo.

Una volta mi hanno fatto improvvisare un'inchiesta sul terrorismo mondiale da contrapporre all'inchiesta di Zavoli sul terrorismo italiano che appariva sulla televisione di Stato. Avevamo poco o niente in casa. Cominciamo a trattare con le mitiche reti americane e così scopro che c'è tutta una rete di pedaggi, di rendite di posizione, di mafie che controllano il mercato dei prodotti televisivi. Il nome di un libanese, che ha avuto per primo l'idea di fare il rappresentante di commercio televisivo, diventa allora decisivo, l'«apriti Sesamo»: telefona a Jallud, senti cosa può fare Jallud. Ovviamente Jallud è un mercante di tappeti, promette ciò che non ha, passano i giorni e il materiale non arriva e quando arriva manca il parlato, o arriva ma sono dieci cassette sulle lotte tribali nell'Uganda. Ma c'è la produttrice capa, la Dede Cavalleri, che è lì per non perdere la testa, per non perdere la calma. Anche lei, che è arrivata qui come me dalla provincia cuneese, deve pensare come mio zio Umberto che «bon, bon, alla fine tutto s'aggiusta», alla fine si va in onda. E ci andiamo, mandando gente nostra a fare in tre giorni un'inchiesta sul terrorismo irlandese o basco, mettendo assieme esperti e brigatisti, e alla fine di due mesi infernali arriva il responso condiscendente dell'Auditel: bravi, non c'è male, avete fatto il sedici per cento di *share* di media dell'ascolto.

Cologno Monzese è un fabbricone di spettacoli, una grande fiera della finzione in cui tutti si incontrano, le comparse di un musical con quelli che hanno avuto il biglietto per fare la *claque* a Mike Bongiorno, attori e pubblicitari, una umanità che si stipa nei bar, nei corridoi bianchi, nel dedalo dei sotterranei, nelle improvvise aperture degli studio, caverne luminose, in questo complesso che sta fra il policlinico e il salumificio. Una sera passo in un corridoio su cui si aprono tanti stanzini e in ognuno c'è un signore vestito di blu con una valigetta ventiquattr'ore davanti a un televisore, pubblicitari che controllano le registrazioni pronti a chiedere urlando ripetizioni se uno che fa uno spot per la Lines pannolini ha pronunciato la parola umidità o bagnato.

La televisione è interclassista, è convivenza con tutti coloro che fanno parte della squadra: elettricisti, macchinisti, cameramen, registi, finti registi, tecnici del suono, truccatrici. Ce ne sono che ti guardano con aria annoiata, ti mettono sulla sedia e poi vanno a telefonare all'amica che sta in un altro studio e anche lei ha messo sulla sedia uno da truccare, e parlano e ridono e sanno di avere un loro effimero ma per ora effettivo potere, perché tutti sono in cerca della eterna giovinezza, tutti pronti a vender l'anima al diavolo, c'è un sentimento faustiano in televisione, i calvi vanno con il parrucchino, le quarantenni ridiventano fanciulle, ce n'è che stanno tre ore al trucco. E tutti che se fanno un errore, una stupidaggine, dicono che c'è stato «un errore tecnico», tutti che bobinano e sbobinano, aprono e chiudono i padelloni delle luci, passano dal *desk* alla sala riunioni perché bisogna lavorare in *team* e poi vanno a fare uno *stage* a New York, alla Cnn, e se un giorno avranno fortuna potranno essere invitati nella grande villa del «dottore» ad Arcore.

Non mi sono innamorato del «Berlusca», ma mi piace la sua estroversione, l'ingenuità che resta nella sua consumata scaltrezza, l'essere abbastanza forte per non saper nascondere le sue debolezze. Scrivo in un saggio sull'informazione che ha un complesso di inferiorità verso gli uomini di cultura e un giorno mi telefona, mi parla dei programmi, di come vanno le sue faccende con i politici e improvvisamente: «Sai come ti telefono? In punta di piedi, per vincere il complesso di inferiorità». Mette tutto se stesso dentro qualsiasi cosa faccia e le rare volte che ne esce perdente è davvero dura per lui. L'ho visto malissimo quando la cordata di Carlo De Benedetti è riuscita a cacciarlo dalla Mondadori. Per punirsi degli errori commessi, per la prima volta in vita sua si è fatto trenta giorni di vacanza nei mari dei tropici. Annoiandosi a morte.

Conoscere i produttori-inventori e parlar male dei partiti. E poi? E poi fare alcune osservazioni sul carattere di noi italiani, su quelli almeno che hanno rinunciato definitivamente allo Stato, al suo imperio, alle sue responsabilità e sono la maggioranza, direi. Probabilmente il patriziato romano ha esagerato nel chiedere ai suoi plebei le ferme militari di dieci, quindici anni e la guerra continua, forse i secoli delle conquiste sono stati troppi e la gente qualsiasi si è stancata di tracciare dovunque il decumano e la cinta muraria, le terme e i teatri, ma è chiaro che da secoli la maggioranza degli italiani è interessata unicamente al proprio «particulare» e al familiare, fermamente decisa a rifiutare gli obblighi delle alleanze e della guerra, con le ragioni più ipocrite e diverse. Scoppia la guerra del Golfo e le studiamo tutte per non andarci, anzi, per respingere anche solo il pensiero che potremmo andarci. Ci riscopriamo anticapitalisti, antiamericani, filo-terzomondisti, amici degli arabi, fedeli servitori del papa, ostili alla violenza. Riappaiono i giovanotti invecchiati di Potere operaio e di Lotta continua con i loro striscioni «No alla guerra dei ricchi contro i poveri», «No alla guerra per il petrolio», come se noi fossimo dei poveri che possono far a meno del petrolio, e si trovano subito d'accordo con le mamme e i generali-mamma e gli ammiragli-mamma, quelli delle Acli e di «Famiglia cristiana», de «Il Sabato» e di Comunione e liberazione, con tutti gli studenti delle medie che possono bigiare la scuola per uscire in corteo con le facce dipinte come gli indiani. Siamo di un'abilità somma nel trasformare un obbligo di ordinaria politica, di comune decenza politica, come il tener fede all'alleanza con gli Stati Uniti che ci ha salvato dalla sovietizzazione e dato il benessere, in questioni supreme sul significato e il valore della vita, sulla non violenza, sulla civiltà. Dimenticando che quel poco o tanto che abbiamo di civiltà lo dobbiamo proprio all'appartenenza all'Occidente.

Non stiamo mai, saldamente, onestamente da una parte, siamo sempre divisi tra «Francia e Spagna, por che se magna». Siamo un paese duale in tutto, Nord e Sud, guelfi e ghibellini, Bartali e Coppi, il Duce e il Re, il presidente della Repubblica e il papa. E come al principio del secolo c'è stata la dualità fra il partito tedesco e quello inglese e poi fra quello russo e l'americano, ora che c'è da sfuggire alla guerra inventiamo quello fra l'Amerika con il kappa e il Terzo Mondo e se occorre ci aggiungiamo il partito europeo, che va bene anche lui perché il Terzo Mondo è oltre il mare e l'Europa un governo e un esercito non ce li ha, così tutto si risolve in qualche gemellaggio con Lione o Amburgo e pranzi e spettacoli folkloristici a spese dei Comuni.

Giulio Andreotti è l'uomo simbolo di questa Italia, capace di fare il salto della quaglia da Bush l'americano a Gorbaciov il sovietico, pur di rimaner disponibile per il migliore offerente. Piacciono agli italiani le sue battute, il suo humour da usciere di ministero e da parrocchia, la sua furbizia. Il direttore della Longanesi Mario Spagnol me lo dice sempre: «Sai chi è per l'italiano il politico, il vero unico politico? Andreotti. Scrivi una sua biografia». Ma non ce la farei mai a rigirarmi in questa sua vita che sta fra la messa delle sette del mattino, le cure del governo e gli affari con i Ciarrapico e gli Sbardella.

Questa Italia non ha ancora digerito il Risorgimento laico e la Resistenza le fa orrore, non capisce noi azionisti figli e nipoti di liberali moderni e di radicali, preferisce i comunisti che almeno pensano da clericali anche loro. E detestandoci ogni tanto viene presa come da un desiderio di fogna, di mafia, di lercio, tutto ciò che è contro lo Stato di diritto e la sovranità della legge è meglio di noi, sono meglio i massoni della P2, quelli dei servizi segreti deviati, la giustizia ingiusta. Non è mutata fra questi italiani neppure l'abitudine ad essere contro, ma in silenzio, anzi fingendo di essere pro. Ricevo dai lettori migliaia di lettere che hanno questa immutabile struttura: anche se sono spesso in disaccordo con lei ho moltissima stima per lei perché spesso dice quello che io penso ma non posso dire. Che può essere così tradotta: sono un cittadino libero e indipendente che si riserva ampio diritto di dissenso, ma mi va bene che lei dissenta per conto mio che tengo famiglia e non voglio perdere il posto o i miei piccoli privilegi. Con questo sottinteso: nel nostro gioco tu fai la parte del bastian contrario, del battitore libero, perché sei uno nato con la camicia o un gran furbo anche tu perché te lo lasciano fare e tu lo fai in modo che ai potenti non fa né caldo né freddo.

È rarissimo che dietro questi consensi prudenti segua un movimento di opinione organizzato, operante. Ci ho provato qualche volta, ho provato a scendere in campo contro i padroni della città come Ligresti, contro giudici ammazzasentenze come Corrado Carnevale, si levava una nube nera di protesta, una nube gonfia di sdegno, ma sono bastate le punture di spillo delle quercle a sgonfiarle. «Bravo, fai bene a dirgliele» ti esorta il cittadino, poi quando prendi la querela fa finta di non conoscerti. Ne avrò avute centinaia di querele e alla lunga ho imparato a gettarle nel cestino. Ma se lo scrivo è un errore e dovrei saperlo da almeno vent'anni. Vent'anni fa o giù di lì comparvi davanti a un tribunale a Bari perché in un libro edito da Laterza avevo scritto che una guardia civica di Matera era stato collaboratore dei tedeschi e complice di una strage. Il suo avvocato tirò fuori dalle sue carte un ritaglio di giornale e gridò: «Eccellentissimo tribunale, signori giudici, sentite che rispetto ha di voi il signor Bocca, qui ha scritto che lui le querele le butta nel cestino senza neppure leggerle».

Prima che arrivasse il benessere, nell'Italia povera, sapevamo tener botta, sopportare con animo sodale e pazienza infinita emigrazioni e pellagra, dittature e invasioni, epidemie e carestie, convinti che alla fine ce l'avremmo fatta a piegare nemici e sfortuna. Il benessere è buono, la pace è buona, ma noi non siamo diventati nazione, non siamo società omogenea, noi continuiamo a credere che la furbizia sia meglio dell'onestà. Il fatto che Giulio Andreotti sia molto popolare fra di noi non è casuale. Lui è la nostra capacità camaleontica, la nostra ambiguità anguillesca. Avrò scritto le cento volte che per me uno come lui è il peggio del peggio, ma me lo sono ritrovato sorridente alla presentazione romana della mia *Storia della Repubblica*. Sorridente e capace di rimproverarmi di non aver scritto un libro su De Gasperi, lui che si è sempre rifiutato di parlarmene e di aprirmi i suoi archivi. Del resto non c'è anche in me, che faccio tanto il duro, la sottile voglia di trovare un *modus vivendi* con tutti? Il guaio degli antitaliani è di riscoprirsi più italiani di quanto non immaginassero.

Quando è morta mia madre nel 1976 ho capito che tutto ciò che avrei fatto non avrebbe più avuto un destinatario vero. Certo avrebbe avuto risonanze di amicizia o di inimicizia, di stima o di disprezzo, ma non più quel rapporto unico fra una madre e un figlio provinciali: è tuo figlio che ha fatto questo, il figlio che tu volevi facesse il prete o l'ufficiale effettivo, quello che tu volevi tenerti in casa dopo l'8 settembre del '43 e che se ne è andato con i partigiani, quello partito per Torino per l'avventura giornalistica. Ma tu eri l'unica persona al mondo che potesse capire sul serio cosa era stato per me andare all'avventura e per te seguirla, da lontano. Non lo dico tanto per dire, lo dico perché dalla morte di mia madre mi sorprendo continuamente a chiedermi: ma a chi importa veramente se faccio qualcosa? E anche se importa a mia moglie, ai miei figli, ai miei amici è sempre un'altra cosa, non ci sono dentro gli anni della neve e del fuoco, della allegra pulita povertà. Ed essendo morto anche Detto Dalmastro che mi ha fatto da padre, ho provato lo sgomento dell'ultimo della fila, l'ultimo a cui è stato passato il cerino acceso, che senza essere Ercole deve reggere il mondo sulle sue spalle. È dura, ma mi ha fatto anche ritrovare il coraggio per forza della guerra partigiana, il dover essere tu che scegli, rispondi, provvedi perché il più vecchio sei tu.

Da ragazzo tutti mi amavano, abbracciavano, sorridevano – sono stato fortunato, certo – tutti mi facevano doni, mi festeggiavano, mi aiutavano; nell'età media hai chi ti ama, chi ti è amico ma i più ti temono, ti invidiano, ti sorvegliano, ti usano, sono o nella tua cordata o sull'altra trincea; da anziano, se ti è andata bene, sei quello che deve dare senza chiedere o chiedendo poco, quello da cui tutti si aspettano qualcosa. E se dai quel che hai – il mestiere, le relazioni, i soldi – pensano, dicono, «bella forza, lui può». Questo non cambia il tuo carattere, se sei uomo di affetti, di tenerezze, di incertezze resti tal quale, ma ti fai prudente, amministri con più cura ciò che hai, ti adatti a capire che l'attenzione e gli affetti degli altri un po' te li devi comperare. Credo sia per questo che i saggi di Montaigne sono diventati la mia lettura preferita. Sono un viaggio nelle memorie e le memorie sono esenti dalla pirandelliana «morte dell'agire». Mi riconosco nel suo ragionare continuo su ciò che è stato, nel suo guardarsi dentro fra l'impietoso e il comprensivo, fra il finto modesto e le impennate dell'intelligenza, uomo che ama molto se stesso, che non è un cuor di leone, cui manca il coraggio o la follia delle esperienze estreme, ma che non sopporta di autoingannarsi, di cedere alle mode e alle consolazioni del suo tempo.

Negli ultimi dieci anni ho visto cambiare l'Italia, cambiare il mondo e finalmente anche per me si è colmata una lacuna: qualcuno ha cercato di corrompermi. Prima mai, desolatamente mai. Durante la guerra partigiana avevo come commissario politico un massone di Torino, un venerabile. Mai e poi mai che mi abbia fatto un'offerta, un invito allusivo a entrare nella massoneria. Mai che abbia avuto corteggiamenti di omosessuali, salvo la proposta affaristica di Blaky la jena, o inviti alla rapina o al furto. C'era stato nel '63, ora ricordo, un primo rapido impatto con la corruzione, ma così come un casuale incontro di strada, due che si urtano, si chiedono scusa e se ne vanno. Ero all'«Europeo», l'Eni di Mattei aveva tolto la pubblicità alla Rizzoli per certi articoli pubblicati da «Oggi», poi era intervenuto Nenni e la pacificazione doveva essere suggellata da un mio servizio sulla Persia dove Mattei aveva stipulato un accordo petrolifero con Mossadeq. Mi fecero incontrare con un alto funzionario dell'Eni, il professor Falaschini, che senza malanimo, come cosa naturale, mi informò che erano già pagati l'albergo, i biglietti dell'aereo, automobili, accompagnatori. Ebbi una reazione ridicola da

homme d'autrefois: «Mi spiace, ma non voglio collusioni economiche con l'Eni». Falaschini mi guardò come il bambin
Gesù, arrivato da un altro mondo. «Ma se li comperiamo
tutti i vostri giornali» disse e se ne andò lasciandomi come
un onesto salame.

Il solo vero, premeditato tentativo di corruzione l'ho avuto ora, alla tenera età di settant'anni, e mi ha eccitato più che
indignato, come se una bella ragazza mi avesse ancora cor-
teggiato. A Milano e a Torino conosco i grandi imprenditori
e gli uomini della finanza, quasi ogni anno faccio una inchiesta sulle vicende economiche, mi vedo spesso a pranzo con
banchieri o agenti di cambio, perciò non mi stupisco se uno
di loro un mattino mi telefona e, dopo avermi fatto un sacco
di affettuosi complimenti, mi dice che deve parlarmi, ma
non per telefono, la faccenda è delicata, perché non passo
nel suo ufficio? Ci ritiriamo in un salottino e ricomincia con i
complimenti: lui deve vivere in mezzo agli affari che, si sa,
sono quello che sono, ma quando mi legge è come respirare
dell'aria pura. Ma dove vuol parare questo? Lui dice che
vorrebbe fare qualcosa per dimostrarmi la sua amicizia, non
sa come dirmelo ma insomma vorrebbe farmi un regalo, un
regalo che a lui costa niente. Per smetterla con questa meli-
na dico: «Be', tu sei un esperto di finanza. Io ho qualche risparmio, se vuoi darmi qualche consiglio sul modo di inve-
stirli mi faresti un piacere». «Sì,» dice lui «ma non è così
semplice, non è che possa dirti "compera questo o quel titolo", il guadagno in Borsa lo si fa spesso durante una seduta,
seguendo le contrattazioni.» «E allora cosa dovrei fare, darti
i miei risparmi perché tu li possa giocare in Borsa?» «No, tu
non devi figurare in nulla, se no, capisci, le chiacchiere.»
«Scusa, fammi capire: io sto nel mio studio, suona il telefono
e tu mi dici "ci sono qui duecento milioni per te, ho comperato e venduto a nome mio ma per tuo conto." È così?» «Sì,
pressappoco, ma credimi mi farebbe molto piacere.» Non
sono per nulla indignato, ma eccitato e curioso. Se ha fatto
questa proposta a me vuol dire che l'ha già fatta e con successo ad altri colleghi. E se me la fa vuol dire che è convinto
che con noi giornalisti oggi è solo questione di prezzo. An-

che lui probabilmente sta facendo le sue fulminee riflessioni: «Ma allora questo è proprio uno che non ci sta. Be', se ci sta fra qualche giorno telefona. E se lo racconta in giro? Dirò che ha capito male, nessuno ci ha sentito». Mi accompagna alla porta, mi saluta amichevolmente, non l'ho più visto, ogni tanto mi fa dire da qualche comune amico che non capisce il mio silenzio. C'è parecchia corruzione oggi fra i giornalisti? C'è di sicuro una appartenenza dichiarata, di petto di alcuni a una scuderia finanziaria che è difficile spiegare solo con i princìpi. Ci sono esimi colleghi così schierati per questo o quel padrone da sembrar ricattabili.

Quando ho compiuto i settant'anni in buona salute ho avuto attestazioni di stima consone a un paese dove i personaggi della politica, della scienza e dell'arte sono così modesti o rari che persino un giornalista può avere pagine e fotografie, come se fosse una stella. Ma il successo vero, il successo che dà il potere, il successo per cui diventi per gli altri uomo di vita o di morte non avrei mai potuto averlo perché non ho mai avuto né i denti né lo stomaco per averlo. E sapete da che ne ricavo la prova definitiva, la conferma? Dalle fantasie, dalle immaginazioni con cui spesso cerco di conciliarmi il sonno.

Una è un rifacimento del Risorgimento a mia misura. Ho trent'anni e sono, non si sa perché, ma sono il duca di Cuneo e, come Emanuele Filiberto, ho dominio anche sulla Liguria e sulla contea di Nizza con porto militare nella rada di Villefranche. Sono, non si sa bene come, ma sono un principe assoluto ma democratico, a Cuneo si sono rifugiati i migliori spiriti, le più alte menti perseguitate da principi austriacanti e autoritari. Hanno nel mio principato libertà di stampa? Possono scrivere ciò che vogliono di me? Via, non mettiamo troppa carne al fuoco, occupiamoci di economia e di armamenti. Ho un'industria di guerra avanzatissima che produce cannoni e mitragliatrici che i Savoia di Torino e il Radetzky di Milano si sognano. Ma come ho fatto a finanziare la grande spesa del riarmo, la ricerca tecnologica? Be', ho sfruttato per primo i giacimenti di ferro algerini, quelli a cielo aperto, la mia flotta mercantile ha trasportato a Vado il minerale nelle fonderie e nei laminatoi a bocca d'acqua, carico e scarico sul mare. Il petrolio? No, lasciamo stare, neppure con la fantasia i pozzi riuscirei a scavarli. Alle grandi manovre invito lo stato maggiore dei Savoia, ai vecchi generali brillano gli occhi vedendo alla prova le mie armi, il generale Filiberto di Salmour, che ho preso in disparte, mi confida che il re Amedeo è un po' svanito, pensa solo alla caccia. Potrei attaccare di sorpresa, arrivare con due reggimenti di cavalleria a Superga, per le colline del Monferrato e poi, evitando Torino, piombare sulla reggia estiva della Venaria. Un convoglio di carrozze, una scorta, Amedeo rispedito in Savoia, Filiberto di Salmour che mi apre le porte di Torino, una convocazione degli Stati Generali nel salone di Palazzo Madama. E se quei tangheri di aristocratici torinesi si dichiarano fedeli ai Savoia? Alzo l'albero della libertà come Napoleone? No, un duca di Cuneo non può. Un'idea: sposo la figlia di Amedeo e mi faccio dare il comando delle forze armate riunite. E Ottone, il principe ereditario? Pugnale o veleno? Ma i denti e lo stomaco dell'uomo di potere non ce li ho, mi riduco a sperare che muoia di incidente o di malattia ma la fantasia avvizzisce.

Cambiamo il piano. Prima attacco gli austriaci nel basso ventre del loro schieramento fra Voghera e Piacenza, punto su Lodi, Radetzky è già in fuga verso Verona, si rifugia nel Quadrilatero e allora che faccio, bombardo Verona con i miei grossi calibri da 380, rado al suolo Mantova? Anche il Palazzo Ducale? Rimandiamo l'attacco alla pianura padana, pensiamo a una espansione marittima. Controllo la produzione dell'acciaio, i miei scienziati hanno costruito la prima macchina a vapore; perché non facciamo le navi corazzate? E poi? Arrivo a Tolone e affondo tutta la flotta a vela dei francesi? Piombo su Gibilterra e faccio strage degli inglesi? Mi sta venendo il sonno e non ho ancora deciso niente. Sono il duca di Cuneo, ho il mio comando nel Palazzo di Città, proprio sotto la torre con le campane, certe sere di neve esco avvolto in un mantello nero, passo in incognito per le osterie, sento ciò che dice la gente, mi bevo un vin brûlé e poi?

Di fantasticherie ne ho altre due o tre, ma arriva sempre il momento che mi trovo senza denti e senza artigli, per il salto decisivo. Non ha funzionato neppure la scoperta del tesoro, la miniera d'oro longobarda che ho trovato per caso nell'orrido non lontano dalla mia casa di montagna a Beillardey: una vena d'oro e scrigni pieni di monete d'oro di re Desiderio. Che farne? Venderli come monete antiche o fonderli in lingotti? E poi come smerciarli? Comperare una gioielleria, mettersi d'accordo con un commerciante di Valenza, correre il rischio di passare per un ladro? No, questo no, sono un po' come il brigatista Tonino Paroli che si confessava brigatista pur di non passare per un ladro d'auto. L'ultima fantasia di riserva è quella dell'alto comando per la lotta alla Mafia: leggi speciali ovviamente e repressione dura, alla maniera del prefetto Mori. Ma dove le metto le decine di migliaia di mafiosi? In campi di concentramento? In un'isola deserta? E poi che dicono quelli di Amnesty?

Ma sì, mi manca quel tanto di artigli e di cinismo senza cui non si fa la storia, non si arriva al potere, non si è uomo di vita e di morte. Mia moglie dice che sono un misto di scalatore e di «casa Cupiello», un ambizioso con affetti e debolezze familistiche. Certo da quando sono al mondo ho sempre avuto un'aggressività di cui mi accorgevo solo a cose fatte, a piatti rotti, e forse è per questo che mi è piaciuto fare il giornalista, l'unico mestiere che permette di aggredire a distanza, di aggredire senza vedere in faccia l'aggredito. Il successo nel giornalismo non mi ha dato alla testa, ma la sua astinenza può ancora farmi impazzire; delle lodi, delle strette di mano, dei saluti di chi mi incontra per strada potrei fare benissimo a meno, ma stare una settimana senza scrivere un articolo, passare sette giorni senza aver detto la mia, non importa su che cosa, mi fa uscire di senno. Per questo lavoro sempre, anche in vacanza, ma non in modo ossessivo, prendendomi i miei riposi, i miei svaghi.

Mi piace andar per mare con mio figlio Davide. È una storia che incomincia nel '68 quando lui ha cinque anni. Teniamo un gommone a Piona, alto lago di Como, e un giorno partiamo lui ed io, il lago è piatto, gli passo la guida del fuoribordo, lui afferra l'impugnatura del motore, sta con le gambe divaricate, piegate sulle ginocchia come una foca felice e non la molla più fino a Lezzeno, fino al Crotto del Misto dove ti servono il filetto di persico al burro nero e i *misultit*, le acciughe di lago affumicate. Da quel lontano giorno il nostro sodalizio navigante continua. Cinque anni dopo comperiamo «culandrona», una barca tonda, grassa, senza poppa di cui a Lerici, dove la portiamo, tutti ridono, ma Davide ha già imparato tutto sulle vele e quando issa lo spinnaker, la gran vela del vento in poppa, i vecchi velisti sorridono e lo guardano. Poi passiamo a un sette metri con cui andiamo dappertutto nel Mediterraneo, Corsica o Île de Porquerolles, e infine a un undici metri tutto in legno fabbricato a Trieste e intanto Davide è diventato un giovanotto, uno skipper. Alla fine dell'anno fa il suo bilancio marinaro: «Sono stato in barca centoventi giorni». Al principio mi presenta il suo programma da cui vengo progressivamente espulso. Metto gli occhiali e leggo che in luglio andrà alla Giraglia. «Ma non è un po' lunga per un undici metri?» «Vado con il *Sicomoro*,» dice lui «un quindici metri, la barca del mio amico Marco.» «Per la Madonna, ma chi è 'sto Marco che a diciotto anni ha già una barca da mezzo miliardo?» «Marco» dice «ha cinquantasei anni, ha una fabbrica di pompe idrauliche a Cusano Milanino.» «Ma chi è, l'ingegner Ferretti, quello che telefona alle sette del mattino, non saluta neppure e chiede: "C'è Davide?".»

Dunque alla Giraglia e poi alle regate di Alassio, alla settimana di Porto Cervo. E noi? Sua madre e io ci accontentiamo se qualche fine settimana ci porta da Lerici a Bocca di Magra, luogo magico, dove tutto scorre, fiume, alberi, nuvole, le Apuane bianche, quel sentirsi fragili nella felicità, quel sapere che tutto è già passato mentre lo vivi. Si attracca, si mangia qualcosa, si va a punta Bianca a fare il bagno ma skipper non si degna, i velisti non si degnano di scendere in mare, fra i poveri bagnanti. Come si riparte arriva un fiato caldo di libeccio, il mare incomincia a muoversi in onde corte, poi il vento cresce, lo schiaccia come una lastra di piombo e noi stiamo ancora asciugandoci che lui ha già issato la randa e poi con uno dei suoi marchingegni a corde di vario colore l'ha già terzarolata, cioè ridotta a misura del vento che cresce, ed eccolo a prua per issare la tormentina che si tende e fende il vento come una scimitarra. La nostra barca ora sembra uno squalo e lui la doma, la piega, la lancia sul mare schiacciato dal vento. C'è una barca davanti a noi un duecento metri. «Ce la facciamo a prenderla?» «Mettiti sopravento!» urla, come la volta che con il nostro sette metri eravamo in vista di Saint-Tropez, ci trovammo a fianco di una barca rossa, io lo incitavo e lui diceva seccato: «Ma è il maxi di von Karajan!».

La barca ci ha anche fatto veder nascere per lui l'età degli amori, con molta discrezione, con molta naturalezza. Eravamo a Port Cros dopo cena in un tramonto infuocato e lui ci ubriacava lentamente, me e sua madre. «Se hai un appuntamento vai pure» dicevo. «No» rispondeva lui evasivo. «Venendo qui» aggiungevo «ho visto al bar delle ragazze olandesi molto belle.» «Scusami,» mi interrompeva lui «devo sentire il bollettino.» Scendeva ad ascoltare la radio, riappariva cupo. «Allora?» «Mistral a quaranta nodi.» «Forse ci conviene restare a Port Cros per qualche giorno. Ti va bene?» «Per me va bene» diceva condiscendente. Intanto gentilmente, naturalmente osservava il nostro progressivo torpore, i nostri sbadigli, i «come si chiama quella cosa là» della memoria che si scioglie nei vapori alcoolici. Non si muove neppure quando sua madre ed io ci siamo già coricati, sotto, in un vago odore di nafta, coperte umide, pomodori andati a male, dentifricio, sigarette e improvvisi lancinanti pensieri sugli anni che sono volati e lui ha già passato i venti e sembra ieri che fantasticava tutto il viaggio da Milano a Ventimiglia su Topo Gigio. E ormai ci tratta proprio come dei vecchietti, ha persino attaccato sul boma dei cartellini con su scritto con il pennarello la parola «attenzione» con punto esclamativo per ricordarci che il boma può sbatterti in testa. Ci accorgiamo che è uscito per i suoi amori notturni come il capitano di Conrad quando se ne va l'ospite misterioso: un fruscio, un profumo di gioventù che si allontana.

Poi ci sono le donne da regata che sono tutta un'altra cosa, con un nome che finisce quasi sempre in «ona» per far capire che sono forti: la Mariona, la Luisona, la Carlona. Queste donne da regata trasportano barche, aggiustano vele, sistemano carichi, chiedono permessi alla capitaneria, fanno le iscrizioni alle regate, comperano i razzi mentre skipper dice che deve studiare, poi lui rinvia l'esame al prossimo appello mentre loro hanno la media del trenta. Ma non commettete l'errore di immaginarle come mogli, lui vi guarderebbe stupefatto; che cosa c'entra una Luisona con l'amore?

Quest'anno ha trovato solo il tempo per portarci a Montecristo, ma è stata una navigazione magica. Montecristo la vedi appena esci da Porto Azzurro: è come una nuvola che appare e scompare nel mare. Poi diventa come la montagna del Purgatorio, una promessa di ascesi sul mare. Sembra a due passi ma prima che ci arriviamo scende una notte fonda. Vediamo due lumi, uno rosso e uno verde, ma non sono le case di caccia, sono due pescherecci che sono venuti a passare la notte proprio sotto la parete di granito giallino. Il mattino vediamo che abbiamo sbagliato la cala maggiore di un centinaio di metri. Torniamo a porto Baratti dove Silvia e gli altri sbarcano. Restiamo soli io e skipper in una lunga tesa velata fino a Lerici. Sono nato e vissuto fra le montagne ma il mare non mi fa nessuna paura. Per questo quando il mare sale, a volte, mi lascia al timone. Altri incarichi velici no, al massimo gettare l'ancora quando si arriva in porto. Pluff, senza pensare al viluppo delle catene e dei canapi che va compiendosi nella penombra verde azzurra. Ma non ci si pensa la sera, la sera si pensa al vermentino ghiacciato e alla zuppa di datteri che ci attende in qualche «Gambero rosso». È il mattino che si scopre il disastro: un grande motoscafo blu per la pesca d'altura arrivato nella notte ha gettato una catena che schiaccia tutte le altre. Da varie barche prigioniere si grida, ma a bordo del motoscafo blu c'è solo una biondina lentigginosa. Finalmente arrivano il padre e la madre. Lui sui quarant'anni, si fa dare la maschera, sputa sul vetro come un subacqueo esperto, si inabissa ma dopo pochi istanti è già su anfanante, sputacchiante. Dalle barche prigioniere tutti danno consigli alla biondina che, a quel che si è capito, non è la figlia ma una *au pair* inglese: «*Please, down*, ma perché non molli 'sta catena, *excuse lady, put in*» e lei ascolta senza capire mettendo fuori i suoi denti da coniglietta. Finalmente Davide smette di consultare una carta nautica e come Achille esce dalla tenda, va dinoccolato a prua, fa un gesto al padrone del motoscafo come a dire, per favore stia calmo, stacca dal boma un suo gerlo o cordino o staffa, lo passa sotto il catenone poi si rivolge alla biondina con un sorriso gentile e lei fa quel che le ordina, sblocca l'argano, molla il catenone mentre con uno strappo leggero skipper ha liberato l'ancora e il padrone del motoscafo si mette a urlare insulti alla moglie e non dice neppure grazie. Ma il nostro di queste miserie familiari non si cura, è già ridisceso per vedere se alla secca della Liscona il pescaggio è di due metri o due metri e mezzo.

Sì ora ci tratta proprio come vecchietti. Ha capito che i nomi delle corde, dei gerli, non li impareremo mai, non abbiamo neppure notato quel cordino blu legato al moschettone dello spy, cinquantaquattro metri di vela per il vento in poppa. E mentre state entrando in porto e sorseggiate un gin tonic lui grida a sua madre: «Silvia, tira quel cordino blu». «E cosa succede?» dice lei ilare ed eccitata. «Ma tiralo!» Lei tira, il moschettone si apre di scatto, lo spy catturato dalla mano esperta di Davide è come un airone ferito, dà ancora qualche colpo d'ala e poi viene giù. «Oh come è bravo il mio bambino!» Sono cose da dire mentre l'intero porto di Marciana, Isola d'Elba, si è fermato per vedere come fa uno skipper a entrare con lo spy a motore spento e a cogliere l'ultima bava di vento per arrivare in curva lenta al posto giusto davanti alla banchina e solo allora ordina: «Getta». E io che sto a prua, all'ancora, eseguo, pluff.

Grazie alla barca e a Davide ho capito che cosa è l'Europa della borghesia, quella che ha vinto il comunismo, quella che sta tornando al centro del mondo. Ho visto dalla mia barca il nuovo ceto borghese egemone anche se si occupa poco di politica. Migliaia di barche in migliaia di porti, ciascuno nella sua arca familiare, qualche scambio di favori marinari ma non altro, nessuna voglia di fare amicizia, di discutere. Migliaia di barche per una borghesia omogenea, salutista che nasconde l'eros: il sesso è una cosa troppo facile perché si possa vantarsene. Il nudismo di questa borghesia è pudico e indifferente, le donne che escono nude dalla tuga vi raggelano. Una si è appena accorta che l'ancora non tiene, va a prua con le sue tette rampanti e le sue natiche polite poi chiama imperiosa il marito. Esce fuori nudo anche lui con il suo batacchio ciondolante, tira la catena dell'ancora, evita una collisione con la barca dei vicini, torna giù a sentire il bollettino di Borsa, mentre lei fissa i suoi occhi di ghiaccio nel vuoto.

Non abbiamo servitù noi della nuova classe medio-alta, non siamo pacchiani come i grandi ricchi, non li invidiamo, ci siamo fatti la barca, i soldi lavorando da buoni professionisti. Ci ritroviamo nei porti e nei ristoranti delle stelle Michelin, siamo discreti, educati, abituati al «fai da te». Stesse barche, stesse vele, stessi abiti o nudità, stesso Mozart, stesse buone scuole, stesse seconde case, stesse automobili, stessa piacevole sorpresa di aver rimesso assieme la vecchia Europa al centro del mondo, stesso contenuto compiacimento di essere ancora ammirati, imitati da coloro che ci volevano sotterrare con le loro utopie e demagogie.

I ricordi che ho di Nicoletta bambina sono di una fragilità luminosa e quasi extracorporea. Una volta salimmo all'Aprica, in un giorno feriale. Era un luogo orrendo, i condomini avevano invaso il colle, divorato i campi da sci, bisognava camminare per centinaia di metri in mezzo ai casoni prima di arrivare alla neve. C'era uno skilift per bambini, lento, che andava su per un campo ghiacciato. In cima mi voltai a guardare: Davide e Guido zampettavano poco sotto. E Nicoletta? Non c'era. Avete visto Nicoletta? Nessuno l'aveva vista. Scesi fino ai casoni. Forse si era tolta gli sci. Solo allora sentii un lamento fioco, un pianto. Era caduta in un fosso, non riusciva a venire fuori con gli sci incastrati, piangeva e mi guardava come un coniglietto bianco da neve caduto in una trappola. Sì, ho sempre proiettato su di lei le mie paure di uomo che doveva allevare una figlia la cui madre se ne era andata, l'ho sempre vista fragile e luminosa. Come la volta che tornò da Cuneo dove era stata con Anna, mia sorella, e correndo sulle rive innevate della Stura era caduta e si era rotta un braccio. Ma non osarono dirmi niente, solo suonarono alla porta e lei era lì in un cappottino azzurro con il braccino ingessato e mi guardava impaurita temendo che la sgridassi, ma io la stringevo con tanto amore.

Per fortuna che ci sorregge la follia, il giorno che passa e che in qualche modo arriva alla fine, le cose che in qualche modo rotolano per la china del tempo, se no non si potrebbe resistere all'angoscia, all'ansia per ogni pericolo incombente sui figli. Anni di ansia, di cure, di amore, infranti, schiacciati in un amen da un incidente. Ed è per questo che la perdita di un figlio giovane non è riparabile, chi lo perde capisce che questa è una prova della ferocia di Dio, della sua indifferenza verso gli uomini, una prova che il dio misericordioso è una nostra pia illusione, il dio se c'è è feroce e indifferente e non potrebbe essere altrimenti, se no sarebbe uno come noi commovibile e debole. La forza e la debolezza del cristianesimo è questa, di aver fatto un dio umano che però per essere credibile deve essere il figlio del vecchio Jahweh indifferente e impietoso.

Per avere l'amore di Guido ci ho messo dieci anni. Era bello e un po' tenebroso, osservava il sodalizio spontaneo fra me e Davide e si ritraeva. Se andavamo a sciare lui andava sempre in salita, non mi riusciva di farlo scendere; una volta a Plan Pincieux in val Ferret riuscii a mettermelo dietro sulla strada che scende a Entrèves, partii credendo di averlo sulle code poi mi voltai, vidi che si era tolto gli sci e lo rincorrevo come un pazzo agitando i bastoni, ma lui era diventato agilissimo, fuggiva fra gli abeti, mi parve di vedere un suo sorriso di scherno. Finché arrivammo al giorno del lampone. Eravamo a Ponte in Valtellina, nella casa di sua madre, e io un po' sfottevo lui e un suo amico perché avevan passato come al solito la giornata dormendo e leggendo, mentre io e il Davide eravamo saliti allo Stelvio per lo sci estivo e poi andati in cerca di vino. E lui mi lasciava dire e sorrideva, finché a un certo punto prese un cucchiaino, ci posò su un lampone e usandolo come una balestra me lo stampò precisissimo nell'occhio destro: pac! E invece di incazzarmi guardavo con nuovi occhi il bello e tenebroso che si era finalmente sciolto e rideva, tranquillo ora dei nostri rapporti.

Mi piace andare per il mare delle acque verdi azzurre e mi piace andare per quel mare di colline che sono le Langhe. Da quanti anni vengo nelle Langhe? Della dinastia dei Bianco di Barbaresco ho conosciuto quattro generazioni. Il primo fu Alfredo, aveva casa e cantina proprio sotto la torre sulla cui cima sono cresciuti piccoli arbusti, nutriti di acqua piovana e polvere di mattone. Alfredo Bianco era alto e magro, parlava solo il dialetto albese che è un vocalizzo largo e sciolto come acqua che corre. Mi portava in cantina, prendeva una fiala, la riempiva calandola da un foro alto nella botte, la portava fuori della cantina per vedere meglio, nella luce della sera dolce sulla valle del Tanaro, il colore di rubino e gli partiva dalla gola come un canto di gallo in amore. Suo nipote oggi colleziona quadri e usa anche lui le *barriques*, le pronipoti studiano.

Ma il vino di Langa lo conoscevo da molti anni, ricordo un Nebbiolo di Verduno arrivato chi sa come nella nostra casa di modesti bevitori quando avevo quindici anni: sapeva di violetta e di primavera, aveva dentro il calore del camino, ma anche una freschezza di nebbia mattutina. Certe sere aspettavo che mia madre fosse andata a dormire, sfilavo la chiave della cantina senza far rumore e scendevo all'appuntamento con i compagni di scuola, li facevo entrare come cospiratori, a lume di candela ci scolavamo tre o quattro bottiglie, nel modo rituale: bere, passare la bottiglia secondo il giro dell'orologio all'amico che con la sua mano, non con la tua, pulisce la bocca della bottiglia e avanti nel cerchio dionisiaco. Un mattino la donna che veniva a fare le pulizie mi trovò addormentato nell'armadio delle scope. Quell'indimenticabile Nebbiolo che migliorava salendo verso il ghiacciaio della Maledia e usciva dalla bottiglia gioioso e frizzante!

Ne son cambiate di cose nelle Langhe. Mi dice Bartolo

Mascarello, produttore di Barolo in Barolo: «È caduto il muro di Berlino e mia figlia ha messo il telefono». Anche i Mascarello hanno dovuto arrendersi alla modernizzazione e assistono a fatti incredibili solo cinque anni fa. Suonano alla porta, Bartolo va ad aprire e trova due giapponesi appena arrivati da Tokyo. «Tu Mascarello?» chiede uno dei giapponesi. «Noi comperare tuo vino.» «Come avete fatto a trovarmi?» «Preso aereo a Tokyo arrivati a Roma, preso aereo a Roma arrivati a Torino, preso taxi a Torino arrivati a Barolo, chiesto dove sta Mascarello arrivati qui.» «A l'è vera?» chiede Bartolo che non si fida al taxista. «A l'è propri parei.»

Cambiano gli uomini della Langa. Trent'anni fa il vecchio Gaja di Barbaresco mi fa assaggiare nella grande cantina il suo vino che profuma di violetta e di mandorla, un vino stupendo. Ne ordino cento bottiglie ma quando stappo le prime a Milano violetta e mandorla sembrano svanite. Telefono al vecchio Gaja, ma non c'è, lascio detto a sua moglie che il vino che mi ha mandato non va bene. L'indomani suonano alla porta, apro e trovo il vecchio Gaja appoggiato obliquo a uno stipite, come un Cristo ligneo. «Questa non doveva farmela,» ripete «questa non doveva.» Ma non gli ho tolto degli anni di vita, è ancora in gamba, segue il lavoro del figlio, il grande Angelo, e dissente, a volte, con misura. Per esempio quando Angelo ha piantato in terra di Langa, di Barbaresco, proprio sotto la casa dei Gaja, del Cabernet Sauvignon. Il vecchio Gaja non era stato informato del sacrilegio, va con il figlio a guardare il nuovo vigneto e chiede: «Dove hai preso questo Nebbiolo?». «Non è Nebbiolo,» dice Angelo «è Cabernet Sauvignon.» Il vecchio lo guarda e mormora: «Darmagi», che in piemontese vuol dire peccato. Angelo se ne ricorda, quando il vino è pronto lo chiama Darmagi. Sono bravi, molto bravi questi grandi vignaioli delle Langhe. Angelo ha fatto anche un bianco, un Sauvignon che regge il confronto con i Borgogna, e Bruno Giacosa di Neive uno spumante che è meglio dello champagne.

Sono arrivati in terra di Langa anche i tedeschi, anzi son tornati perché dal tempo dell'imperatore Ottone ogni tanto arrivano da queste parti in armi. Ma stavolta vengono come turisti, ogni volta che li vedo penso a quel loro Hitler che voleva rigenerare con i suoi tedeschi la razza degli uomini, e sopra i trenta anni sono già orrendi con quelle loro donne di grandi chiappe e di seni a bigonce. Vengono in Langa perché hanno scoperto che costa un terzo che in Borgogna anche se il mio amico Cesare di Albaretto della Torre, oste eccelso e nevrotico, gli spara delle bordate da mezzo milione a testa, per via dei tartufi sempre più rari. Ma la Langa dei piccoli ristoranti regge, anche se è scomparso Miliu di Treiso, il meglio: per andare al cesso passavi per la sua stanza da letto con i salami che pendevano dal soffitto perché al tiepido maturano meglio; in cucina la madre a tirar la pasta dei «tajarin» e la moglie a cuocere il coniglio al Barolo con i peperoni e il «bonet», il dolce di panna e cioccolato, tre soli piatti ma perfetti.

In questo settantesimo anno della mia vita e di grandi riconoscimenti ho avuto il massimo per uno di Cuneo. Mi hanno fatto uomo Barolo per il 1990. Ho portato alla cerimonia mia figlia Nicoletta. C'erano quaranta produttori di Barolo ognuno con il suo vino, Nicoletta li ha assaggiati tutti. Porto in Langa i miei figli, mia moglie e i miei amici e non parlo mai del tempo della guerra partigiana, ma riconosco i luoghi, le colline per cui sono fuggito nel grande rastrellamento, da Monforte a Neive, dieci ore di marcia con il cuore in gola su e giù per le colline; vedo le cisterne su cui provavamo i bazooka, i lanciarazzi, il pozzo dove nascondevamo le armi, la piccola cascina di Neviglie dove stavano le due sorelle ossute che avevano i mariti alpini prigionieri in Russia, forse già morti, ma l'amore con noi non volevano farlo, qualche bacio, qualche riso stridulo mentre le abbracciavamo, ma non l'amore. Se n'è andato il vecchio Conterno dell'osteria del ponte di Monforte: quando gli dicevamo che c'era un rastrellamento imminente scendeva in cantina, prendeva il Barolo messo da parte per il matrimonio di suo figlio e diceva: «Piuttosto che lo bevan loro, lo beviamo noi». Se n'è andato Felicin Rocca, l'oste di Monforte, uno di quelli come Marella, pronti a farsi bruciare la casa senza reclamare, senza piagnucolare; e se n'è andato il Pira che pigiava ancora le uve a piedi nudi. Ha lasciato un biglietto alla sorella. «Questo è il più bel giorno della mia vita» e si è gettato nel pozzo, mai capito perché da queste parti scelgano un modo così atroce di uccidersi, annegare in due metri d'acqua, al buio. Forse perché il buio del pozzo e il freddo dell'acqua sembrano in queste colline solari la porta dell'Ade. Sono andato dalle sorelle Pira con mia moglie e le dicevano indicandomi: «Eh sì, anche i nostri giovanotti invecchiano».

Ma è la montagna che mi riporta agli anni della neve e del fuoco. Ho ritrovato a Morgex in Valle d'Aosta Pino Formento, mio compagno negli anni dello sci agonistico. Cominciavamo a sciare in novembre e finivamo a maggio: gli sci diventavano come scarpe, li lasciavi andare per conto loro, sentivano loro le cunette e il ghiaccio. Andammo dovunque a gareggiare anche sull'Etna, trofeo Duca di Misterbianco, arrancavi sulla neve ghiacciata e respiravi aria di mare, vedevi il mare di un blu intenso fino a Taormina, fino a Reggio, vedevi le sirene e Polifemo. O al Corno alle Scale, Appennino emiliano, o a Zermatt, a Davos. A Davos stavamo in un albergo da montagna incantata, nella sala da pranzo rosa e oro la sera ardevano i bracieri attorno a cui i cuochi vestiti di bianco preparavano le costate e la *raclette* con la fontina fusa. Al tavolo vicino al nostro c'era un lord inglese venuto a Davos con la nipote Jean Montague, diciotto anni, bionda, vergine, e l'amante, una bella donna sulla quarantina che ne aveva piene le tasche della nipote vergine del suo lord. E lui per scaricarla ci invitava al suo tavolo, sorrideva quando la invitavamo a ballare. L'ultima sera accompagnai alla sua stanza Jean Montague e quando mi diede la mano per il saluto, proprio come nei film, misi un piede nella porta semiaperta. Mi fece entrare, andammo a letto, si era tolta il reggiseno ma non le mutandine, aveva delle gambe fortissime, dopo un'ora di tentativi mi arresi, mi girai dall'altra parte e mi addormentai. Mi svegliò la prima luce, il nostro pullman sarebbe partito per l'Italia da lì a un'ora. Lei dormiva, sul tavolino c'era un suo bracciale di brillanti, una voglia rapida di rubarlo mi prese mentre mi infilavo i pantaloni, una ridicola

risposta passò nella mia testa ancora un po' intontita dal vino, dal sonno: «Ma no, cosa penserebbe di noi italiani?».
Ora vado spesso a cena dai Formento e dagli altri notabili dell'alta valle. Sono serate di piacevole necrofilia, ci ripassiamo tutti i morti da valanga o da roccia dai tempi di Whymper. «Mio bisnonno Croux, la guida, lo conosceva» dice una delle signore. Mi regalano il liquore di genepy, per ogni bottiglia trecento piantine, ma non bisogna dirlo perché è proibito raccoglierle.

Gli ultimi due anni di poca neve mi hanno fatto paura, a leggere sui giornali dell'effetto serra mi veniva l'angoscia: dio, un mondo dal cielo sempre azzurro, di aria calda, di prati nudi. Ma ora l'amica neve è tornata. Mentre son qui a scrivere nella mia stanza a Beillardey la casa è dentro una «niula bassa», una nuvola bassa, come dicono i valdostani che non conoscono la parola nebbia. La nuvola bassa è scesa dal vallone di Paramont che è di fronte a noi, sull'altro versante, è arrivata a Morgex e a Prè-Saint-Didier, ha nascosto il fondovalle e poi è risalita verso di noi della collina, come i valdostani chiamano una montagna senza rocce. Adesso sotto di me è visibile solo la casa degli Haudemand e la loro lampada gialla attorno a cui vedo mulinare i primi fiocchi di neve. Stanno scomparendo nel grigio bianco anche le luci di Challancin che, sulla collina, è la nostra ultima Tule. Si ode un batter di pala, è Enrico Pareyson il custode che vuol farmi capire che lui è pronto al suo lavoro. Adesso viene giù forte, ce ne saranno già quindici centimetri, esco a pisciare, sommo piacere celtico, guardare il foro giallino nel bianco immacolato della neve, avvolto dal fruscio della neve che cade e sono felice esattamente come lo ero nei lontani anni della neve e del fuoco. Che resta da capire?

OSCAR BESTSELLERS SAGGI